U0133570

國立中央圖書館出版品預行編目資料

民族文學的良心：高準作品評論選 / 詩潮社編輯. -- 初版. -- 臺北市：文史哲，民81
面； 公分. --(文學叢刊；41)
ISBN 957-547-161-X(平裝)

1. 高準 - 作品集 - 批評，解釋等

848.6　　81004098

文學叢刊 ㊶

民族文學的良心 —高準作品評論選

編輯者：詩潮社
出版者：文史哲出版社
登記證字號：行政院新聞局局版臺業字五三三七號
發行人：彭正雄
發行所：文史哲出版社
印刷者：文史哲出版社
台北市羅斯福路一段七十二巷四號
郵撥〇五一二八八一二彭正雄帳戶
電話：三五一一〇二八

實價新台幣四四〇元

中華民國八十一年八月初版

ISBN 957-547-161-X

壁立千仞（高準一九八八年攝於龍門）

一 九 七 二 年 留 影

一九五六年開始寫作時之高準

一九七六年攝於英國劍橋

一九七九年攝於美國愛荷華（右：高準，左起畢朔望、蕭乾、聶華苓）

一九八八年與艾青合影於北京艾青寓所

而更要大力標舉台灣是有愛國主義精神的作品，才能對台灣文化界發生啟導作用而使雙方都走向更正確的一步。

但針對現代主義頹風的矯救之道，並不是要回到大陸五、六十年代那種盲從的歌功頌德為主的假現實主義，也不是三四十年代那種強調「戰鬥」而輕了藝術上比較粗糙的作品所能勝任的。它應該是，也只能是以具有「民胞物與」、「有教無類」的道德理想作為其精神的。所以只有那種以仁義為心而決之博大的中國傳統文化精華，才是檢驗作品的正確準則，也才是對兩岸中國人的永恆號召，而也才能有利於民族的團結與真正統一的達成。

（一九八九年八月）

高準手跡

民族文學的良心　目　錄

*

民族文學的良心

——論高準的詩及其創作道路

丁穎

中國是個詩的民族，詩在中國人生活中，佔著重要的一部份。在沒有文字之前，中國人就懂得以詩抒發情懷，他們「手之舞之，足之蹈之」所唱的歌謠，後來有了文字，用文字紀錄下來，就是我們現在的《詩經》。中國古代是很重視詩教育的，孔子問兒子伯魚說：「學詩乎？不學詩，無以言。」一個人如果不先學詩，連話都說不好。唐代更以詩取士，不學詩就也沒有機會參與治理國家的政事。至於社會朋輩間以詩唱和更不在話下。而中國詩的基本精神是所謂「風人之旨」，它不僅要提昇人的品質，也要影響社會的風尚。孔子又對弟子們說：「詩：可以興，可以觀，可以群，可以怨。」可知詩對人生是多麼重要。但由於時代的變遷，詩教育日漸式微。民國以還，歐風東漸，代之而起的是新文學，胡適的《嘗試集》，可以說是中國新詩的啓蒙，稍後徐志摩、戴望舒等，將西方新詩各流派相續介紹到中國來，中國新詩至此脫離舊體詩的巢臼，邁向一個新的里程碑。

五四以後，從西方引進的新思潮，在國內一時蔚爲風氣，在文學創作方面，從浪漫主義、象徵主義、到現代主義、現實主義……，風起雲湧，呈現一片繽紛向榮的景觀。可惜這片浪潮，至一九四九年，由於客觀現實環境的變遷，海的彼岸在作者創作空間受到一定的限制，有將近二十六、七年時間，可說是一片蒼茫，近十年來的開放，似乎有了一些新機，但也僅不過「朦朧詩」學步而已；海的這邊，國府初遷之時，文壇可說是一片荒蕪之地，被譏爲文化沙漠，好在渡海來台的少數詩人，靠一己之力荷起鋤頭，在這片荒蕪之地開拓與耕耘，五十年代中葉起，這片文化沙漠漸有綠意。這時紀弦所提倡的現代主義，介紹了自波萊特爾以降諸人的詩作，並成立現代派。紀弦的現代風對這片沙漠來說，無異是一陣驟雨，雖然雨急風驟，却一時有助於沙漠的綠化。但它主張只要橫的移植，不要縱的繼承；强調知性，貶抑抒情。也就助長野草的滋生。有些人走火入魔，不惜使用「自動文字」，標榜「無感不覺」，並以繪畫的達達派，與超現實主義的意識流作爲表現新詩創作的新手法，一時圖畫詩、視覺詩，紛沓雜陳，一齊出籠，把現代詩引上歧路，更誤導一些青年習詩者，認爲把文字隨便組合，寫出讓人看不懂的東西就是現代詩。這正如唐代詩僧皎然說「詩有六迷」：「以虛誕而爲高古，以緩漫而爲沖淡，以錯用意而爲獨善，以詭詐而爲新奇，以爛熟而爲穩約，以氣少力弱而爲容易。」以這「六迷」來形容現代詩的「迷途」，實再恰當不過。甚至有人寫出「雙人床」、「母親的梅毒」一類淫穢的所謂現代詩，則更等而下之，已不入流矣！所以後來紀弦疼心僞現代詩的横行，毅然宣佈解散現代派。紀弦當初力倡現代詩，後來又親自宣佈現代詩的死亡，正是一種「惡紫之奪朱也」的心情吧？也可見「現代主義」的流衍所造成的惡果。

詩人高準正生在「現代主義之聲盈天下」的時代，但他居然沒有被當時風行的現代主義所籠罩，可說是個異數。他在台大讀書時和同學辦一份《海洋詩刊》，就提出了他們自己對詩的看法。後來他第二次從國外遊學歸來，與筆者創辦《詩潮》，更明確的提出自己對詩的主張，這個主張亦是《詩潮》同仁所共同的主張，並刊載於《詩潮》創刊號：

(1)要發揚民族精神，創造爲廣大同胞所喜見樂聞的民族風格與民族形式。

(2)要把握抒情本質，以求眞求善求美的決心，燃燒起眞誠熱烈的新生命。

(3)要建立民主心態，在以普及爲原則的基礎上去提高，以提高爲目標的方向上去普及。

(4)要關心社會民生，以積極的浪漫主義與批判的現實主義，意氣風發的寫出民衆的呼聲。

(5)要注重表達技巧，須知一件沒有藝術性的作品，思想性再高也是沒有用的。*

不幸《詩潮》出版後，被人誣指爲提倡「工農兵」文學。並拋出「狼來了」的紅帽子，於是《詩潮》遭到查禁命運，這是臺灣被查禁的第一本詩刊，同時也導致鄉土文學論戰的高潮。對此高準曾有詳細答覆，茲不必再引。而拋出「狼來了」紅帽子的人，後來却被人指出其詩竟多有抄襲之作。高準所提倡的詩要紮根於本土，是指發揚民族文化及平民文學，並非是狹隘的地區文學，更非現在少數人所搞的意欲分裂國土的「獨文學」。與某些口頭上偶爾也說說「回歸民族」而却一心只想葬在倫敦西敏寺的人也自然不同。

《詩潮》的方向，實際上也是高準在詩創作上的基本原則。他强調詩的民族性，愛國性，紮根於本土，親風雅餘緒。這與紀弦主張「橫的移植，拋棄傳統」，正是針鋒相對。他認爲中國舊詩形式或體裁儘可改變，但中國詩的精神內涵宜保留，而且更應發揚光大，他熱愛中國文化，他的愛國情操表現在他的作品中處處可見。他在現代主義之風瀰漫全島之時，而能衆人皆醉惟我獨醒，不受現代主義之影響，主張詩要有民族性，他能獨立思考成一家之見，是難能可貴的。他强烈的民族主義及愛國心，可溯至他讀師大附中時，偶然讀到愛國詩人聞一多的詩；以及他目睹「五二四」事件美軍在臺殺中國老百姓竟然無罪之審判，這件事激起他强烈的民族自尊，其時正當他高中畢業之年，他進台大選讀政治與此事亦有相當大關係。他雖學的是政治學，但他在詩與繪畫藝術上的成就，遠超過他的本行。他在大學所教的課程，早年雖教過政治學，後來亦以詩及繪畫爲主。他的著作除《反專制主義大師黃梨洲

》係屬政治學術類，其餘如《詳註古今中國名詩三百首》、《中國繪畫史導論》、《中國新詩風格發展論》、《中國大陸新詩評析》等均爲文學藝術方面的著作。社會上多以詩人高準見稱，其實他是眞正科班出身的政治學者却鮮爲人知了。

詩文學要不要肩負社會教育責任及使命？是多年爭論不休的問題，有人主張詩的純粹性，爲藝術而藝術。而高準却主張詩要有社會性，甚或不諱言政治性的功用。他反對爲藝術而藝術，躲在象牙裡自我欣賞的作品是蒼白而不健康的，他在《文學與社會》一文裡說：「文學不是孤立的存在於象牙塔裡面的東西，它是社會的產物……文學既是社會的產物而且必然要傳達於他人，所以文學也必有其社會的功能與責任。」高準所說的社會責任、政治功能，並不是要詩爲政治服務成爲政治工具，他是要詩來淨化人類心靈，發揚人性中美好善良的一面，使人類能自由平等和睦相處走向光明。因此他又說：「文學的社會責任，實際也就是文學的基本目的，它就是要發揚人性、淨化人心，從反映現實以求現實的改進，從抒寫感情以求感情的昇華，從表達人民的眞正願望以求願望的合理實現，從表達人生的眞實面目以求人生之走向光明。」

其實高準所主張的詩有社會性，自然亦並非他的創見，他是承中國文學之統緒，只是進一步闡釋，廣而大之。偉大的文學作品都是反映人生，與人類生活息息相關的。翻開歷史的詩章，無不是在描寫人間的悲歡哀樂及生離死別。偉大的作家絕不是躲入象牙塔吟哦以自娛，他必須走進人群吟唱出萬民的哀樂。屈原的偉大在於他「雖九死而未悔」，熱愛國家的忠誠；杜工部之偉大在於他「窮年憂黎元，歎息腸內熱」，關心黎庶的人道主義，表現詩人的悲憫情懷。高準强調的詩的社會性及政治性，我想該是如此的吧！中國詩所謂「興、觀、群、怨」，關於詩之社會性者四占其三。高準的「親風雅」，是欲將現代新詩溶滙於中國詩的精神而一脈貫通下來。詩經的「風」就是人民唱出的心願，爲政者把它採集起來作爲施政的參考，這不是詩的政治功能嗎？

高準爲反對現代詩的頹廢晦澀，和那些超現實的夢囈迷妄的作品，在《論中國現代詩的流變與前途方向》一文中，提出新詩的「新八不主義」：「⑴詞義清新，不作漢語之罪人。⑵情意眞摯，不作浮濫之吶喊。⑶結構精粹，不以散漫爲自由。⑷韻律諧調，不失聽覺之優美。⑸境界高遠，不作頹廢之虛無。」以上稱爲五項基準。另有三項方針是：「⑴加强的吸收傳統精華，繼承光大民族的歷史命脈。⑵深切的關注社會現實，堅決在中國的土地裡紮根。⑶熱烈的發揮抒情精神，澈底清除『超現實』之迷妄。」事實上他在創作上也謹守以上的原則，我們從他的作品可窺見他踐行的工夫。他的創作態度非常嚴謹，經常一個作品之完成，而數易其稿，一字之推敲，亦常幾經更改始能決定。所以他呈現給讀者的作品，幾乎均是完美無瑕，不但沒有敗句，連不恰當用字亦絕無僅有。這從他的《高準詩集》一書，足證我言之不虛。高準刻意去經營他的作品，不僅力求內容之完美，亦力求形式之完整，他呈現你面前的作品如一塊美玉藝術品，却沒有斧鑿之痕，所謂「力勁不露，露則傷於斤斧」，非高手莫能臻於不露之境，於此可見詩人之功力。

試舉《詩魂——屈原二二五〇祭》一詩可窺一斑：

想那初夏江南，何等璀燦！
那洞庭的波光，金碧輝閃，
涉江以採菱兮，桂棹蘭槳，
叢叢的薜荔呀，在汨羅江畔。

芳菲滿目的江南啊詩人的故鄉，
潺湲的江水呀，歌着你的詩章。
你的詩——瑰麗兮激揚！激揚着
千古愛國的心房，纏綿的肝腸！

啊你孤潔兮忠貞，熱血沸騰，
你悲憫兮憂憤，向罪惡抗爭！
你呼號行吟，要喚起誰的振奮？
你化入清波，却留下了眞善美聖！

看！那山川壯麗是你的詞彩，
那萬里的風雲，是你的天才，
那浩瀚的原野，是你的氣概。
詩人的祖國啊！我多麼熱愛！

請試問：荷馬或但丁，歌德或雪萊，
萊茵河與不列顛，意大利與愛琴海，
誰又能篡奪，你亙古的冠冕？
誰又能掩蓋，你杲杲的光燄！

啊啊，民族的詩魂呀詩魂之邦甸！
你原是那永生不朽的神木參天，
誰能信那吳剛揮斧斫得斷桂葉？
那神州萬里如今却瀰漫着荒烟？
啊啊，詩魂的民族呀民族之詩魂！
你原是那不死的鳳鳥，一再重生，
你必將從火浴裡呀再度灑布清芬！
爲你祝禱呀，祖國，請讓我獻身！

這首詩不論在內容和形式上，都是一首完美的佳作。此詩寫成於一九七三年，正當大陸「文革」時期。詩人藉憑弔屈原，而寫自己對祖國的痛切之愛。讀高準的詩，有一種「行神如空，行氣如虹」的勁健磅礡之勢，而使人熱血沸騰。這在他《中國萬歲交響曲》一詩中最能表現出來：

從帕米爾皚皚雪嶺的東面，
一萬里路，直到太平洋浩浩的西邊。
從黑龍江荒寒漠漠的河沿，
一萬里路，直到芒市鬱鬱的芭蕉林間。
那是我光榮的祖國之所在，
五千年創造與奮鬪的家園。
……………
啊啊！祖國呀祖國！
地靈人傑的創造奮鬪的家園！
我願你神州八億，人人盡是英雄！
我願你五湖四海，處處奮鬪着豪傑！
我願你萬里江山，遍地歌聲雷動！
我願你百世千年，永遠是立地頂天！

這只是《中國萬歲交響曲》其中的兩節，全詩非常長，未克全錄。這首詩氣勢宏偉，感情眞摯，他歌頌祖國山河的壯麗偉大，希望所有中國人都是頂天立地的英雄，希望自己的國家國富民强。這種强烈的愛國情懷，令人奮發昂揚，目前一般青年人對國家民族冷漠與淡薄，讀了這首詩也該有所激勵與覺醒。在《高準詩集》裡，像這樣振奮人心的作品還很多。如《神木》，《出塞吟》，《碧血》等均爲不朽之作。而《念故鄉》更是一首感人肺腑的抒情作品，茲摘錄起首部分如下：

是永恆的情人在夢裡飄渺
是生我的母親却任我飄泊
故鄉呀
我的故鄉是中國！

自從我有了知覺　故鄉呀
我讀你的名字　聽你的名字
我寫你的名字　喊你的名字
一萬　兩萬　三萬　多少萬遍了呀！

你的名字呀就是光彩與驕傲

你的名字呀就是美麗與榮耀
但我却見不到你的容貌
——自從我開始尋找……

只有浪跡天涯的人，最能體會到詩中的情懷。據作者說，這首詩曾由旅美音樂家魏立女士改編譜曲，在海外演唱。魏女士原籍臺灣而自幼居住大陸，後又遷往美國，曲成之日，並邀作者同到美西太平洋之濱，面對波濤之外的祖國高歌一遍，海天茫茫，鄉關萬里，眞是歌聲廻盪，遊子神傷！那一個人願飄泊海外異邦？不願回到自己的故鄉呢？可是他們有家歸不得，只有呼吸着太平洋彼岸的空氣，看着那兒的晚霞與落日，日復一日呼喚着故鄉的名字。是誰讓他們浪跡天涯？中國人啊！還不應該有所反省嗎？

有關詩的美學，高準也提出他的看法。他以謝赫所說的「氣韻生動」爲依歸。但何謂「氣韻生動」？詩人沒有詳說，我在這裡不妨代爲略作詮釋：「氣韻生動」，原是指繪畫上的品格而言，絕妙的畫品分爲逸格與神格。元黃大癡的畫，人稱之爲逸品，也即是逸格。宋人陳與義的「墨梅詩」云：「意足不求顏色似，前身相馬九方皋」，即是逸。逸格之外，還有神格。昔人爲神格所下定義：「大凡畫藝應物像形，其天機迥高，思與神合，創意立體，妙合化權。開廚而走，拔壁而飛，故目之曰神格。」神格者，即神化及生動也。神化生動的作品，非天才而不可成，故《圖繪寶鑑》上說：「氣韻生動，出於天成，人莫能窺其巧者，謂之神品。」高準將繪事美學移用之於詩，而別有見地。李東陽《懷麓堂詩話》說：「詩在六經中，別是一教，蓋六藝中之樂也。」古時的詩大多都能入樂，入樂必有韻。高準所指的「氣韻」除音韻之外，還作韻味解，詩如沒有韻味即不成詩。我這樣給「氣韻生動」加註腳，未知詩人以爲然否？在此我願附帶一提的是：一般人多注意到高準氣勢宏博的詩篇，其實他的愛情詩也寫得精麗而有韻味。如《心願》寫海角天涯的戀人生活，令人神往。

嚴滄浪云，詩法有五：「曰體製，曰格力，曰氣象，曰興趣，曰音節」。詩人高準之作品，於此五者皆備，此非學力深厚，廣讀群書，文學素養精湛，不克以達斯境，豈是學殖淺薄所謂「現代詩人」能窺其堂奧？最後，我願引用對於宋代大畫家夏珪的幾句評論來結束本文：「他可說是一位萬里河山的歌頌者與刻畫者，在他的筆下所表現出的都是廣大的無際的空間，使人讀之肅然神清，悠然意遠，有一種海闊天空的壯大氣勢逼人而來。」繪畫需有此壯濶的胸襟，寫詩又何其不然？躲在象牙塔裡自我陶醉呻吟囈語的詩人啊！該走出塔來曬曬陽光，看看那祖國遼濶的大地吧！

（《台灣時報》，一九九一、四、一）

*編按：《詩潮》第三集起又增訂第六條：「要重視形象思維，形象思維的實踐與否，是檢驗詩之

藝術性的主要標準。」第六條可說是第五條的補充解釋。

序《高準詩抄》

熊式一

四年之前，高準先生拿了他所作的和所譯的詩給我看。恰好那一學年之中，我因一面在美國講學，一面在香港主持清華書院，同時又在幾處地方展覽我私人所藏的字畫古物，所以橫渡了太平洋六次之多，在什麼地方也不能長躭一下子，於是只能在百忙中抽空欣賞他的佳作。匆促之中寫了一封信謝謝他的厚意。今年因事來臺北，承蒙高準先生把他正預備出版的《高準詩抄》清稿給我看，要我作序，我見卷頭刊印了當年過臺北時匆忙所寫的信，作爲代表這冊詩集的序言。他這樣看得起我，重視我隨手所寫的幾行字，叫我十分慚愧。既然高準先生一定要我在他這部極有價値的詩集中寫點東西，只好應命爲大家介紹。持論當否，尙請海內外大雅指正。

我自小酷好詩詞，但是對於新詩却少經驗。新詩自胡適之的《嘗試集》出版之後，變化萬端，在這短短的五十幾年之中，創出了多少不同的風格。就從胡適之自己的詩而言，其中風格之不同，也有天壤之別。典雅的可以比之宋詞元曲，通俗的比蓮花落還要口語化多了。

不過他老先生絕沒有那種只求打破中國詩詞之規模，而不惜一味的模仿洋詩皮毛的純歐化新詩。徐志摩曾對我很婉轉的批評某詩人的作品說：「某人的詩，雖叫人沒有方法去唸，可是印在紙上却有一定的形式，十分好看！」

我之不敢多談新詩就是因爲我發現大部分的新詩，只可遠看——有的刊印得齊齊整整，有的排列得巧巧妙妙，貿然一看十分悅目——等到你拿近來唸一唸，那就糟了！你不知道這一連串的中國字，到底是那一國的文字！我想除了作者本人之外，能欣賞這種新詩的人，一定是古代的猜謎聖手，今日的密碼專家！明瞭這種新詩之奧妙的人，一定認爲「蛙翻白出潤，蚓死紫之長」乃是人人都應當欣賞的佳句了。

譯文難，譯詩更難，可以說難於上青天。我對於這一道，略略的有些小經驗：因此我不敢隨便就大譯特譯，下筆數千言。我曾經在我一本英文書中這樣說過：「I realize it is less sinful to write bad books than to translate good books badly……!!」（「我知道把好書翻譯得亂七八糟比自己創作得亂七八糟更該死……」（見一九三五年倫敦麥勳書局出版之熊式一譯《西廂記》譯者自序）。當年林琴南大譯英法美說部，他自己雖不通英文，得魏易之助，以桐城派古文筆法，把百年來的名著，一一介紹給國人，精彩異常，在我當時不能領略原文的時候，讀之幾不忍釋卷。到後來，一方面因爲我可以看原文，一方面大膽的譯述輩出，自己全然不懂原著者的苦心，手中緊握著一本大多數是由英和字典硬譯成的英漢字典，日夜趕工，粗製濫造，大量生產，把多少文藝傑作譯得一蹋糊塗。一代一代的傳下去，現在一班取巧的譯者，反而說直譯更爲忠實，貽誤青年，眞是文藝界的千古罪人。

我認爲自己不會做中文詩的人，而又對英文詩沒有下過深刻的工夫，千萬不可亂譯英詩！這就是我所主張的道理：做打油詩尙可恕，把好詩翻譯得不忍卒讀，罪不可恕！

董玄宰曾說過，一個藝術家，應讀萬卷書，行萬里路。我認爲一個文藝創作家，更應如此才有資格下筆。無奈近數十年來，多少作家，生平只讀幾本「大狗叫，小狗跳」的語體文讀本，就創作，就翻譯。市面上充滿了高山滾鼓——不通不通又不通的詩文小說，都要想成一家之言。叫人想找到一本可讀之書，簡直比大海撈針還難。

高準先生，廣讀群書，遠遊異邦，博學多能：對於藝術文學，政治哲理，都有極深刻的研究，輝煌的成就，最近集而刊行問世的「高準詩抄」正是一部值得介紹給愛好文藝的讀者的好書。他創造的詩清新而深博，非有高超的藝術修養，廣泛的舊學根底之人決寫不出來。他所翻譯的詩雖不多，但在這僅僅的七首之中，可以看得出他在中英兩種文學上湛深的造詣。

這一本詩集一共不過兩百多頁，一千六百多行，可是它是一位在文藝上下過一十四年苦功的青年學者，自己一再修訂刪選之後，尚認爲値得保留，刊行問世的佳作。像這一類的書，當然不容易得到普遍的欣賞，因爲它和「下里巴人」之歌大相徑庭。

我記得三十幾將近四十年前，我初次到倫敦時，參加筆會晚宴，座中有一位談笑風生的女作家，說是那晚的大菜燒得不好，她自己做出來的東西比之高出百倍。另有一位客人（非會員）對她說，沒想到大作家還肯屈尊入廚房。那女作家答道：「我不以爲燒菜是我不屑做的事；寫作是我的生活，烹飪却是我的娛樂。」我看見她那副揚揚得意的神氣，不禁揷口道：「我却恰恰與你相反；我的生活全靠烹飪，而寫作反是我的娛樂！」

全座聽了大驚，這位漂亮的女作家瞪大了她的眼睁問道：「你眞是一位職業性的大廚師嗎？」我答道：「我不是廚師！只因爲你們貴國是世界上第二不會燒菜的國家——日本第一——我來了兩個月，再繼續吃英國飯吃下去，一定會餓死，所以只好自己做飯燒菜。這樣豈不是我的生活全靠我的烹調嗎？至於我的寫作，我是從吾所好，一向總是喜歡就寫，不喜歡就擱筆，當然只好算是我的娛樂。」

這位女作家聽了笑不可仰，馬上請我週末到她家中參加晚會。她說那是一個不算頂大也不大正式的慶祝宴：慶祝她出版第二十一本小說，同時也是她……說到此她立刻目觀鼻，鼻觀心的微微一笑，再繼續……也是她二十一歲的生日！

這一下我的眼睛可瞪得比她的更大得多了。她不愧爲一位小說創作家，馬上知道我的心情，繼續巧笑倩兮的解釋道：「我……我……當然比二十一歲大……大……一點點，不過我所寫的小說，數目也比二十一本多一點點。因爲我的書局不准我另爲他家書局寫書，所以我只好另用一個筆名，在別家書局出了幾本小說。因此我正式出版的小說，只有二十一本！」

這實在是值得追究！我按時去參加盛會：地點是在倫敦西區最名貴高尚的住宅區！在都穿著晚禮服的賓客滿堂的大廳上餘正中壁爐架上，齊齊整整的擺列了二十一本精裝小說，旁邊一個小茶几上，又擺列了五本。孤陋寡聞的我，三步併兩步的趕到近邊去看看作者的姓名和小說的書名，仍是茫然不解！我只好低聲下氣的偷偷去問一位比較熟悉的英國作家，女主人的姓名、筆名、書名，我們在外國的人怎麼從未聽見過？她在出版界的大成功，現在事實證明，決不可否認。

這位朋友告訴我：這一種書，銷路最廣，因爲全國的讀者，受了高等教育的很少，受完中等教育的也不甚多，惟有只讀完小學的人比比皆是，所以像我們女主人這一類的作者，出了名之後隨便亂寫，不愁無銷路，可是在文學上是毫無價值可言。在國內尚且不登大雅之堂，怎會流傳到國外去呢？

史蒂芬生晚年，住在太平洋中一個小島以避世，寫信給巴蕾說，當今的小說，他都讀不下去，只有巴蕾和兩三位特別好的作家的東西，是他唯一的讀物。要他多多寫作，以慰岑寂。但在英國，尤其是在美國，優美文學的欣賞者，倒底還不太少。因此仍然有高雅之士，從事文藝創作。他們之爲人及他們的作品，和一般流俗之人及他們的作品，大有鶴立雞群的樣子。

可惜今日我們的出版事業，在極惡劣的環境之下，絕難培養創作新人材。一方面是唯利是圖的出版家，以殺雞取卵的方法對待作家，一方面只有中學以下程度的讀者支持大部分的刊物。所以高雅一點的書籍自然不易得到普遍的傳播與欣賞。

不過要做一個眞正的創作家，應該要發奮圖强的做下去，要做下去，要做到他的作品，能夠博得像史蒂芬生對巴蕾作品所說的評價，那他的作品，一定可傳於後世。我想像我們這種人，絕對不喜歡隨波逐浪，也不僅以文藝來消遣而已。一定很願意多多看見像高準先生這一等的作品。我更希望有志寫作之士，都和本詩集的作者一樣，不要爭先恐後的去做一個下筆千萬言的多產作家，最好首先把自己本國的文學基礎打好，然後再去遠行廣讀，博聞强記，日後偶有所得而想著述，也務必要重質不重量，貴精不貴多，這才是古今中外立言之道。

（一九七〇年四月）

臺灣詩人高準的《詩葉》*

馮英子

高準先生從臺灣來，送我一本詩集，所以稱爲《詩葉》者，言其薄也。但薄薄一本詩葉中，充滿了故國之情，家鄉之念，充滿了：「結連着，海的此岸與彼岸」的凝得化不開的感情，讀畢全「葉」，心情激蕩，幾乎同詩人一樣，神遊乎太空之間，上下千年，縱橫萬里，一種偉大的愛國主義精神，油然而生。

高準先生原籍上海金山，後去臺灣，畢業於臺灣大學，現任詩潮詩社社長兼總主編，「中國統一聯盟」執行委員，一九八一年曾返大陸。他那首九十行長詩《中國萬歲交響曲》，幾乎把中國的古往今來，人傑地靈，都交織了進去，例如，他寫道「：啊！美麗的地呀燦爛的源泉！／錦繡的江山呀，你孳乳着多少英傑！／那秦嶺泰嶽，自古曾育孕幾多聖哲？／那五湖三峽，從來曾凝注幾許詩篇？／那燕趙風雲，曾激盪多少悲歌慷慨！／那江南春水，曾浸潤幾許兒女情懷？」

不是熟悉着中國的歷史，熱愛着中國的山山水水，能寫得出這樣的句子嗎？在同一篇裡他又寫道：「啊啊，祖國呀祖國！地傑人靈的創造奮鬥的家園！／我願你神州十億，人人盡是英雄！／我願你五湖四海，處處奮鬥著豪傑！／我願你萬里江山，遍地歌聲雷動！／我願你百世千年，永遠是立地頂天！」

這是一位臺灣詩人的祝願，這麼雄壯的旋律，這麼美好的願望。應當是每一個中華兒女的願望。可惜在我們這裡，久已聽不到這樣的聲音了，崇洋媚外，登峰造極。我讀此詩，但覺慚愧，只覺得自己半輩子舞文弄墨，只是誤人誤己罷了。每讀一句，好像有一根鞭子在抽打自己的靈魂。這不是我們曾經有過的意境嗎？可是現在到了哪裡去呢？啊啊，祖國呀祖國，你幾時才能像詩人的祝願一樣，「立地頂天」呢？

高準先生的詩，也充滿了對故鄉的懷念，他在《念故鄉》這一篇中寫道：「自從我有了知覺 故鄉呀／我讀你的名字 聽你的名字／我寫你的名字 喊你的名字／一萬 二萬 三萬 多少萬遍了呀！你的名字呀就是光彩與驕傲／你的名字呀就是美麗與榮耀／但我却見不到你的容貌／——自從我開始尋找……」

高準先生的故鄉在大陸，他這種萬轉千回對故鄉的懷念，正代表了臺灣比較年輕一代的心聲。這首詩作於一九六九年十二月，那時正在「文革」發展到高潮的時候，正如他的詩中所說：「而梧桐在夢寐裡枯落／而鳳凰在烈火裡涅槃／而金劍在秋水裡沉沒／而青鳥在寒風裡凍殘」。

儘管如此，詩人對故鄉的懷念，還是那麼濃烈，那麼深刻，「因爲我血管裡呀也只有你的血液」。其實這也說出了炎黃子孫共同的理想，樹高千丈，葉落歸根，哪一個中國人，不愛自己的故鄉，不愛自己的祖國？不過經詩人的一加提煉，就更加形象化了。

高準先生不僅在新詩上獲得巨大的成功，他的舊體詩，也寫得蒼勁渾雅，筆力雄奇，寓議論於敍述之中，使人回味雋永，如他的五律《登泰山吟》：「**泰山何崔巍，天梯入雲霄。長風吹萬里，岩壑舞潛蛟。俯視金烏躍，回眸玉女嬌。塵寰掌中小，振翼欲長翱。**」七律《謁大禹陵》：「**洪水橫流漫九州，狂瀾既倒不堪收。徒勞心力誤堤堰，疏導功成見大謀。福澤兆民千古在，勳高萬世百王羞。山河正待從頭造，且謁稽山拜冕旒。**」前者以寫景佳，後者以議論勝。鯀之失敗在於堵絕，禹之成功在於疏導，則詩人不僅議歷史，且亦在論政治了，高瞻遠矚，得未曾有，當亦爲對臺灣當局的諷喻。

捧讀高準《詩葉》，感人極深，披衣起身，爲此短文，述讀後感想，以告同好。

（一九八八，上海）

*編按：《高準詩葉》是《高準詩集》的部分作品抽印本。

《丁香結》讀後

陳一山

作者：高準
台大海洋詩社印行
民國五十年五月出版

在今日，新詩之所以不大受人歡迎，甚至被一些人罵爲「咒語」，那是因爲有些「詩」的確艱奧難懂。

然而，新詩之所以爲詩，就因爲它有着深遠的意象和遼濶的意境。所以新詩如果不講求「含蓄」，便等於分行散文，就不成爲詩。可是，假若一個新詩的作者，只爲了「含蓄」，便故意找些生澀難解的字眼，寫出一些不合文法的詞句，或者，引用偏僻的西洋典故來唬讀者，以爲這樣便能自成一家嗎？那知，新詩因此便爲一般人所唾罵，又被讀者們認爲「艱奧難懂」了。

因此，今日新詩人對於新詩的創作，就應注意「提高」與「普及」的問題。「提高」是培養讀者的欣賞力，不是新詩的走向「曲高和寡」的境地；「普及」是創作使大部份讀者都能欣賞的詩，但要是眞正的新詩。

日前，讀高準先生的《丁香結》，這是一本很令人興奮的詩集　，它的每一篇詩　，既含蓄，亦易懂，這才是一本新詩的詩集！

雖然，在這個集子裏只有整整二十篇作品，分爲三輯，尤其是第三輯，只有那麼三篇，在量的方面似乎少了一點，但是，在質的方面，大多數都在水準以上的。

《煉》（代序）一詩，是作者「在試着說出我寫作的情況」（引作者的「後記」）

……

我看它變化，看它沸騰，看它呻吟呼喚……

但我只能把它默默的記下。

於是我看見它們一個個血跡斑斑的，

以哀怨的眼瞅我，

默默的掙扎着，看我……

終於，在試管裏一一化作了泡沫………。

這「變化」、「沸騰」和「呻吟呼喚」正是作者詩人的心境；「一個個血跡斑斑的」和「以哀怨的眼瞅我」以及「掙扎着」，這是作者對於現實生活的感受。一個詩人，既有詩人的心境，又有生活的感受，而詩乃成。

在第一輯中的《醉》一詩，是作者酩酊於戀慕的蜜釀的情境。

火燄騰捲熊熊。

不，讓他燃燒吧，

我冷。

哪，火燄耀織出絢麗的壁畫哪…

那「騰捲熊熊」的是戀慕的「火燄」，「不」，道出了作者曾爲愛而矛盾難過的心情。而「我冷」，渴盼着溫暖，所以作者終於說：「讓他燃燒吧」；「哪，火燄耀織出絢麗的壁畫哪…」又是多美的意象！

在同輯中最後的一首《淖》＊，是作者爲悼一個被迫在風塵中賣身而終於悲慘自殺的女孩而作：

「如冷鬱的夜空一簇燄綵」一句，寫一個人正當青春而猝亡，而不以慣用的「流星」一詞，使人耳目一新。

　紅磨坊璀燦的燈光下照出靈魂乃是蒼白的，
　纏頭的錦緞豈會在生命的天平上增一點分量？

以上兩句作者點出了「她」的身份，與虛僞的繁華之本質，正和佛家所謂「花花世界」的大徹大悟一樣，全詩在對悲劇女子的深厚同情中具有社會批判性，富有哲學意味。

在第二輯中的《一瞥》，是作者對一個少女「一見鍾情」的自白，全詩精鍊、緊湊，我覺得是這集子最出色的一篇：

　一頭天藍色的小馬
　馳過了
　　　我的眼簾
　而憩息着，輕舐着
　　　　在我心田裏
　哦，那秧苗……。
　不，不是小馬

該是斑爛的小花豹
那麼跳着、蹦着
把玫瑰的花瓣撒在我的窗子裏了
窗子裏有陷阱呢
而我發覺 落下的
乃是我自己。

「天藍色的小馬」是作者對「她」的第一印象，從「眼簾」而進入「心田」，捕捉了「她」，讓「她」「憩息了」，於是，作者便「輕舐着」內心的甜蜜，而愛的「那秧苗」油然而生了。然而，「不，」「那不是小馬」，而「該是」天眞無邪「斑爛的小花豹」呀！「那麼跳着、蹦着」便把愛情的「玫瑰的花瓣撒在」詩人靈魂的「窗子裏了」，但「窗子裏有」愛情的「陷阱呢」，而作者却「發覺落下的」（墜落了情網中），「乃是」詩人的「我自己」。這篇詩不但富有音樂的節奏，而且，運用比喻、象徵、暗示與聯想，均能恰到好處，極富詩意，值得一再欣賞。

在第三輯中的《崗上》**一詩，是作者思想和人格的表現：

願如孤松　屹立於山巔
願如野菊　漫爛於寒凜的山崗
願在山上　我。正如鷹
願在雲端

於是，詩人陶醉在自然的境界裏：

大氣飲我以清冽　雲濯我趾尖　軟草眠我
野百合自銀河流落

作者乃感到了：

面具遠離
帽子遠離
及外衣亦遠離
而去。

的欣喜愉悅。但這不止是對自然的欣悅，還包涵了對社會與政治環境的批評意義，所以也就使人存着更深一層的回味。

此外，這個集子還有兩個特點，一是在第一、二輯裏的作品，都有着共通的一貫性，正如作者在「後記」所說：「由『盼』而『燃』而『醉』，至於乃『醒』而『熄』；由『丁香盛開』，至於『丁香飄落』，像是各有一種綿延的感覺，不絕如縷，脈絡相貫。」眞令人像讀了兩個愛情的故事詩；另一是作者能自然生動的將古文詩詞溶入，如：《盼》的「于闐之黑玉」；《迷》的「而往日你笑聲何其晴朗？」以及《早春》的「攪動一溪澄澈」和「鳥鳴戛然」；《丁香結》的「雲無心而出岫，又歸向谷底」；《失樂園》的「一切涅槃」，並且很巧妙地把「嫦娥應悔偷靈藥」一句，自然地散化進詩篇去，使作品增加美感和興味，這是《丁香結》的又一特色。

《丁香結》是一本受大衆讀者所歡迎的詩集，除了它的詩篇的創作，意象完美而意境新穎，含蘊無限的詩意，而且最重要的是並不「艱奧難懂」，所以爲一般新詩讀者所欣賞。而它的方向，正是今日新詩作者們所應努力的方向。

（一九六二）

*編按：此詩最初發表時題爲《誄歌》，收入《丁香結》時改題《淖》，後仍改回《誄歌》爲題。

**按：此詩後改題《在山之巔》

「新八不主義」與《高準詩抄》

陳一山

筆者在民國五十年秋天，初次讀到高準先生第一本詩集《丁香結》，即爲其清新超逸而留下深刻的印象，就寫了一篇書評《丁香結讀後》，發表於五十一年三月的香港《文壇》月刊（二〇四期）。從此對他的詩發生很大的興趣。五十三年秋，他的第二本詩集《七星山》出版，我讀後寫成了《七星山的欣賞》，發表在《中國一周》七六三期，去年又讀到高準先生把他的詩作一再整理後出版的《高準詩抄》（光啓社出版，民國五十九年六月出版），甚感興趣，即擬執筆再作評介，惜以太忙而延擱。及最近又見到高準先生在《大學雜誌》（第56.、60.、62.期）所發表《論中國新詩的風格發展與前途方向》（註一）一文，其中所提出對於新詩前途方向的八點主張（新八不主義），深覺十分正確，並且頗可與《高準詩抄》中作品互相印證。所以我又非常樂意的一讀再讀，至於奮筆寫下本文。

《高準詩抄》共分五輯，第一輯爲「青果」，第二輯「玫瑰」，第三輯「彼岸」，第四輯「神木」，第五輯「譯詩」。共六十二首，約一千七百行。另有熊式一博士的序文。全書二百四十二頁。《高準詩抄》的「卷首語」中說：「第一輯寫的是愛，第二輯寫的也是愛，第三輯與第四輯也仍是一種愛，但範圍各有不同罷了。『愛是永不止息』。而除了詩以外，它還可以用很多的方法來表現。」實則，《高準詩抄》中的愛，主要似又可以分爲三個範疇：一是對純情的戀慕；二是對自然的歌頌；三則是一種憂國的情懷。

第一輯「青果」中十三篇詩，除了《春雨》和《惘》兩篇外，其它均收自《丁香結》詩集，故這一輯的詩，純然是詩人少年時代的心靈紀錄：充滿了愛戀的純情與對美的嚮往，無疑全是感性抒情之作。試舉其《盼》一詩中的第一節：

覆以纖密修長的簾，
覆以柔嫩的流蘇，
是春之窗櫺，
晶晶的，于闐之黑玉。

這是用現代的手法，生動活潑的發展了詩經中「美目盼兮」一句的詩意。高準在其《論中國新詩的風格發展與前途方向》中，對中國新詩的前途應走的方向，提出八點主張，即五點基準和三大方針。合稱爲「新八不主義」。五點基準中的第一點，是「詞義清新，不作漢語之罪人」。高準認爲：

「所謂清新，固然是比正確更進一步，但絕不是故意用不合原意的字眼來表示『新』，更不是故意全盤打碎基本語法而作任意的排列。故總之是：其表意既正確而又清超不俗乃可謂之清新。」

以上所引《盼》一詩的第一段，就可作爲什麼是「詞義清新」的一個具體的例子，不但清新，而且使中文的運用更作了活潑的發展，流露出突出的效果，是爲詩的美。

現在再讀題 爲《丁香結》那首中的一段：

我不會忘記，雖然我也這樣希望，
一朵微笑，茁長，已在小園裡茁長，
播種的少女哪，你有心還是無心？
有時你任它憔悴，有時你又來澆灌。〔第二節〕

這一段，意境美妙，音韻諧調。似不有意押韻，而又自然調配得當。高準主張的五點基準中第四點：「韻律諧調，不失聽覺之優美」，說：

「韻律不等於韻腳。詩可以不必有韻腳，但不可無韻律。聲音相和謂之韻，聲音的節奏叫律。故韻律諧調就是要使詩的字句能夠聲音和諧而節奏調配得當之謂。」

前引這一段，就很可具體的表明他的理論。「青果」一輯的詩篇，韻律諧調，詞義清新，故不失爲抒情詩的佳作。

第二輯「玫瑰」中十三篇詩，其中四篇曾列入《丁香結》詩集，另有四篇則曾列入《七星山》詩集。新添的有五篇：《在這玫瑰的五月》、《邊疆之夢》、《繁星》、《夏之歌》、《溪頭月夜》。這些詩篇，有對愛情的讚頌，也有對山水的描寫與對遙遠的邊疆的謳歌。

茲舉其《玫瑰》一詩中的數段：

你微明的小窗
我久已凝望
在冷霧裡終夜
望一點火光 〔第三節〕

企望著，企望著
你擎着靜定的火稱
來到這霧茫茫裡
照暖我久盼的雙瞳 〔第四節〕

也許，你眞也曾願
輕啓你迷濛的小窗
來握我冰涼的雙手
只要我將它輕叩　〔第五節〕

但我想啊我想
還是不要敲叩
風雪裡的長夜
本該我獨自承受　〔第六節〕

這樣的句子，並沒有一個新奇的字眼，却表現出了極其深婉的情致，令人往復胸中，廻盪不已。

高準在《論中國新詩的風格發展與前途方向》中所主張五點基準的第二點是：「情意眞摯，不作浮濫的吶喊」。他認爲：

「『眞摯』原是好詩的必要條件。所謂『眞摯』，是不但要眞實，還要懇摯，眞摯的反面就是虛浮。而若僅有理智上的眞實信念而沒有溶入慰摯的情意，也還不夠，因爲那結果是淡薄無味。……如果具有舉摯的眞情，則即使所用的字眼平凡些，也仍不失爲一首相當好的詩。」

上舉《玫瑰》一詩，實可說明這一道理。

需知抒情原爲詩之本質，故主知主義派雖偏重詩之知性表現，亦不能無視抒情；否則將正如高準在其論文中所指的某些「故意全盤打碎基本語法而作任意的排列」所拼湊而成的「文字遊戲」了。

高準所主張的第三點基準，是「結構精粹，不以散漫爲自由。」他認爲：「自由固然可以，却要自由得有原則。這原則就是要以結構的精粹爲要求。就政治社會言，散漫不等於自由。就文學言，其理亦同——自由不等於散漫……新詩每句字數不拘，每段字數不拘，全篇段數不拘，但當作品作一種特殊安排之時，要有必須如此的理由。在採取『跨行』或採用高或低的排列方式時，也應有自己確知的緣故，否則就是散漫而不精粹。」

毫無疑問的，高準這一點正擊中了今日中國新詩的要害。新詩，自其對待傳統的舊詩而言，最大的特點，就是形式自由，不但擺脫格律韻腳的束縛，而且也沒有行數和字數的限制，甚至字行的排列，亦可自由的「設計」。因而難免產生了許多奇形怪狀的「僞詩」。故「自由不等於散漫」。高準的詩，也有相當自由排列的詩篇。例如《失樂園》：（註二）

現在眞好，一個太陽也沒有，
　眞好，沒有火，
　　沒有火，
　　　沒有火。〔第二節〕

當年，后羿何必留下一個呢？我想，
否則，該多安靜哪，
一切涅槃。
只有流星雨萬古不絕的落着……
萬佛必將降臨了。〔第三節〕

前一節「沒有火，沒有火，沒有火。」三行相繼向下排列，正是一種形式自由的表現。由於火是上揚的，這是物理現象，「沒有火」三句的排列形式，可說是在加强火的熄滅感。同時也表示在音響效果上漸趨微弱的要求。這就是高準所謂「也應有自己確知的緣故，否則就是散漫而不精粹。」後一節則爲高準一時有擺脫塵世紛擾而超塵絕世的思想。但是，形式與內容和諧，也就正合「結構精粹，不以散漫爲自由」的論點。

第三輯「彼岸」，其中的《淖》曾收入《丁香結》；又有八篇收自《七星山》。添增的四篇是《去春》、《秋夜》、《蘭嶼詠》和《心願》。在這一輯中，大致交織着懷人與孤獨的心緒；之外，還有一種遙想。而《蘭嶼詠》一詩，則又顯示出了對回歸自然的頌美。

第四輯「神木」中十五篇詩，除了《異端》一篇曾列入《丁香結》詩集外，收自《七星山》詩集的有《鼓聲咚咚》、《三月在海上》、《二九八〇年》、《裸月》、《星河行》、《白燭詠》、《哀鯨魚》和《金山海濱》八篇。添增的有：《異端的變奏》、《懸崖上的祈禱》、《永恆》、《神木》、《故國》、《念故鄉》六篇。

高準所主張三大方針的第二方針，是「深切的關注社會現實，堅強在中國的土地裏紮根」。高準認爲：

「我不是要把文學變成改造社會的一種工具，但文學與社會却自始就有密不可分的關係。只有深切關注社會現實的文學，是最有血有肉的文學，只有堅決在中國土地裏紮根的文學，是眞有生命的中國文學。」又說：

「既是人，就該對他的社會有一份關心，既是中國人，就該對中國的土地有一份熱愛。」

《高準詩抄》中的《念故鄉》一篇，就不但表達出了詩人對中國土地的熱愛，而且鄭重的表達出以中國人爲榮的情懷：

是永恒的情人在夢裏縹緲
是生我的母親卻任我飄泊
故鄉呀
我的故鄉是中國！　〔第一節〕

你的名字呀就是光彩與驕傲
你的名字呀就是美麗與榮耀
但我卻見不到你的容貌
——自從我開始尋找……　〔第三節〕

你歌著　唱著　騎著白馬
馳騁在高原上　呼喝風雲！
啊我多麼高興　奔著向你
惟恐你不受我卑微的奉獻　〔第六節〕

誰的眼睛可看到那江南草長
誰可看到了清明時節的汴梁？
誰可又看到那長安的月亮
那誰的素手呀　採桑於綠水之陽？

〔第十節〕

那誰又能聽到那巫峽猿啼
誰又能聽到那黃河的呼吸？
又有誰　能聽到那霜天的號角
呼喚著　悲鳴著　當夜深人寂！

〔第十二節〕

故鄉啊　我喊你的名字　我寫你的名字
而你是聽不到的　你也看不到我的詩
但終究我只有愛你呀愛你
因爲我血管裏呀也只有你的血液

〔第十五節〕

詩是人類心靈最高層次的產物，也是人類感情、思想、學識與經驗的結晶。因此，每一首詩，除了表現作者企圖表現的詩意外，同時也能表現出作者的身份和地位，也就是說中國詩人寫的詩，它必然屬於中國人的感情，中國人對某種思想接受的反響，以及以中國人的觀點對某些學識的吸收或揚棄，甚至以中國人的立場表現他們的經驗。筆者在拙著《中國文學析論》一書中認爲：

「因爲藝術自有其獨立存在的地位，及其表現的價值；它的表現價值就在於反映時代與人生，人世間因爲有『乖悖彝倫』的事實，如果作者不存宣揚罪惡的動機，而把事實透過藝術的手法表現出來，又何嘗沒有它本身的價值呢？」（頁四十二）這與高準先生所主張：「只有深切關注社會現實的文學，是最有血有肉的文學，只有堅決在中國土地裏紮根的文學，是眞有生命的中國文學。」正是一致的。

生爲當代的中國人，際此百年相繼不斷的戰亂，是最不幸的；但也是最幸運的。年老的一代，他們身歷開創國家新紀元的革命時代；中年以上的一代，亦參與過八年抗戰的建國時代；而年輕的一代——今日在臺灣的青年，無不躍躍欲試，投進偉大時代轟轟烈烈的行動中。然而，由於國際環境的種種拂逆，不得不化悲憤爲沉思，而長期的沉思，漸漸轉化而爲鄉愁，此種鄉愁且日漸加重、加深。於是敏感的詩人，遂流溢於詩篇了。

高準所主張三大方針的第三方針，是「熱烈的發揮抒情精神，澈底清除『超現實』之迷妄」。他指出：

「只有熱烈的發揮抒情精神，才能使詩重新成爲激動國民心靈的暖流，使詩教灌溉於全民族的心田。而發揚性靈，淨化人心，這也正是詩的根本目的啊！」

這種論點，可以高準《故國》一詩爲例：《故國》一詩以「弔屈原」爲副題：(註三)

你孤潔，你忠貞，熱血澎騰，
你悲憫，你憂憤，向罪惡抗爭！
你佔盡了眞善美聖，那又何怪乎
你所遭遇的只有醜陋矛盾！　〔第三節〕

請試問：荷馬或但丁，歌德或拜侖，
巴爾幹和地中海，萊茵河與不列顚，
誰又能簒奪，你亙古的冠冕；
誰又能掩蓋，你杲杲的光燄！　〔第六節〕

啊，民族之詩魂！
啊，詩魂之民族！
我爲你驕傲，我爲你痛哭！
我爲你祝禱，我爲你狂呼！ 〔第八節〕

這種焦慮而熱切的爲國祝禱的情懷，在近十餘年來臺灣的現代詩中，眞已如鳳毛麟角。詩之創作，貴有意境，而意境之是否高遠，以及此意境之是否表現正面的人性，就在詩人的抉擇了。選擇是者，才是境界高遠的詩篇；選擇非者，則只是一些頹廢虛無的囈語吧！

故高準在其所倡五點基準的第五點，又指出要「境界高遠，不作頹廢之虛無」，他說：「所謂境界高遠，就是一方面要以眞、善、美、聖、忠、貞、仁、愛等高尙的人生境界爲理想，一方面要以雅潤、清麗、精約、壯健、雄深、秀美、沉鬱、曠逸、空靈、蘊藉、纏綿、豪邁等優美的文學境界爲指歸。」

說到這裡，我要指出《詩抄》中有一首特別値得注意的詩，就是《異端的變奏》，此詩對於迫害人權自由的極權暴政作了極爲強烈有力的諷刺。亦可作爲「境界高遠」的一例，茲引全詩如下：（註四）

他們呼籲——
做一個好國民　向螞蟻看齊
　好國民　向蜜蜂看齊
說：
「女王將賜恩於你
將有一份最高的光榮——跟在女王背後
高呼
『女王萬歲！』。」
但在螞蟻與蜜蜂與狐群與狗黨之外
却自有異端　有獨來獨往的孤獨者
　　　　　　　　　　　喏！
許由　人民的叛徒
巢父　人民的叛徒

伯夷　人民的叛徒
叔齊　人民的叛徒啊
叛徒叛徒的，眞他媽的！
獨來獨往的孤獨者啊
　　倔強的生存
　　傲然的寂落
你們是無懼於孤獨的
他們說你們是叛徒！
而薇菜有不朽的種子
潁水有不絕的源頭
人民的尊嚴之火炬在你們手中照耀！

當冷血的野心家們紛紛以「人民」爲幌子而迫害人權之際，這詩奮然指出了那些被獨裁者視爲「人民的叛徒」的「獨來獨往的孤獨者」却才是眞正維護了「人民的尊嚴」的人。

最後，讓我們看高準在他的《論中國新詩的風格發展與前途方向》中所主張三大方針的第一方針，那就是「加强的吸收傳統精華，繼承光大民族的歷史命脈」。他指出：「傳統不可割絕，惟能承先，乃能啓後。唯有能批判的繼承民族文化的精華，負起光大民族文化命脈之重任，方能在中國歷史上立其地位，也惟有能在中國歷史上立其地位，方能在國際上立其地位。而今面臨中國文化存亡絕續之際，也唯有加强對於傳統精華之攝取繼承，加强對於民族性之重視，方克無負於一個今日中國詩人的時代任務與歷史使命。」

新詩發展至今已有五十多年，從舊詩放腳的「豆腐干」詩，到純粹口語化的白話詩，以至打破字行限制，而可自由排列的自由詩，乃至絕對知性主義的現代詩，經過新詩詩人們不斷的嘗試、摸索、研究與創作，乃有今日中國新詩豐碩的收穫。但當新詩走進了孤絕的象牙塔，如不作猛然的醒悟回頭，或毅然決然的轉進，則新詩創作的精神，必因而斲喪，這不但是今日中國新詩所顯示出來的事實，而且更是文學發展歷程中不斷演進的法則。此時此際，高準提出中國新詩的前途要「加强地吸收傳統精華，繼承光大民族的歷史命脈」正是刻不容緩的正確方向。高準的《神木》一詩，正是此一大方針的創作：

………

百萬個太陽，升起了又沉沒。
唯你，神木，你終古屹立！〔第一節〕

你欣欣地生長，你默默地搏戰，
你的沉默啊，睥睨着多少種存在！〔第二節〕

無可衡抗，無可搖撼，
你倔強的成長，以一種蒼茫。
你若有耳，曾聽到銅山的崩裂？
你若有眼，必燭照千古的塵煙！
三千年的生命，三千年的奮鬥，
神木啊，你永不向死亡低頭！〔第三節〕

三千年前時興的薇菜哪，
是采采的卷耳，是樸樕，與荇菜，

林有樸樕，野有死鹿，
哪，阿里山的小鹿已否絕代？
野有死鹿，白茅純束，
周代的春風，和現在可有些相續？〔第五節〕

遙想，當青牛未逝，
　當麒麟未死，
啊神木！你年逾五百，青春正富，
　山有木兮木有枝，
　你茁長着，
多麼歡樂！〔第六節〕

神木啊，山之精靈，亞洲之巨人！
你雄峙萬仞，呼吸着天地之菁英，
你歷盡風雨，又何畏乎一時的憔悴？

雷電折斷你的枝葉，搖不撼你倔強的軀幹！
看啱！我已看到樹枝上有一莖新芽了——
亞洲的巨人啊，你終必戰勝死亡！（第十節）（註五）

詩中的「銅山崩裂」，「薇菜」，「采采的卷耳」，「荇菜」，「林有樸樕」，「野有死鹿」，「白茅純束」，「周代的春風」，「青牛未逝」，「麒麟未死」，均爲吸收傳統精華的表現；而此表現，也許會有人誤解是復古。然而，用典並不一定是壞的，用典可加深含蓄的詩意。高準詩中的用典，又多採衆所知曉，或一般知識份子皆應知曉的典故。如此實既矯正了胡適「八不主義」中「不用典」的偏執而又未流於矯枉過正；故高準主張的五點基準與三大方針，自謂合之可稱爲「新八不主義」；誠可與胡適「八不主義」互相輝映。

《高準詩抄》的第五輯是「譯詩」，包括《濤馥海濱》，《安魂曲》，《荒山》，《櫻桃樹》，《長相憶》，《西風吟》和《剛果》七篇，前六篇都是抒情的詩篇，譯筆能充分傳出其情致。《剛果》一首爲美國詩人林賽原著，長達一百五十餘行，包含了很多特殊手法，非常難譯，而譯得十分貼切，充份顯出他翻譯的功力。

高準在其《論中國新詩的風格發展與前途方向》中的「結語」，認爲：

「理想的詩：又要盡善，又要盡美；又要有思想性，又要有藝術性。」「理想的詩：又要意象好，又要音韻好；又要能看，又要能聽。」此「理想的詩」的論見，可謂集詩論優美者之大成；而《高準詩抄》則實可為其「理想的詩」提供一個值得參考的範例。

民國六十二年四月十八日

（原載《文藝復興》月刊五〇期，一九七四、三，台北）

註一：本書編按：本文後於收入文集時所題為《論中國現代詩的流變與前途方向》。

註二：本書編按：此詩在收入《葵心集》及《高準詩集》時題目改為《靜夜》。

註三：本書編按：此詩於一九七三年端午詩人節經作者重新修訂並改題為《詩魂》，本文所據為修訂前之一九六七年稿。

註四：本書編按：此詩後恢復最初發表時所用的題目：《異端——讀〈伯夷列傳〉》，而將據此另寫而在《詩抄》用《異端》為題的一首改題《異端的變奏》。

註五：本書編按：此詩在收入《葵心集》及《高準詩集》時字句及標點之使用略有不同。

高準《詩魂》賞析

莫文征

詩魂

——屈原二二五〇年祭

想那初夏江南，何等璀燦！
那洞庭的波光，金碧輝閃，
涉江以採菱兮，桂棹蘭槳，
叢叢的薜荔呀，在汨羅江畔。

芳菲滿目的江南啊詩人的故鄉，
潺湲的江水呀，歌着你的詩章。

你的詩——瑰麗兮激揚！激揚着
千古愛國的心房，纏綿的肝腸！
啊你孤潔兮忠貞，熱血沸騰，
你悲憫兮憂憤，向罪惡抗爭！
你呼號行吟，要喚起誰的振奮？
你化入清波，却留下了眞善美聖！
看啊！那山川壯麗是你的詞彩，
那萬里的風雲，是你的天才，
那浩瀚的原野，是你的氣概。
詩人的祖國呀，我多麼熱愛！
請試問：荷馬或但丁，歌德或雪萊，
萊茵河與不列顚，意大利與愛琴海，

誰又能篡奪，你亙古的冠冕？
　誰又能掩蓋，你是杲杲的光燄！

啊啊，民族的詩魂呀詩魂之邦甸！
　你原是那永生不朽的神木参天，
　誰能信那吳剛揮斧斫得斷桂葉？
　那神州萬里如今却瀰蔓着荒煙？

啊啊，詩魂的民族呀民族之詩魂！
　你原是那不死的鳳鳥一再重生，
　你必將從火浴裏呀再度灑佈清芬！
　爲你祝禱呀，祖國，請讓我獻身！

（一九六七年初稿，一九七三年端午詩人節改）

高準（一九三八——），台灣詩人。江蘇金山縣（今屬上海市）人。一九四六年到台灣。一九六一年畢業于台灣大學政治系，一九六四年獲台灣中國文化學院碩士學銜。以后赴美、澳深造，曾當選爲英國劍橋大學副院士。他的詩獲得過台灣新詩學會詩獎。他曾任過台灣《詩潮》詩刊總編輯。在創作上他大力提倡愛國主義和現代民族抒情詩，反對現代派、超現實主義、形式主義和頹廢主義，主張鄉土文學。除詩歌外，他對繪畫也有研究。已出版的詩集有：《丁香結》（一九六一年）、《七星山》、《高準詩抄》（一九七〇年）、《葵心集》（一九七九年）。論著有《反專制主義大師黃黎洲》（一九六七年）、《中國繪畫史導論》（一九七二年）、《文學與社會改造》（一九七八年）。一九七九年九月，主動參加美國愛荷華大學「中國周末」文學座談會，與大陸作家接觸。台灣當局因之查禁了他的詩集《葵心集》。一九八一年十月曾回大陸探親、訪問，因此受到台灣當局禁止其入境，被迫羈留美國，在美國加州大學任教。但詩人並不屈服，他說：我國中國人，大陸和台灣都是中國的領土，我喜歡到哪裡就到哪裡。顯示了詩人愛國的熱情。一九八四年才又重新回到台灣。

《詩魂》是一首洋溢着愛國主義激情的詩篇。詩作爲紀念偉大的愛國主義詩人屈原逝世二千二百五十周年而寫。實則是借歌頌屈原而歌頌偉大的祖國，表達自己的愛國情懷。詩的開始用十分優美的筆調極言詩魂故鄉的美麗，然後把這美麗景色和屈原的高潔忠貞的靈魂相聯繫，並構成因果關係：「那山川壯麗是你的詞彩，／那萬里的風雲，是你的天才，／那浩瀚的原野，是你的氣概」三行，不僅讚美了詩魂、讚美了祖國，而且把二者融爲一體。第五節第一、三行歌頌的是詩魂，而第二、四行歌頌的是祖國，詩魂和祖國兩個意象交叉出現；第六、七節中，用「不朽的神木」和「不死的鳳鳥」來形容的，既是「詩魂的民族」也是「民族的詩魂」。體現了兩個意象由交叉、疊印而變爲融合。第四節末句和全詩最後一句，則直抒胸臆地披露作者自己的愛國情愫。這樣，在不長的篇幅中，作者把對祖國和詩魂的讚美以及自己對祖國的熾烈愛情熔鑄在一起，表現了他在詩的構思上的匠心。第六節末句「那萬里神州如今却瀰漫着荒煙」一句，指的是作者寫這首詩時大陸上正在進行的「文化大革命」，詩人看到了那場災難對祖國的危害，所以用「荒煙」來形容它。但他又寫道，「誰能信那吳剛揮斧能斫得斷」月中之「桂葉」？相信她定能「再度灑佈清芬」。說明他對祖國的前途充滿信心。

詩作在形式上是十分講究的，詩節、句式甚至節拍都是十分嚴謹而工整，但韻脚是變化的，一般爲隔行一韻，也有兩行成韻，四行一韻到底的，彷彿一支雄渾的交響曲，統一中出現變奏，使韻味更爲豐富。從詩行的排列和韻律上看，具有我國新格律詩提倡者聞一多所說的：建築美、音樂美和繪畫。有些詩行也存在着聞一多等「五四」以來著名詩人的影響。句中出現的「兮」字，則是明顯襲用楚辭中的韻味。從一首短詩中，我們不難看出作者對我國古典詩詞和「五四」以來新詩傳統的重視。如此看來，作者反對現代派的「橫的移植」，主張具有中國特色的民族抒情詩，不僅在理論上，而且創作中也是力行的。他的著名詩作中，常以抒發愛國主義情懷爲主題，本篇之外，還有《中國萬歲交響曲》、《神木》、《念故鄉》等。他所以把自己的詩集稱爲《葵心集》，乃取把自己比作一朵「魂牽夢繞」地「傾望着祖國」的「向日葵」之意。

（原載《現代詩歌名篇選讀》，周紅興主編，一九八六，北京作家出版社出版）

編按：本文第一段敍寫高準生平部分，原文略有誤，已代訂正。

高準《神木》賞析

璧華

高準，江蘇金山人，一九三八年生於上海。幼年曾在杭州西湖之濱居住過，一九四六年八歲時來台灣，一九六一年畢業於台灣大學政治系，一九六四年畢業於台灣中國文化學院碩士班，先後在美國堪薩斯大學及哥倫比亞大學進修，澳洲悉尼大學東方文學系博士。曾任中國文化學院教授，是台灣《詩潮》詩刊的創辦人，作品有《高準詩抄》、《葵心集》等。

神木

寂靜與喧囂
蒼翠與凋落
在這裏 交織 迴響
雲漲 成海

雲散　是千里茫茫
一百萬個太陽　升起　又沉沒……

森林成長了　森林倒下
斷崖湧起了　斷崖剝落
雲豹與禿鷹　在掙扎中埋葬
唯你　神木　你終古屹立
欣欣地生長　默默地搏戰
你的沈默呵　睥睨着多少種存在！

無可衡抗　無可搖撼
你倔強地成長　以一種蒼茫
你若有耳　曾聽到銅山的崩裂？
你若有眼　必燭照千古的塵烟
三千年的生命呵三千年的奮鬥！

神木啊　你永不向死亡低頭！
多少種文明　多少　古國
　興起　衰亡　建立　毀滅！
隔著山　隔著海　你會知道？你不會知道？
不　不　你是神木　你知道。
……特洛伊城的木馬
　可也是紅檜所造？

三千年前　時興的是薇菜哪
是采采的卷耳　是樸樕　與荇菜
——林有樸樕　野有死鹿
啊　阿里山的小鹿已否絕代？
——野有死鹿　白茅純束
周代的春風　和現代可有些相續？

遙想　當青牛未逝
　　當麒麟未死
啊神木！你年逾五百　青春正富
　　山有木兮木有枝
　　你茁長着
多麼歡樂！

尚憶否　秦時明月
是帶着雄風還是悽愴？
那茂陵松柏　可有你一樣雄壯？
天馬的長嘶　可曾震盪你的心房？
你茁長　你茁長　你茁長
陰陽昏曉　魏晉隋唐……

……………………

啊　抬眼望　你飽看千古興廢
俯視處　莽莽是萬頃滄桑
回首呀　猶見否那紅衣吳鳳
晨曦裏　踽踽地走過你身旁
月光下　那曹族的美麗少女
偎着你　癡心地等候情郎

三千年　啊三千年
三千年的生命　三千年的奮鬥
多少狂風暴雨　你永不低頭！
而今天你却　却迎我以頹喪
縱橫十丈的枝柯　竟有疏葉幾瓣？
啊神木　死亡已又在向你挑戰！

神木啊　山之精靈　亞洲之巨人！
你雄峙萬仞　呼吸着天地之菁英
你歷盡風霜　何畏乎一時的磨難？
雷電折斷你的枝葉　撼不動你倔強的軀幹！
看哪！我已看到那枯枝上有一莖新芽了——
亞洲的巨人啊　你終必戰勝死亡！

【附記】《神木》這首詩，初稿寫成後，曾於一九七〇年十二月、一九七一年七月、及一九七二年七月三度修改。初稿刊於文藝界爲紀念中山先生百年誕辰而編的詩選《播種》之中，後曾收入《高準詩抄》。一九七二年稿則曾被選入正中書局的《六十年詩歌選》，發行較普遍。但現在編理本集，重讀之下決定還是以一九七一年稿（以下簡稱「本稿」）作爲它應有的最適當的面貌。

「本稿」與「七二年稿」的不同，主要有三個地方。一是第一段的處理。「七二年稿」把第一段改成了下面的樣子：

寂靜交織着喧囂，
蒼翠迴響着凋落，
雲漲，成海；

雲散，是千里茫茫，

一百萬個太陽，

升起了，又沉沒。

可以看到，它是把「本稿」的前三行熔接成了兩行，而末一行則改成了兩行。當時覺得這樣比較工緻，但現在覺得這前兩行反有點過於雕鑿，整段讀來也不如「本稿」較有一種質樸而悠遠的蒼茫感，其末兩行也不如「本稿」那一行的式樣來得具有沉重的力感。

二是「本稿」的第四段，在「七二年稿」中整個刪掉了。當時刪掉的原因是覺得沒有把西洋典故攪入的必要，於是把整段刪了去。這段在初稿原是有的（排列形式稍異），現在再讀，覺得最初的構思却並沒有錯。有了這段，可給人以一種環顧洪荒，放眼世界的開闊感。而且從古希臘的故事接到下一段起的中國歷史，可想到古希臘的一亡不復再興，與中國歷史的綿延不絕，可造成對比的感受。

三是「七二年稿」在「本稿」第七段末行「陰陽昏曉，魏晉隋唐」之後又增加了一段。現在覺得仍不如刪除而以「……」接前行之末。「七二年稿」所增加的那一段，是以幾個典故來表述了從宋朝到鄭成功的一段歷史。當時的想法是覺得前面既歷述周秦漢唐，而後於宋元明三代却未着一字，似乎未免欠缺。可是現在看看，覺得加了那段反而在結構上顯得有點呆板，而那幾個典故又過於流行，有庸凡之感。倒不如仍刪去而在「魏晉隋唐」之後加上了一行「……」，有一種有餘不盡的裊裊之意。這正如國畫畫山時有必要在山腰空一段白雲一樣，原不必塞得那麼滿的。

另外，第九段第四行的「頹喪」兩字，在「七二年稿」選入《六十年詩歌選》時被編者改成了「劫後的悲慘」，據告是因爲怕有人會誤會原句有象徵某一位年高體衰的國家領導人之嫌。這實在是很可笑的，如果有人眞會有那種聯想，更是匪夷所思了。這詩全文以神木三千年的生命象徵着中國悠久的歷史精神，還不是很明顯的嗎？又有哪一個人能有資格來取代這個象徵呢？而且，原詞一方面是與前面第八段的腳韻遙相承應的，一方面，那神木因遭雷殛而折斷了枝葉，它那微斜的主幹，確是給人一種頹喪的愴然之感。「悲慘」一詞不如「頹喪」的精確。

回憶那年阿里山之遊，已是十三年前的事了。而梅花與蘭花在神木下迎接我的情景，却還恍如昨日般的清楚。她們原是曹族最美麗的少女呀！梅花是那麼癡心的候着我；蘭花那時還是才讀完初二的學生，美得像清亮的溪水一樣。我那次並從神木一直下到深山谷底的來吉村，到了她們的家，那是一個非常簡樸的農家，過着日出而作，日入而息的生活。梅花在外面讀聖經學校，而我却總不肯信教。從來事情就這樣成了煙。這是我生命裏不會遺忘的一段旅程。那末，就在這裏聊誌數語，該也不算多餘的話吧。

【賞析】 神木是台灣阿里山的名勝。詩人在一九七二年定稿時曾有序云：「神木生阿里山中，挺然屹立三千年。昔日高逾百尺，近年因遭雷擊，竟折其半。」這首詩是高準的力作，一九六五年八月初稿，一九七一、七二年兩度修改，一九七八年又最後核訂，可以看出他認真的創作態度。這裏把《附記》全文刊出，目的是要讓讀者認識，只有極端嚴肅的創作態度，才能有好詩。此詩用三千年的神木象徵三千年中華民族的文化的堅挺，偉大，永垂不朽。要讀懂本詩，必須將以下幾個地方弄明白。

第一段中「一百個太陽」，把三千年，即一百萬日，其實是一百多萬日，這裏舉其整數，以顯示時間的悠長。第三段用的是漢代故事中的「銅山西崩，洛鐘東應」：漢武帝時，長安未央宮前殿大鐘無故自鳴，三日三夜不止，皇帝問東方朔，東方朔說：「我聽說銅是山之子，山是銅之母，子母相應，恐怕有山崩的可能，所以鐘先鳴。」過了三日，南郡太守上書言山崩裂，延襲二十餘里。第四段中「特洛伊城的木馬」，是用荷馬史詩《伊利亞特》中的故事：希臘人攻打特洛伊城，九日不下，第十日，希將奧德修斯獻計，將一批士兵埋伏在巨大的木馬內，放在城外，詐作退兵，特洛人以爲希兵已退，把木馬運進城內，夜裏伏兵出來，打開城門，於是希兵乃得攻入特洛伊城。第五段中的「薇菜」、「卷耳」、「樸樕」、「荇菜」都是《詩經》裏所寫的植物。「采采」的「卷耳」「林有樸樕，野有死鹿」，「野有死鹿，白茅純束」，都是《詩經》中的句子，神木生成於三千年前，約當西周之際，《詩經》正是產生於該時代。詩人將《詩經》中的詩句融入詩中，把《詩經》中的「鹿」和「阿里山」的鹿，兩個意象連接起來，不同時空的交錯相融，先後輝映，產生了鮮活活的效果。第六段「青牛未逝」和「麒麟未死」，是暗指老子和孔子。「山有木兮木有枝」，是用《楚辭》中的句子。第七段中「秦時明月」引自唐王昌齡的「秦時明月漢時關」的詩句。「茂陵」是漢武帝的陵墓。「天馬」是西域的名馬，也叫大宛馬，或烏孫馬。「陰陽昏曉」，用杜甫的「陰陽割昏曉」，形容泰山的雄偉壯麗。並以陰、陽、昏、曉的自然變化現象，概括魏晉隋唐以來的興衰交替。第八段寫在「俯視處，莽莽是萬頃滄桑」中，「紅衣吳鳳」在晨曦中走過，以及月光下，「曹族少女等候情郎」，蒼莽和豔紅互爲陪襯，綿綿情意與磅礴氣勢相對比，萬千氣象由此顯露。第九段寫神木遭雷殛以喻中華民族數十年來的劫難，但詩人堅信未來，所以在最後一段中表示出無限的憧憬。

（選自紀璧華：《台灣抒情詩賞析》，一九八三，香港南粵出版社）

編按：原共賞析三首，另兩首爲《詩魂》與《玫瑰》，以所撰賞析文字較簡短，玆從略。

獨立蒼茫且放歌

——《高準詩集》序

郭　楓

三十多年以來的臺灣文學，幾乎是向歷史繳白卷的一個世代。

對於這樣的論斷，我知道，一定會招來紛紛的指摘。在文壇上奔走營求的一群顯貴們，會憤怒地認為我撕破他們多年來辛苦建立的形象，撼動了他們據以招搖的地位，甚至，也許會指我為酸葡萄作用，或指我為別有用心。而一般年輕的文學書刊，爭奇鬪艷，春色滿眼，怎麼說我們的文學會向歷史交白卷呢？

如果從書刊的數量和外形來看，臺灣的文壇眞是蓬蓬勃勃，蔚為昌隆的景象。在書刊市場上轉一圈，我們可以看見許多的所謂文學作品，其封面設計之奇，印刷之精，確實超越了過去任何一個時代，讓人感到目眩神搖，美不勝收。而出版物的數量之多，猶如雨後是筍，也顯示出書刊供銷的暢旺，文化流轉的發達。可是，要進一步看看這些文學作品的內容，我們就再也高興不起來了！不，我們就不能不感到悲哀與傷痛，為了作家們的墮落，為了文學青年缺少所需要的精神營養食糧。

泛濫在書肆中的文學作品是些什麼東西呢？醉生夢死的作品佔了一大部份。作者是以生花妙筆，描述一些似若美麗而縹緲虛假的內容，讓人迷醉其中，忘懷現實爲目的。扯淡閒聊的作品又佔一部份。一些文壇大老或飯吃得太飽的先生女士們，閒來無事，聊吃、聊玩、聊觀光、聊女人、聊怪事異聞、聊一切無聊的芝麻蒜皮……，這些無聊之極的雜談瞎扯，正好適合奢靡社會的小人物胃口，加上報刊宣揚這些無聊文學，捧之爲具有哲學意味和生活藝術的大師名作。於是乎，文學青年們，習而不察，也就沾染出一身油氣了。除了以上兩大類的作品之外，還有許多光怪陸離之作，也不必一一列舉。總之，大部份的印刷物，都脫離了眞實和現實，讓人迷茫，讓人虛幻。三十多年以來，整個的臺灣文壇上，也有少數有良心的作家，寫作少數有良心的作品，卻淹沒在庸俗文學的海洋中，直如鳳毛麟角，難以尋求了。

在一片迷夢的文壇上，屬於詩的這一部份園地，是夢得最爲奇幻，最爲迷茫的領域。

自從五〇年代之後，詩壇上的現代主義興起，所謂「橫的移植」之說成爲流行的妖風！狂飆所至，掃除了中國詩歌的優良傳統，切斷了中國文化的悠久命脈，「現代詩」幾乎全淪爲西洋世紀末文學的魅影。許多詩派，雖然門戶獨立，各擁地盤，實質上則大同小異，面目酷似。在內容上，率多無病及精神錯亂的呻吟，率多色情與無聊的發洩，率多狂暴和夢囈的編織。在形式上，割裂文法，拼湊字句，競以詰屈、生澀、朦朧、隱晦爲能事。在這種逃避現實，追尋虛幻的作風之下，無數青年詩人受其影響，不作基本文學修養的培植，不體驗社會和人生的眞實面貌，就也一窩蜂地操筆寫詩。以致所寫的詩，造句不通，意思凌亂，完全是夢囈或咒語，誰也搞不懂他們在幹什麼？三十多年來臺灣現代詩人成爲孤絕的種族，自外於人民和社會，大家也以非我族類的眼光看他們。這種孤絕的情況，和中國歷史上每一代的詩歌受到廣大社會共鳴反響的情況相較，眞是最無情的批判。

臺灣三十多年的文學現象，當然不是孤立的事實，而是由於社會條件和經濟因素造成的。這些條件和因素，細述起來，須要很多的筆墨；要是扼要來說，一言以蔽：就是失去了民族精神和立場，一味地崇洋媚外的結果。

但在如此的文壇劣風之中，正如顧炎武所說：「衆昏之日，固未嘗無獨醒之人。」（《日知錄》）。三十多年以來，在文學的各個領域中，不乏獨立特行的人物，踽踽涼涼，寂寞以往。在詩壇上，本書的作者高準先生，就是少數的持守自己的原則，免於「現代主義」汚染的少數詩人之一。

試讀高準的詩集，全集八十首詩，從最早的一九五五年《出塞吟》到最晚的一九七九年《歸宿》，每一首詩都是以明朗的聲音，唱出他心靈的感動。特別值得說明的，他的作品，絕大部份寫於五十年代及六十年代，那段時間也正是「現代主義」的超現實歪風括得最兇的時候！在那樣的詩壇氣候下，他持守着個人的信念，獨立於一片蒼茫之中而不動搖，確是值得欽佩的。

高準的詩作，在寫作手法上，繼承着中國古典詩的傳統，用字確切，語言精審，不僅未受惡性西化的影響，在許多地方，我們尚能發現他有意襲用古典手法的企圖：

想那初夏江南，何等璀璨！
那洞庭的波光，金碧輝閃，
涉江以採菱兮，桂棹蘭槳，
叢叢的薜荔呀，在汨羅江畔。
……………………
啊你孤潔兮忠貞，熱血沸騰，
你悲憫兮憂憤，向罪惡抗爭。
你呼號行吟，要喚起誰的振奮，
你化入清波，却留下眞善美聖。
——《詩魂》

類如此例的寫作技法，在詩集中屢見不鮮。此種技法，在語言上，留有古典文學的血胤，在格式上採取整齊的腳韻，使朗讀時產生圓潤的效果，但在形式上也留下了古典詩的痕跡。

從詩的內容來看，高準作品最值得稱道之處，就是題材較廣，大異於同時代詩人的個人呻吟，而發抒其故土之思，如《念故鄉》就是一首感人心腑之作。至於《中國萬歲交響曲》這首長詩，直接歌頌中華民族偉大的國土，對民族的未來寄以美麗的希望，作者不僅具有熱烈的愛國情操，也有秉筆直書的勇氣，是值得讚揚的。此外，《神木》，《碧血》，《詩魂》，《裸月》，《哀鯨魚》等首，均寓意深遠，洵爲難得的作品。詩人的筆觸，也有觸及社會的篇章：

看看吧！
是誰在驕陽下耕耘你要吃的稻穀？
是誰在風砂裏修築你要走的道路？
是誰在紡織機旁織你要穿的衣服？
是誰在印刷廠裏印你要看的報紙與書？

啊，那一雙雙，一雙雙，

辛勤的勞動的手掌，
啊，那一滴滴，一滴滴，
爲你而流着的熱汗……
——《陽光的召喚》

寫社會、寫勞動的人們的作品，在詩集中不多。對於一個知識份子來說，這是一般常有的憾事。高準在詩集中，已經注意到社會下層的貢獻，發爲歌唱，已是難能可貴了。

詩集裏初稿於少年時代，經過長期擱置而到一九八〇年才修改定稿的《秋之夢》，是醞釀歷時最久的一首。它以婉約之姿而凝鍊的寫出對理想尋求的高潔之情。它旣是最早的、而也許也該算是詩集裏眞正最晚的一首新詩。那麼，高準先生在七十年代高朗的歌聲之後，而復進於「看山又是山」的澄靜之境，或亦正是一種更趨成熟的表現。

自從七十年代鄉土文學論戰之後，臺灣文學界的風尙已經開始轉變，民族主義的文學作品開始廣受注意，許多作家，特別是年輕一代的作家們，在文學創作的各領域中，已有不少人走出象牙塔或朦朧之夢，向現實求題材，向人生尋答案，這是可喜的現象。在詩壇上，目前已經幾乎沒有哪個人，敢於冒犯進步的潮流，敢於宣稱自己是現代派或超現實主義者。可見，任何歪風邪道，在歷史的腳步下都會被踏得粉碎，眞正的文學根源，還是在整個民族的心靈方向上，整個土地的榮枯興衰上。唯有表達吾土吾民偉大的心聲，才有偉大的作品出現的可能。

面對當前臺灣詩壇的新形勢，我們對於高準先生在創作道路上的獨特風格，放懷高歌，固然應致一份欽敬，而對他未來的時光，希望再舉起詩筆，一如杜翁「老去漸於詩律細」，更是我們的期待啊！

一九八五、六、十　在臺北指南山下

朝向民族的獨創的詩學

——高準現象透視及其它

黃　翔

一

整個中國詩壇目前是靜寂的。

一片現代主義的煙波遠去，喧囂幾近止息。我們看見一座顯露的島嶼，一片澄澈的港灣。這是高準。他執著矗立如礁石。傷痕累累。卻並不孤立。

詩歌的現代性表現於它的精神隱涵。並非一定要稱什麼「派」，亮出什麼「主義」，打出什麼旗幡。

外在的形式追求是膚淺的。

詩歌拒絕模仿和重複。不管是形式和內容的模仿和重複；不管是模仿和重複外國人還是自己同時代人。

詩歌的現代性在於詩的內在精神的自覺與純粹。

它以創造性的經驗揭示出現代詩的靈魂。

在各種「主義」的旗號下，我們發現：

幾乎所有的旗幟都是同一面旗幟；

幾乎所有的聲音都是同一個聲音；

幾乎所有的詩歌都是同一首詩歌。

這是無魂的詩歌和詩人的悲劇。

眞正獨創或獨立的詩人，不啄食荒野遺棄的腐屍。

高準不沉迷於虛幻。不稱「派」；不模仿什麼「主義」，不重複打出別人的旗號。如果說這位詩人和學者有什麼自身的特徵的話，那就是他是他自己。他寫著屬於自己的詩。他是中國的，民族的。

高準與他的同時代人一起，在力求重建和革新民族文化的前提下，維護民族文化的獨立與純潔。

現代主義的風波衝擊著他，高準並沒有因此而千瘡百孔。

風波打磨出他與別人迥然相異的特色與風姿。

高準運動著。有節制地消化著一切外來的東西。他有自己的食量和吞噬方式。

他是中國人，他並不把自己化裝成碧眼金髮。

他是世界性的，但並不因此而失去自己的黑頭髮和黑眼睛。

高準的詩有自己的膚色，民族的膚色。

然而，高準並不是一塊冥頑不化的岩石。他有自己的洞穴。如果你找到它隱秘的洞口，你就會發現一個深藏詩中的熔洞，一片爲你所熟悉又陌生的高準的風景。

二

我是在獄中讀到高準的作品的，他以一腔熱血和正氣感動了我。

他是個純粹的正直的中國知識分子。心地光明純淨。不趨炎附勢，不隨波逐流，不攻於心計。他敢於直面眞實，不遮掩歷史的本來面目。他的坦蕩能容人也能容天地。在我們處身其中的商品社會中，這種人已經越來越少。

高準寫詩也像他做人，寧取樸實也不追逐花俏。

他總是因眞情而寫詩，也以情眞而感人。我們並不因他不着意使出魔法故弄玄虛迷惑我們而遺憾。

我最近讀到了海峽彼岸寄來的《高準詩集》，這是他從一九五五年至一九八四年間所寫的詩及譯詩。前後近三十年共選入詩八十首。其中《出寒吟》據他自稱是他所存的最早的詩，也許是他的處女作。

詩集包括六卷作品。前五卷《召喚》、《古意》、《夜歌》、《玫瑰》、《早春》爲他歷年所創作的詩的篩選，卷六選入他部分譯詩。這可說是高準數十年間詩歌創作的一個較完整的結集。

卷一《召喚》表現詩人對故土、對祖國、對夢境的思戀、追求和嚮往。

祖國也就是高準濶別多年的故鄉，故鄉也是他魂牽夢繫的祖國。

他讀的是祖國，聽的是祖國，寫的是祖國，喊的是祖國。

他以這種樸實的感情、語言和表現形式令人震顫！

祖國也即我們偉大的中華民族滲透他全身心。

他的血管中流的是黃河、長江，是祖國的血液。

他的語言也是祖國的泥土和河流滲透和浸潤的澄明的水的語言和純淨的黏土的語言。

高準立在幕外之幕背後、牆外之牆背後、波濤外之波濤背後，朝向故鄉和祖國呼喚，也朝向心靈的夢境呼喚；或者傾聽祖國、故鄉和夢境、朝向自己的召喚。他是個富於夢想的詩人，少年時代，心靈就在落日和大漠中馳騁。他的詩如駿馬蹄聲中翻湧白雲和草浪，也如荒漠中的駱駝，駝鈴擊碎寂寞，撩動大草原和雪水融化的湖泊碧青而寬鬆的衣衫。

我們讀高準的詩感覺到他的純潔，如他所飲的清冽的大氣，如他濯洗心身的青空和白雲。

他爲我們彈奏生命、春天和蓬勃歡騰的三月。

他的詩有太陽和海浪的韻律和色澤。我們甚至感覺到那潤濕和溫熱。它向我們峥嶸地露出虎鯊的鰭背和搧動海鷗未經汚染的翅膀。

高準是個很純正的中國詩人。他的詩也是具有極其純樸的民族情感。對於他來說，中華民族永遠是一部令他神往的最濶大最恢弘最嘹亮的交響音詩。中國永遠是一株寂靜與喧囂的參天神木，它植根於他的心中。高準由大陸「移植」於阿里山，但他並不因此淡漠中華神木濃蔭蔽日的蒼茫和悠遠。

高準立意於維護、拓展、革新、重建民族的新文化。

他心目中的詩人是屈原、荷馬、但丁這樣的詩人。他們是自己民族眞正偉大的詩魂，也是人類的良知。

他寫《詩魂》一詩時，正值大陸民族文化遭受空前浩劫的文革年代，而在這段時間的台灣，却是某種矯揉造作的詩風泛濫。雖然其中不乏富有探索精神和創造才能的少數詩人，但眞僞難辯、魚龍混雜。在這種情況下，高準堅持民族文化的立場，踽踽獨行。他孤立而不孤獨。在現代主義的浪潮中，高準是少數不隨波逐流的詩人之一。他是個橫渡浪潮的泅渡者。他駕馭風波而不爲它所吞噬。他不故作朦朧之態，散布烟霧以掩蓋自身的貧乏和空虛。他不寫那種令人窒息的詰屈聱牙的詩。

他清醒地看到：

淺薄自視爲空靈；

晦澀冒充爲深奧；

平庸僞裝成獨創。

面對全部人生和存在的人，任何時候也不忘記關注時代和整個民族的命運；任何時候也不離開自己置身其中的天空和土地。

高準迥然相異於那些詩中濺滿了別人的唾沫和精液而沾沾自喜者。

他不以詩營私，不追逐虛名和排擠他人。

他的詩關注現實人生，也表現出力求滲透整個生命和存在表達具有哲學意味的眞知和生命的深層體驗的意圖。

《高準詩集》卷三爲《古意》，表達形式也爲古典形式，從中見出高準古典文學的精湛修養，也反映出他詩歌創作中的某種意趣。這組詩一開頭《登玉山吟》一首，我們就感到一種正氣震顫、長嘯崩裂的生命狀態。高準不僅僅是遊山玩水，他足跡所及總讓人感到一種真實生命的投入和擲出。他足跡遍及泰山、長城、中山陵、大禹陵、伯牙台等，所到之處，無不在詩中留下他的眼光和呼吸。他振翼長翺於山水之間，極目山川和歷史，浩瀚宇宙和人世收於一掌。其中也表現出他「每欲久居躬耕而絃歌」的嚮往，落入塵網又不隨世俗的高風亮節。

蟄居鄉間漁場，夜讀高準的《古意》，寂靜中別有一番滋味。它有別於象牙之塔中的朦朧之夢，它使我們貼近又超脫於現實人生。高準感受「人到四十以後就不宜於再寫新詩而宜於寫古典詩，反之四十以前則較宜於寫新詩而不宜於寫古典詩」，也許不無道理，它似乎也適宜於詩人高準。這是一種典型的中國文士心態。但我以爲對於另一類詩人來說，他的年齡並不侷限於生理年齡，起主導作用的是心理年齡或精神年齡。對於一個詩人來說，在精神上是不存在青年和老年的區別的。詩人的心力永不衰竭，心靈永不衰老。他的詩應該永遠有着生命的青春活力。深刻的智慧和青春的熱情在一個詩人身上可以同時並存。詩人同時是垂暮的老人和初生的嬰孩。

卷三和卷四爲《夜歌》和《玫瑰》。高準的黑夜是不寧靜的。夜的雙腿間裸月湧流如血；斗室獨坐，聽心中鼓聲暴漲生命潛在的熱情。他唱哀歌，爲被迫墮入風塵、投河自盡、鮮麗如小鹿的少女；他歌異端，讚美獨來獨往者無懼的孤獨。他傾聽黑夜，耳中歌聲的水柱與濤聲澎湃；他看見陽光焚傷沙灘，爲擱淺沙岸而流淚的巨鯨流淚。

他爲人間貧血的春天嗚咽。

世界上太多的公式，太多的機械，太多的廟宇和鎖鏈，於是詩人從中逃脫，暢游於星河。但是即便置身天上的銀河，他發現滿天繁星也面臨毀滅，而天上的諸神早已退隱而去，渺無蹤跡，佛陀也已圓寂。唯有心中的愛是永恆的存在。

白燭不屈地在掙扎中抗爭。

雨珠在夜的鏈盤上彈響迷惘。

詩人是頭戴雪冕的夜的歌者。他的歌聲洶湧祈禱的洪水，淹沒所有的國度與邊界，所有的壁壘與鎖鏈，所有的廟堂與主義，以及機關、機心、機詐與機械。這位理想主義者在一個喪失理想的時代尋覓理想，欲求擺脫畸形的現代文明的桎梏、重返纖塵不染的大自然和人類精神的家園。因爲這陸地上已經太髒，溪河變成了陰溝，大地需要一次徹底的洗刷。

詩人是黑夜寧靜的騷動，也是玫瑰和陽光泛濫的火焰。

他哀歌和詛咒黑夜，正是爲了渴求生命的歡樂與光明。

他最可貴的地方是不逃避人生，不絕望。我們聽不見他的夢囈和咒語。他恪守語言清朗的天空。我們在他身上看不見世紀末紛亂的投影。我以爲這是他個人獨具的特點。人生紛繁複雜，詩人的精神世界及其詩的表現也可能繁富多變。而高準的特色却在於單純。一種純粹的單純。

你看他遍體閃耀五月的波光，他的歌聲是玫瑰色的。

由五月的鳥鳴，詩人聞到了芳甜而清新、富麗而空靈的天籟。他從中感覺出孟德爾仲和史特勞斯、華格納和修伯特的音樂。暖風里迴旋著五月的夢境，青翠如綠草，燦爛如叢花，纏綿如葡萄藤。詩人要擷取陽光和鳥鳴獻給心中的愛神，以求靠近她茉莉花香的心靈。關於五月的情歌，詩人反複吟唱，三易其稿。他啜飲芳醇如香檳的五月，他爲他的比阿屈麗絲—咪咪朗誦五月，他爲她雙手滿捧著五月。五月以不同的形態在他心中出現。詩人滿懷純情之愛。這種神秘的人類情感，似乎是詩也難於傳達，但我們從文字中分明感覺出詩人深藏其中的戀情。他要把繁星綴於愛人的長髮，他同愛人靜坐階前，看大氣如波，人體也波動如大氣。這時候，沒有太陽，沒有火。心中只有灼熱的沁涼。童貞的靜夜，聖潔如涅槃。詩人爲他的咪咪寫了許多詩，表達對這位長久杳無音息的女神永恆的期待。他的詩拖着思念長長的影子。滴出雨滴。飄動許多涉水而來的花洋傘。然而他的夢被鏘然在瓦上擲碎，在雨水中漂流。柳杉鬱鬱。樹影叢叢。詩人自錮於執著。啜泣如冰岩。他尋求無可尋求的。仰臥翩躚的白雲。以血和赤誠澆灌寂寞的夢。

可惜，詩人僅爲我們燃起他的深情和思戀的寧靜的紅燭。而我們多麼希望看到他情感的變奏，如他附於詩後的文字中所透給我們的，以詩蓬蓬擊鼓，爲我們如醉如痴地跳起詩的「雅美族黑髮舞」。

他所創作的詩最後一卷也即卷五爲《早春》，其實是他較早年的作品。

這一卷一開頭，詩人就出現在雨絲中，撫摸春天粉嫩的肢體。

早春散發薄荷酒和蘋果花的淺綠色的香甜。攪動一溪少女的澄澈。夢在清溪中泅泳。詩人在夢中泅泳。小馬馳過天藍色的一瞥，竄入他的眼簾，落入他心靈的陷阱。早春的眼睛如窗櫺，蕩起流盼的漣漪。這是春天的流盼，也是詩人自身的顧盼。現在他要以綠色的鑰匙去打開鎖閉的懷念，去打開寂寞，與愛人單車並肩奔馳，讓春風撩起情人裙裾的晚霞，吹開夢幻的花瓣。讓自己幻化成一只烈焰燎原的燕子。旋轉。爆裂。如梵谷的太陽。但轉瞬之間，夢幻和詩篇又被葬入冰霜，只留下詩人對梵谷的太陽的呼喚，只留下一泓深秋的懷戀。偶而有一次，我們發現微醉中的詩人，他置身在葡萄酒般芬芳四溢的燈光和目光、星光和露光的幻境中，任窗外屣聲泠泠，雨聲淅淅輕擊夜的肌膚。

在一片狂亂、騷動、色情、夢囈的世紀末情緒的發洩與喧囂中，詩人獨守他的崇高純美的理想的聖殿。僅管艱辛跋涉於生命的長途，他永不遺棄他的天眞和夢。他的夢並不因時間的久遠而發黃，而是隨生命的秋天而成熟。這是他生命之春的夢，也是他生命之秋的夢。夢是詩人終生靜守深藏的生命之愛的默契，是她終生祈求美麗的愛神原諒的一項「美麗的錯誤」，是他隨著時間的推移而成熟又永遠發青的鮮果。

詩人是一朵永不熄滅的微笑；一盞永不枯萎的燈焰；一簇永遠解不開愛的迷惘和惆悵的丁香結。

《高準詩集》收集起詩人一滴滴情感。他把它們置入時間的試管，他看見它們終於變得血跡斑斑，最後竟一一化作泡沫。然而我相信，詩人的生命將凝結於文字，他的本眞的情感將在每一顆同樣本眞的心靈中長久存留。

卷六是詩人的一部分譯詩，就不多饒舌了。高準是詩人，也是一位學貫中西、享譽海外的學者。他具有精湛的中外文化修養，他對西方的現代文學藝術是十分了解的。然而他始終保持著清醒的頭腦，不像一般人只知道東施效顰。他不迷信，不盲從，也不排斥外來文化，而是立足於自己的民族，立足於表現自己民族的靈魂。

他以詩的根鬚伸向世界，然而他的生命之樹，却離不開自己的土地，這棵樹的名字永遠叫做「中國」！

三

中國詩壇上是星辰燦爛。

無論大陸和台灣，每個眞正的詩人都獨具自己的才華和氣質、修養和人格力量；每個具有世界眼光的詩人，無疑首先應該是自己民族的詩人。他們的作品深入並撼動人們的精神世界，對自己民族文化的拓展和革新產生有力的促進作用。

詩人以自己的精神力量推動民族精神歷史發展的進程。

詩人以自己的詩學創造參與世界文化的總體構成並成爲現代世界文化的優秀組成部分。

中國詩歌的主流究竟在何處？它的未來命脈究竟握於誰手，這需要消除門戶之見，派別之爭，以獨特的詩學創造進行詩學比較並以獨特的詩學創造成就作出結論。

在台灣詩歌中，我們曾讀到過一些風格獨具的篇章，它們以生命的本眞和精神的本色令心靈微顫。一些愛國主義詩歌，或一些具有濃鬱的鄉愁和某種輓歌情調的抒情詩給人印象尤深。但無論大陸和台灣同是中國的土地，人們的心意總是趨於一致的。人們都普遍厭惡那種封閉性的文人的小圈子，厭惡那種打著各種「現代派」旗號粉墨登場、招搖過市却毫無現代精神和詩學價值的僞文化傾向。有的詩學「探索者」只知道一味對人頂禮膜拜、步人後塵，別人在幹什麼，他們就跟著幹什麼。他們試圖僅從純粹研究語言結構的角度革新漢語詩歌，或試圖在詩學理論中以西方概念哲學的思辨方式去追問和揭示生命和存在本身。他們在自己的「實驗」中將自己置入困境。他們忽略了語言符號的虛幻性和表象性，從而沒有從語言概念的他指達到完成語言的詩的自指的飛躍。純粹借用源於西方的詩學和哲學語言概念是不能建立和完成當代中國詩學的。這種「實驗」並不能眞正成爲接近生命和存在的新的可能，反而拉遠了與生命和存在的距離。

中國詩學有自己獨特的思維和語言。

無可否認，各民族文化力確存在著懸殊，彼此之間的較量和競爭是必然的。我們當然不能固守舊有的文化，缺乏更新自己民族文化的開放的眼光；但我們也不能割斷民族文化的命脈，從而在精神殖民中喪失自己民族的文化，使之成爲歷史陳跡。各民族文化之間相互交流，並不意味著彼文化對此文化的入侵；並不意味著强文化對弱文化的吞食。

一般來說，一種具有民族凝聚力的文化都有自己的本土特色和民族獨立性，它足以抵抗征服並在交流中壯大自身。

從全人類的眼光來看，我們重視現代主義卻不迷信現代主義。古典主義、浪漫主義、象徵主義、現代主義都有產生各民族傑作的可能，都產生過傑作。這是各民族在不同的歷史時期產生的不同的文學藝術現象。現代主義在世界範圍內出現有其產生的民族的歷史的原因。它是一種時代現象。人類的情緒、心態及其表現手段和形式是多變的。我們應該從全人類的眼光去看待世界範圍的現代主義。

但我不膜拜現代主義而是消解現代主義。

我們應該廣泛吸收各民族文化的菁華，豐富我們民族的現代精神，拓展和變革民族的思維形式、語言形式和表達形式。

漢語詩歌需要革新。

革新必然產生裂變。

語言的革新是爲了使語言達到新的簡潔和澄淨，而不是繁雜和污濁。

詩的最高境界是以語言消解語言。

從語言概念的他指達到詩的自指。

不著一字，擊破沉默。

這就是詩的靈魂！

詩潮並非烟潮。

現代詩歌的新潮並非由湧動的人頭匯聚而成，而是源於詩歌本身內在的精神容量。

一個大詩人就是一股潮流。

台灣和大陸在不同時期都不同程度地存在著虛幻的詩風。它們遮掩和轉移了人們對自己所處時代的重大課題和民族興衰的强烈關注、焦灼和責任感，也遮掩和轉移了人們從自身精神的角度對生命和存在本身的本眞的深層審視。

應該給這種病弱的萎靡之風以拳擊！

我曾爲此寫過一組總題爲《僞文化現象批判》的文論。

我以爲，詩不僅僅表現生活的表象，表現人類的一般生存狀態。詩的主要表現對象是人類浩瀚的精神。

我們難以準確定義詩是什麼，我們難以信賴某種確定的詩的形式，就像我們難以準確測定物質的存在。

現代詩不一般地表現已經發生的經驗，而是創造的經驗本身。

詩是生命的想像和誇張。它不是世界的程序與導讀，而是自身的自由與釋讀。

無論是詩和哲學，東西方體系各各相異。

詩與哲學在日趨走向新的綜合。

新的詩學也就是一種新型的哲學。

我們應該正視東方和西方的民族心理和文化現象的差異。

一般來說，西方人的思維是理性的，即使當他們倡導非理性主義的時候，他們也擺脫不了理性思維形式的桎梏，也不能失去理性主義骨架的支撐。而東方人的思維是直觀的，我們對事物的把握和表現都依靠直覺。

西方人的詩學是體系化的；而東方的詩學是非體系的，或者也可以說是一種非體系的「體系」。

西方人的語言結構是純觀念的，是一種概念集成，他們的體系正是概念的集成塊，任何一個部位失靈，整塊就失效。而東方的語言是詩的富於化解也富於包孕的語言。每個語言細胞都滲透著別的細胞，都是整體的自洽。

西方馬克思主義者哈貝馬斯以爲，任何體系都要「定位」、「自我設限」、「有所規範」、「無邊無際就不能構成體系」。這說明西方體系建樹都是從各自不同的角度出發，但却不可避免地共同著眼於個別的、局部的、具體的事物。他們從整一的世界中截取某個「片斷」而構成自己的體系，而這種「體系」却不能解釋全部整一的世界本身。如他們可能從一個「細胞」去建構他們的體系，而對於「體系」所無法囊括的人體全身，他們的體系却無能爲力。之所以「無邊無際就不能構成體系」，是因爲他們的任何「體系」都無法解釋無邊無際的事物。每一種「體系」都是一個「片斷」、一種角度、甚至可以說是一種「偏見」

巨大的世界是「非體系」的。

這是任何一種單一的「體系」都無法解釋的。

它使所有的概念系統都感到窘困。

生命世界不在任何「定位」之中、「設限」之中、「規定」之中。

不管有多少「體系」，不管是哪一種「體系」，它們全部都由各自不同的自我「片斷」構成觀念的網絡，把世界網羅其中，連同觀念體系網絡的編織者。

對此，西方哲學和詩學都無法尋求自我突破點。

這也注定了他們無法從他們的概念體系的困境中得以解脫。生命世界逃匿於網孔環扣的思辨概念「體系」的籠罩。

哲學應該朝向詩學。

古希臘時代，詩是精神科學的總稱。後來哲學在古代從詩學中分裂。今天哲學應該在新的更高的層次上復歸詩學。

詩學將帶著它的詩化思維和詩化語言的雙翅，以新型哲學姿態出現和輕盈飛翔。

這種新型哲學將不再是沉重的概念堆砌和壘築。它的本體是詩的人體「宇宙情緒」。

新的詩學將尋求融匯東西哲學的可能的途徑。

它將更新並區別於東西方以往的觀念哲學體系和詩學體系。

它是東方的，它不以各民族統一的規範爲背景；它是民族的，是當代中國的詩學語言或哲學語言。

世界詩學體系由各民族詩學構成。

任何一個民族的詩學都不必符合也不可能符合任何一種完整的概念體系和思維模式。

交流和理解才能使人類精神趨於和諧和達致認同。

中國詩學將以自己民族的特色和獨立性進入世界文化中心，參與世界範圍內的平等的詩學對話。

在這個意義上說，高準對民族文化的珍視和執著追求是難能可貴的。我們應該重視民族文化領域中的高準現象。

像海外所有的具有愛國主義精神的知識分子，高準無時不關注著整個民族的命運，這種熱誠的關注不僅從民族文學的角度，也從反專制的政治角度。高準是個令一切有良知的人尊重的愛國主義者、民主主義者、人道主義者。他痛感民族分裂的悲劇帶給民族的內傷。他呼籲學術自由和兩岸文化的開放和交流。他在台灣詩界力主弘揚民族文化精神，主張文學藝術關心時代、關心民族、關心全部豐富而複雜的人生，並對僞「現代派」和僞文化傾向進行有力的鞭笞。他率先倡導具有民族特色的詩學，力矯病弱、萎靡、虛無和淺薄的詩風。他在台灣新詩大論戰中的文論，已經成爲新詩論戰中的主要文獻之一。

高準創辦《詩潮》，提出文學旣應把握抒情本質、注重表達技巧，也應關心社會民生，他力主倡導文學的民族風格，在詩學領域揭櫫偉大的民族精神。

他堅定不移地朝著民族文化的方向奮進。民族的獨立的和獨創的詩學是他始終不渝地追求的目標。

他的目光越過海峽，關切地注視著整個中國大陸的當代文化。一九七九年九月，他受邀赴美國愛荷華大學參加「中國文學前途座談會」和「國際寫作計劃」，率先突破不准接觸的禁忌，與中國大陸作家聚會。這次聚會爲海峽兩岸作家在隔絕數十年後破天荒的首次聚會，是海峽兩岸文學領域一次具有歷史意義的聚會。他在會上發表演講，針對當時大陸的文學現狀，尖銳地指出中國大陸文學創作的前途在於解放思想，破除教條主義；在於在創作中眞正從形象思維出發而不是囿於圖解概念和指令；在於發揚不滿精神，促進民主，才能眞正揭示和推動眞正的時代精神和進步的歷史潮流，反映整個民族的偉大心聲。

高準在文學、繪畫、詩史和畫史及政治學術等方面都有所建樹，在海內外知識界早已引人注目。

他是第一個突破禁忌自台灣赴中國大陸訪問的台灣詩人和學者。

他表示，「我是中國的人民，中國本來就是我的，我從不承認任何人有權阻撓我走遍中國的土地。」他認爲其大陸之行是以效法孔孟，周遊列「國」，發揚正道爲信念。訪大陸後在美國柏克萊羈留時間，他寫出了一系列遊記，既反映了祖國的山川風物，也對大陸一些現狀提出「嚴格而中肯的批評」。他指稱：「大陸是我縈念的祖邦，台灣是我成長的鄉土，它們都是我所熱愛的中國。」

他生平以做一個中國人爲榮，同那種自視自己爲「生活在中國的外國人」甚至狂吠要將黃種人連同他自己都絕滅的人相比，高準的民族情感是多麼深沉和純粹，民族尊嚴感是多麼鮮明和崇高！

高準以是一個中國人爲榮，他的精神和血肉都是「中國的」。但他並不因此拒絕面對世界和以廣濶的心靈熱情擁抱全人類。他的心中有屈原、李白、杜甫，也有荷馬、但丁、歌德。有人類古代文化，也有人類現代文化。他的身上唯獨所沒有的，就是油彩化裝的「碧眼金髮」。

高準所朝向的民族文化的方向是對的。

他所追求的建立中華民族獨立和獨創的詩學目標，正是每一個眞正的中國詩人甚至整整一代人的共同目標。

一九九二年六月二十五日夜

於貴陽 花溪 夢巢

一首氣勢磅礡的交響樂

——讀高準《中國萬歲交響曲》

古遠清

高準的詩，不是「小鳥似的歌唱」，而是震撼著時代的强音。他的作品，不表現外表迷人而實質縹緲虛假的內容，迥異於同時代某些詩人躲在象牙塔內咀嚼著身邊小小的悲歡，並就看這小悲歡爲全世界。高準歷來主張，詩人必須從自我呻吟，自我陶醉中解放出來，「深切的關注社會現實，堅決在中國的土地裏紮根」（《文學與社會》，一一五頁），《中國萬歲交響曲》這首詩，和他的《念故鄉》一樣，具有鮮明的時代精神，屬於放歌偉大祖國的壯麗詩篇。

此詩發表以後，台灣作曲家陳揚山有意譜爲大型合唱交響樂曲。的確，這首詩本身就是一曲多聲部的大合唱，一首氣勢磅礡的交響樂。全詩以精巧的構思，通過身居海外的遊子對神州大地的眷戀，抒發了强烈的熱愛中華、祝福她繁榮昌盛「永遠是頂天立地」的情思。詩中所馳騁的「北馳瀚漠」、「南望瓊崖」、「東臨臺島」、「西出玉門」、「直上珠穆朗瑪巔」的想像，的確達到了如劉勰在《文心雕龍》中所說的「寂然凝慮，思接千載，悄焉動容，視通萬里」的境界。這種想像，在內由魂牽夢縈的情感所激發；在外，由祖國的錦繡河山所誘發。全詩沿著讚揚祖國領土的遼闊與河山的壯麗、歷史的悠久、祈願祖國萬里江山遍地歡聲雷動，祝福她以燦爛的金光和永遠普照的感情線索發展，寫得鋪張揚厲，顯得氣魄雄偉，作者的想像隨著詩情的跳躍在秦嶺泰嶽，五湖三峽中盡情地馳騁，從而多層面、多側面地把詩人對祖國的無限熱愛，對天人共憤的「陰霾」勢力（作者寫作此詩時，「四人幫」正猖狂一時）的無比憎恨之情表現得淋漓盡致。

這首詩在初次發表時，據說詩題曾被篡改爲《中華民國萬歲交響曲》，這激起了詩人的不滿。因作者的原意是歌頌整個中國而非哪一黨派控制的一部分地盤。他寫詩作文歷來主張「只有超出權力的鬥爭」（《文學與社會》，一三四頁）才能作出客觀的反映。詩中還有「我願你神州十億，人人盡是英雄」的句子，這與台灣七十年代出版的《中央月刊》的一篇社論，將大陸同胞稱爲七億「白癡」（當時人口只有七億——筆者）也是針鋒相對的。針對「白癡」之說，高準曾在一篇文章中氣憤地批評道：「這眞是豈有此理，這簡直是對整個中華民族都否定了。我們不能對所有在大陸的人都盲目反對，也不能對大陸上的一切設施都盲目否定。」像大陸「要求爲人民服務，要求去私，不能說有什麼錯，也可以說是針對中國近代以來一些弊病而作的矯正」。(《台灣對中國前途所處的角色與使命》,《文學與社會》,一三四頁)。其它如「我願你萬里江山,遍地歡聲雷動!我願你百世千年,永遠是立地頂天!」和《念故鄉》中寫的夢見故鄉「原野上百花齊放」,夢見「那木橋成了鋼橋,那小路成了鐵道」一樣,作者不過是急切希望全中國普遍建成現代化,這種意思是不容誤解的,以前台灣某單位曲解此詩,企圖抓住詩中這些詞句大做文章,在作者頭上戴上有什麼之嫌的帽子,這完全不符合詩歌創作規律,眞可謂是「秀才遇見兵,有理講不淸」了。

這首讚頌祖國的政治抒情詩,不但其心可敬,其情可嘉,而且它的藝術也達到爐火純青的地步。和現代派詩人不同,此詩在寫作手法上著重繼承了中國古典詩歌的優良傳統。詩中引用的神農氏種下第一粒稻麥的傳說神話,以及「萬里長城驚萬代」、「慷慨壯志驅胡羯」的抒懷,「舉頭望明月」、「造化鍾神秀」的唐詩原句,使詩作帶有濃厚的中國色彩。這顯然是作者愛我中華,尤愛中華文化的思想氣質在詩中的形象表現。詩中還大量運用了由《詩經》「關關雎鳩」、「呦呦鹿鳴」和屈原、蘇軾詩句點化而成的句子,並使用了「后禹最後的號令」、「盤瓠遺世的餘弦」一類典故,但並未使詩句顯得艱澀,原因在於這些典故與詩的立意聯繫緊密,而不像「黑痣」那樣外加進去,即使不懂典故原意的人,也可讀懂。作者有深厚的古詩根底,不僅寫新詩,也寫舊詩,這使他的新詩有舊詩的精煉而無舊詩格律束縛思想的弊病。可貴的是，作者還用了「拔劍兮揚眉」（語出丙辰天安門詩抄「我哭豺狼笑，揚眉劍出鞘」）一類的新典，使這首詩的民族色彩連繫了現代的脈絡。在韻律上，此詩用的是整齊的韻腳，使讀者易記和便於吟誦。全詩以「中華新韻」中的「十四寒」（也就是「十三轍」中的「言前」韻轍）爲主，九十行中共運用了五十個韻腳；而又以十個「四皆」（也就是「十三轍」中的「乜斜」韻轍）的腳韻交插其間，充分達成了陽剛爲主柔雅爲輔的飛沉相濟開闔自如的效果。從第三節開始，首句皆以「啊」或「啊啊」的呼音領起，這適應了作者因激動而心跳加劇的頻率，强化了詩的抒情氛圍和磅礴跳動的音律美，使這首「交響曲」無論在思想內容上還是在聲韻上均與那種「兒女情多，風雲氣少」的詩作區別開來，與「氣體卑弱，筋力不足」的詩作區分開來。

附：高準原詩：

編按：《中國萬歲交響曲》一詩，在古遠清此文寫後，作者又增訂了一段六行（現第十四段）。現所附是這一最後增訂稿。因此，本文中所述的韻腳的數字也與今稿略有不同。古遠清此文除曾以本題分別在大陸及台灣刊出外，又收入其新著《台港現代詩賞析》（一九九一，河南人民出版社），該書賞析之高準作品共三首，另二首爲《念故鄉》、《詩魂》。

中國萬歲交響曲

高準

*

從帕米爾皚皚雪嶺的東面，
一萬里路，直到太平洋浩浩的西邊，
從黑龍江荒寒漠漠的河沿，
一萬里路，直到芒市鬱鬱的芭蕉林間。
那是我光榮的祖國之所在，
五千年創造與奮鬥的家園！

那崑崙聳峙，玉龍隱現，
可猶迴蕩着穆王八駿的風煙？
那塞草黃沙，飄風烈烈，

或是呼應着黃帝飛馳的軒轅？
那錢塘波浪，莫非是后禹最後的號令？
那苗山蘆笛，竟是否盤瓠遺世的餘弦？①

萬方之中央呀是巴顏喀喇山脈，
閃閃的繁星冷浸着錚淙的清冽，
錚錚而北，騰躍着，騰躍着黃河浩蕩，
淙淙而南，奔流着，奔流着大江日夜。
從此是兩條發自心臟的血脈，
擁抱着，擁抱着那永恆的美麗纏綿！

啊，美麗的地呀燦爛的源泉！
錦繡的江山呀，你孳乳着多少英傑！
那秦嶺泰嶽，自古曾孕育幾多聖哲？
那五湖三峽，從來曾凝注幾許詩篇？

那燕趙風雲，曾激蕩多少悲歌慷慨！
那江南春水，曾浸潤幾許兒女情懷？

啊，芳菲的地呀永恆的愛戀！
關關的雎鳩呀，歌唱在潺湲的河邊。
楊柳已飄煙，誰能忘那西湖的瀲灩？
月光正似水，堪掬否那灕江的清淺？
嫋嫋的秋風，吹拂着洞庭湖的紅葉，
呦呦的麋鹿，蹦跳在長白山的林間。

*

啊啊，創造與奮鬪的家園！
你代代呀放射着多少璀燦的光焰！
自從那神農氏種下了第一粒稻麥，
那嫘祖採下了第一顆蠶繭……

闢草萊，開溝洫，治九河，定九州，
篳路藍縷，胼手胝足，創下了堯封禹甸！

啊！那是誰鷹揚牧野，典章制度垂久遠？②
那是誰一統神州，萬里長城驚萬代！
那是誰馳騁天山，慷慨壯志驅胡羯！
那是誰威揚四海，萬國衣冠來朝拜！
那造紙、印刷與羅盤，更是誰的創建？
啊，永恆的青春啊，你永遠創造着時代！

啊啊，青春燦爛的家園！
澤畔行吟呀，是誰灑布着蘭蕙的芳潔？③
朵朵菊花呀，是誰釀成了永世的詩篇？
舉頭望明月，是誰把清輝夾入了你的書頁？
造化鍾神秀，更何人詩聖大名揚世界？

多少珍花香草呀，馥郁着人類的心田！

*

而你忽然轉入了茫茫的長夜，
你輝煌的生命呀曾在黑霧裏遮掩。
但當你衝破了那漫漫的黑暗呀，
當燦亮的朝霞再度映上了你晶瑩朝露下的容顏，
你是多麼分外的絢麗鮮艷呀，
你昂然站立在地球上呀，是是這樣的挺秀雄健！

啊，看呀！當太陽從東方昇起，
祖國呀，你每一滴的血液呀都在流向光明！
灌溉着，灌溉着每一個細胞，每一片芳甸，
鼓舞着，鼓舞着每一根神經，每一座心田！
在黎明的光輝下奮鬪創造，

不息的進步向前！

啊啊，如花如畫的祖國呀！
山嶺上呀是你翡翠的林海，
平野上呀是你金黃的稻麥，
風吹雲湧是你草原的放牧，
萬點明珠是你廣大的油田！
你呀你是這樣的俊美皎潔！

啊啊，祖國呀祖國！
地靈人傑的創造奮鬪的家園！
我願你神州十億，人人盡是英雄！
我願你五湖四海，處處奮鬪着豪傑！
我願你萬里江山，遍地歡聲雷動！
我願你百世千年，永遠是立地頂天！

啊啊，天下之中的如花之國呀！
你原是一注永恆不絕的甘泉，
灌溉着心田呀膏腴着人間。
你原是呀一叢永不熄滅的焰彩，
燃點着生命呀照耀着世界！
任誰呀又能把你的光華掩蓋？

*

啊，那麼，就讓我們這樣的相約：
雖然是相隔着萬山重重，白浪滔天。
每當那第一聲雞鳴啼破了暗夜，
我們要親密的呼喚着彼此的名字，④
深情的，守候着，共同的明天！
堅定的，勇敢的，從頭邁越！

啊！卿雲燦，曙光現！携手且揮鞭！
西出玉門，春風楊柳舞翩躚，
北馳瀚漠，極目無垠牧草連，
南望瓊崖，滄海朝霞波灩灩，
東臨臺島，玉山莽莽傲雲間！
昂首高歌，且直上——珠穆朗瑪巔！

啊啊，魂牽夢縈的文明之邦呀！
風起兮雲飛，舉目呀是碧海青天，
拔劍兮揚眉，盈耳呀是波濤澎湃！⑤
啊，你終必要掃除一切的陰霾，
金光燦爛，普照世界！
萬方樂奏，天上人間！⑥

附註：

①據考證，盤古開天的傳說是從槃瓠的神話而來，起於西南苗族。此句中的「盤瓠」是綜合了「盤古」與「槃瓠」二名，以兼示開天闢地與苗族淵源的兩項含義；並且，也是槃瓠公主的簡寫，以與同句中的「蘆笛」「餘弦」相接應。

②這句起的四行，分別是指周、秦、漢、唐四個中國歷史上的偉大時代。

③這句起的四行分別是指屈原、陶潛、李白、杜甫四個中國最偉大的詩人，以代表中國文學的光輝成就。

④以上四行改寫自《誓約之歌》（方殷詞李抱忱曲）。

⑤拔劍兮揚眉，是用天安門革命詩句「我哭豺狼笑，揚眉劍出鞘」的典故。

⑥最後兩行誦讀時應重複一遍。

附記：

這詩若干字句是表示對中國未來的願望。初稿是十四段，於一九七四年開始構思，到一九七六年六月寫成一至十三段及最後一段前五行後，而仍覺難於作結。到七六年十月，天人共憤的「四人幫」垮台了，消息傳來，深感興奮，終於完成了最後一行。是爲第一稿。

發表後，作曲家陳揚山有意譜爲大型合唱交響曲，並建議在後半部份再增一小段，另外，有人表示初稿全稿沒有提到台灣，是一項欠缺。（其實第二行可包括台灣在內）於一九八〇年增加了現在的第十五段。是爲第二稿。

到一九九〇年春，大陸的詩歌研究家古遠清先生爲本詩寫了一篇賞析，他熱情的讚揚了本詩，並敏銳的點出了本詩的一些感情線索。我遂又復讀原詩，發現基於這一線索，在第十三段之後，似可再加一個環節進去。這時，我不自覺的哼起了我喜愛的一首《誓約之歌》的歌詞來，頓然感到那歌中的有些話却正適合我現在要增入的意思。於是決定採裁其句而改寫成符合本詩需要的式樣，並又增兩行，而成爲現在的第十四段。這樣，也使全詩在第十三段較悲慨的大提琴般的音韻之後，增加一段小提琴般較柔麗的音色，而後再進入如管樂齊鳴般作爲全詩嘹亮的最高音的現在的第十五段，使全詩在音樂性上也更豐富些。是乃再度增訂如上。

現在全詩共十六段九十六行，可分爲四個「樂章」。但爲免閱讀時遭受阻斷起見，每章只用＊加以隔開而不把第幾樂章字樣寫在詩內。現在把每章起訖及其歸納性的標示寫在下面：

第一樂章：第一至第五段——《山河的禮讚》

第二樂章：第六至第八段——《歷史之光榮》

第三樂章：第九至第十三段——《英雄的人民》

第四樂章：第十四至第十六段——《光明之展望》

這些小標題都是歸納性的，可說是內容要旨的提示。所以也不必插入正文，而只把它們寫在附記裡。

（一九九〇冬至後一日補誌）

唯美的憂患意識

——評析《高準詩集》

北固

中國文人有兩種特殊而優秀的傳統個性：一是憂患意識，一是隱逸的情懷。這兩種個性成形得相當早，大約在儒家誕生的時代——孔子的時代就已經成熟：《論語．微子篇》記述孔子、子路與四位隱士的對話，深刻地描繪出孔子在憂患意識與隱逸情懷兩種心境之間的逡巡、掙扎與自我期許。兩千多年來，歷代的代表歷史精神的儒士文人，大多在這兩種個性上有相當强烈的表現：從介之推、屈原、張良、嚴光、竹林七賢、陶淵明，經李白、杜甫、韓愈、范仲淹、蘇東坡、辛棄疾、陸游，到黃梨洲、顧炎武、王船山、鄭板橋、金聖嘆、曹雪芹……。

這兩種個性是中國文人所獨有的（並且延伸衍化，而及於武人與下層江湖社會，成爲中國民族性與文化的一大特色），是在人類任何其他文化中的知識分子身上所找不到的。憂患意識是中國文化最突出的「身分道德主義」（完全不同於西方基督教的「形而上道德主義」

）所造成的。隱逸情懷則爲道家思想、山嶽地理自然環境與平民精神（蘊涵抗議精神）交互影響的結果。

由於「身分道德主義」是中國特殊的倫理社會體系的骨幹基礎，使憂患意識成爲中國文人的主觀人格，而形成一個强固博大的價值體系與傳統精神，深深不可動搖。隱逸情懷是一種自然的、逍遙的、客觀體會的「物我關係」，比較容易受客觀環境的更易而改變。中國近世宋元明以降，民族命運的創痛、社會型態與結構的鉅變，不能動搖憂患意識（反而使之强化），却使隱逸情懷發生蛻變：隱逸的心境蛻化爲形而上層面，而以審美的形式表現出來——這就是宋元繪畫、明清戲曲所呈現的絢爛瑰麗的唯美文藝世界！

鴉片戰爭以來，是一次更爲劇烈的民族命運創痛與社會型態的鉅變。在完全陌生的西方近代基督新教世俗功利主義（資本主義、工業主義、帝國主義）文明的挑戰之下，面臨「體用哲學」的分殊化、矛盾化，而深深地震撼了「身分道德主義」；於是，士大夫從兩千多年的封建身分人格中疏離出來，成爲飄泊浮游的零散個體，經過西方文化的個人主義與近代民族主義的洗禮，在陣痛中誕生了中國現代的憂患知識分子——傳統憂患意識的現代化。

中國傳統文人的憂患意識，是「身分道德主義」的結果，以實踐精神爲其內涵，民族創痛越深，自我期許反而越高——顧炎武甚至可以超脫於亡國痛苦之上。而近代中國文人在「

體用哲學」、實踐道德式微之後，面臨的是一種雙重危機：民族危機與文人本身的危機（身分人格的消失）；這不同於過去兩千年之中只有民族創痛，沒有文人身分危機。文人本身身分的危機，促成文人的自覺，再以現代個人主義的形式，向民族意識投射，完成憂患意識的現代化。

但是，近代中國社會，根本沒有西方個人主義文化的基因（工業革命之前的希臘文化個體主義傳統，工業革命之後的個人主義社會），同時也無從發生；那麼，近代中國知識分子的個人主義民族意識，將如何取得其思想的基礙呢？答案是：浪漫思想的輔翼。通過浪漫思想而化解、逃避、超越了個人與民族之間的倫理建構的缺陷。從戊戌六君子、辛亥志士，經過「五四」狂飆、北伐前後的知識分子活動狂潮，到三十年代澎湃的社會文藝運動、抗戰文藝的怒吼，整個一以貫之的，現代中國知識分子的民族主義運動的主要精神，是浪漫的民族意識——唯美的憂患意識。它的背後，正是中國近世宋元明以降的文人審美思想的承傳與滋潤。

詩人高準所寫的新詩，在文藝史上的地位，承襲著「五四」與三十年代的精神；在個人風格上，呈現著民族憂患意識與唯美境界的追尋，這兩種風格，相當地吻合了現代中國知識分子的唯美憂患意識。

《高準詩集》（一九八五年七月，文史哲版）卷一「召喚」、卷二「古意」（詩集中專收錄古體詩的一卷）所表現的意象，是環繞著民族意識的各種感懷與抒情：山川故土的（《出塞吟》、《神木》、《新高山》、《登泰山吟》、《登長城吟》、《重到西湖》），歷史精神的（《中國萬歲交響曲》、《謁大禹陵》），革命情懷的（《三月奏鳴曲》、《碧血》、《謁中山陵》），民族感情的（《念故鄉》、《海濱吟》）……可說是整個詩集的靈魂所在。雖然後面四卷有兩倍篇幅的唯美色彩，但是從前面兩卷可以看出：唯美是用來發抒民族憂患意識的；則唯美很可能是詩人高準的本質，民族憂患意識才是他所刻意捕捉描繪的對象。

前兩卷表現民族憂患意識的新舊詩，最大的特色是：對於民族命運的苦痛描寫極少，對於民族偉大光明燦爛的一面，不但著墨極多，用力極深，而且極盡文字浪漫之張力。例如：「多少個飛翔的夢幻／揚鞭在蒙古之高原」「那山川壯麗是你的詞彩／那萬里的風雲，是你的天才／那浩瀚的原野，是你的氣概」「從帕米爾皚皚雪嶺的東面／一萬里路，直到太平洋浩浩的西邊／從黑龍江荒寒漠漠的河沿／一萬里路，直到芒市鬱鬱的芭蕉林間。」「萬里長城驚萬代」「我願你神州十億，人人盡是英雄！／我願你五湖四海，處處奮鬥著豪傑！／我願你萬里江山，遍地歡聲雷動！／我願你百世千年，永遠是立地頂天！」

這種刻意避開民族痛苦命運，而以跡近絕對唯美的態度來歌頌民族的光明面的特色，不但是近代與民國以來的悲愴壓抑性民族意識潮流之外的一般異軍，甚至可說是對於自南宋以來的岳飛、文天祥、史可法等悲劇民族英雄投訴的傳統的一大反動！這個特色的形成，應該有兩個時代背景的因素：一個是民國三十八年以來台灣社會在西方優勢文化籠罩之下，知識分子吸收了西方的帶有種族中心思想的民族主義，所形成的民族意識的唯我觀；一個是民國三十八年以來，海峽的阻隔造成對故國山河壓抑式的依戀，與距離美感融混之後，產生的心理投射。

前一個時代背景，可以由詩集卷六的「譯詩」以及整個詩集中散見的現代派色彩中看出一些痕跡。有些朋友認爲高準是反現代派的健將，這個說法只對了七成：高準的詩在精神、形式上反對現代派，但是在文字的運用上，仍有相當的現代派色彩，如：「電線桿開始有點嫵媚」「彌正平恆裸著下體」「太多的尼龍，太多的獸／太多的公式，太多的軸」「你是阿爾法，你是俄梅戛」「把我的情感一滴滴的收集／一絲絲的撿起／然後，傾入玻璃的試管／放在酒精爐上燻燃」……。這些現代派色彩的詩句，就是西方優勢文化下，這一代中國知識分子軀體上的烙痕！

譯詩也可分爲唯美與民族憂患意識兩部分，後者只有《剛果》、《起來呀馬加爾人！》

、《哀希臘》這三首，然而這三首所表現的熾烈的民族主義感情，幾乎完全蓋過了其它七、八首屬於寧靜恬適境界的唯美譯詩。三首之中，除《剛果》之外，另兩首皆爲新譯（多年來，中文已翻譯過許多次了），可見高準對它們的喜愛。這三首詩的選譯，可以看得出當年梁啓超對義大利統一三傑民族英雄的愛慕心理（梁任公曾爲加里波地等三人的民族事業編寫劇本，收於飲冰室文集）的投射方式，也可以看出西方種族中心民族意識的潛伏心理。

後一個時代背景在高準詩作中的強烈影響，詩集的前兩卷中，處處可見。序詩之後，本詩集的第一首《念故鄉》一開頭就令人驚心動魄：「是永恆的情人在夢裡飄渺／是生我的母親却任我飄泊」，以情人與母親代隱喻民族故土，不但表現了無比豐富的意象，而且把個人主義民族意識的淒楚，唯美化了——絕對的唯美化，以唯美來化掉足以匯成大海的淚水。兩句中兩個「飄」字排在相同的句中地位，道盡了台灣成長的這一代中國人的飄泊、飄零的深沉心境。兩句之後是「故鄉呀／我的故鄉是中國！」展開了整個詩集的靈魂。第二段以最簡單最不雕琢的文字「自從我有了知覺　故鄉呀／我讀你的名字　聽你的名字／我寫你的名字
喊你的名字／一萬　兩萬　三萬　多少萬遍了呀！」表現了如嬰兒般的赤子民族感情。

以數字的「量」來表達最深刻的感情，在一般文字中應該是下乘的，但在這裡却可借「數」、「量」的絕對性與單純性，把民族感情推到極致：對中國土地的依戀，達到無上的感

情境界。以數量的絕對性，來把民族感情絕對化，在詩集卷一「召喚」中屢見不鮮，常可見：百、千、萬、億、兆的變化運用；這應該還有另一種心理的潛藏——投射！由於特殊空間的壓抑，民族感情常感投射無力，乃藉數字在「量」上的恣意增倍，達到投射的浪漫意象效果：這是中國知識分子，在鴉片戰爭以來，經「五四」、抗戰，到三十八年之後，層層積壓的民族意識的鬱結，達到地獄之底再狂烈反射彈升到漢霄蒼穹的「大意識流」結果！

這種以壓抑、窒悶、依戀、渴望爲原點的民族憂患意識，經過文字魔力與意識的經營，而蛻化至絕對的、無上的、極量的、唯美的意識境地，既然是通過新詩的形式（美的形式）來完成，則在新詩創作的背後，必然要有審美與唯美技巧（或符號）運用的純熟。在卷三「夜歌」、卷四「玫瑰」、卷五「早春」之中，分別從不同的美感觀點、不同的情意感觸、不同的心境層次，以追尋、探索與感喟的態度，表現出一種「約化」的浪漫。「約化的浪漫」，是高準詩作中唯美經營的一大特色，從兩首公認的美詩中，最可窺得神韻：

覆以纖密修長的簾，
覆以柔嫩的流蘇，
是春之窗櫺，
晶晶的，于闐之黑玉。

呵，是屬於夢幻的水銀色之星子！

水銀色的星子，你流盼的漪漣，
是汲取了牛郎織女的愛戀？
如此幽邃，瑩澈的，
蜜似深情，煉作清輝一片。

清輝一片，淙淙的流著哪，流向
森林，原野……
呵，躍躍的，怯怯的，
潤綠了詩人的心田。

這一首《盼》表現了細膩與奔放之間對於浪漫的「約化」。另一首經歷了詩人三十年心境的《秋之夢》，經營出一個抽象的、超越的、永恆的唯美世界，「約化」的特色已化入無形：

我走到了遙遠的地方
放眼是無盡的藍天
閃亮的湖濱有鬱鬱林野
樹梢間輕拂著陣陣芳甜
露珠在寂靜裡滴落了
啊是你！你飄然站在我身邊
蟬翼般輕盈啊
你翩翩衣裙如雪
脈脈的眸光
你攝盡了秋水的清冽

我採下菊花一叢
編織成花冠一晃：
像菊花的永不凋謝
風霜的考驗它絕不改變！
啊，驚起了堤邊鵝雁
你羞澀在躲入了林間
涼風啊又蕩起漪漣
只有那落花片片……

這三卷唯美色彩較重的作品裡，仔細品察，可以看出「約化的浪漫」的幾個重點：第一、文字浪漫張力的使用，相當「守約」，力求雅麗而不艷放，柔情而不膩濫；第二，沒有對於不同的人生或命運際遇的仔細咀嚼探索，而整個統攝於一個單純的唯我感喟的審美世界裡；第三、看不見一絲禪的境界（按：新詩的思想性、頹廢性、虛無性，造成幾乎每一個新詩詩人多少都有幾分禪意）。這三點不但不同於所有的現代派，也大異於其他各派，其所以如此，最大的原因是：浪漫張力已完全使用於民族感情；對人生、命運的體察，早已轉化爲對民族的心理投射；不能有禪，不要禪可以永遠保持「參不透」，永遠保持對民族情感的悸動、蘊藏與狂放！

這種在審美思維上、在心理內在世界的苦心經營，已非動心忍性可以形容，已非感人肺腑可以比照，它所呈現的與追求的都是一個絕對的世界——唯美的憂患意識。高準的詩中沒有禪，然而却正是另一種禪：現代中國知識分子變成苦修的行者，在永恆的民族憂患意識漫漫之旅中，一步一個禪、一字一個禪、一念一個禪——「參不透」才正是「參透了一切」之後的執意，以遠超越薛西弗斯推大石上山的思維苦煉，在永恆的民族意識世界裡飄泊，徘徊逡巡在無盡的痛苦與無盡的愉悅之中；而以唯美來昇華一切的凄楚、苦戀、惶惑、悲愴，達到一個有如《中國萬歲交響曲》結尾（卷一「召喚」，頁六十九）兩句所繪出的極樂境界：「金光燦爛，普照世界！／萬方奏樂，天上人間！」

《自立晚報》一九八六、二、十三—二十三，台北）

片帆煙際閃孤光

——試介《高準詩集》

李 想

在台灣詩壇素有「獨行俠」之稱的詩人高準，自前年返國後，即摒息交遊，埋首於書齋，全心全力將他歷年來的著作整編成「高準著作集」七種，第一種《高準詩集》已由文史哲出版社出版面世。

這本據作者一再稱爲「最後定本」的個人詩集，全書分爲「召喚」、「古意」、「夜歌」、「玫瑰」、「早春」與「譯詩」六個單元，共八十首，皆是經過作者審慎汰濾之後自認爲滿意的作品，另加上幾篇序文跋類，以殊爲少見的廿五開本裝訂成三百餘頁，顯得相當壯觀。

在台灣新詩的發展史上，高準是個極爲少見的異數之一；如衆所知，五〇年代末期，正是台灣在潰敗中重新整合的一段艱苦時代，隨著大量的美援湧進台灣，以美國爲中心的西方藝術和理論，也紛紛越過遼闊的太平洋登臨上這個困頓之中的小島，由於受到某些政治意識型態的干擾，國民黨當局始終對於自「五四」以來開始萌芽的新文藝懷有某種戒懼的情緒，許多當時的作品，皆被禁止出版和翻閱，甚至連作家的名字，也極不願意有人引述或提起。

於是，當時台灣的文壇成了一個與母親離失的幼兒，在街頭中茫茫踽行覓食；爲了忘却歷史戰亂的傷痛和規避困乏的現實生活，台灣作家開始向正在邁往自毀之途的西方現代藝術乞靈，希望藉着那些世紀末的囂亂聲音，以暫時求得麻痺之後的些許愉悅。就這樣，西方的現代主義，輕而易舉地攫住了這個亟於尋求乳頭的幼孩，而這個幼孩，也不管自已的體質如何，即瘋狂地緊握住手中的乳頭，深恐有人橫刀搶取。

那眞是一場荒謬的夢魘，在「橫的移植」、「丟棄唐詩宋詞」的口號下，作家們開始沉溺在「自波特萊爾以降」的虛幻而千篇一律的夢境中；而那個時期，也正是高準跨進詩壇之時，面對著排山倒海般地現代主義捲掃文壇，高準僅憑着幾本「五四」時期的詩集作品，竟能避開現代主義的喧鬧的包圍，獨立尋求他心目中眞正詩藝的殿堂；如何突破無所不在的現代主義之「網羅」，是他這個階段苦苦思考的問題。

一九五九年，他在台大唯一曾存在過的詩刊《海洋詩刊》擔任編委，就曾對現代派的理論產生過强烈質疑，經過了漫長而孤獨的摸索研究，接觸了許多優秀的中外名家作品，尤其是中國新詩的流變過程，逐漸廓然雲清後，高準遂於一九七七年創辦《詩潮》，在首頁的「

詩潮的方向」中，高準明白揭櫫了「要關心社會民生，以積極的浪漫主義與批判的現實主義，意氣風發的寫出民衆的聲音」，作爲他對當時沉疴已久的詩壇的批判的旗幟。

他的一篇《論中國現代詩的流變與前途方向》，是唯一把詩在台灣的流變，與整個中國新詩的衍發合併討論的文章，對於當時正値喧鬧不堪的「鄉土文學論戰」，產生極爲深遠的影響和釐清作用。

收錄在這本詩集中的每一篇作品，都可淸楚看出作者從中國古典文學、五四以來的新詩傳統，以及優異的西方浪漫主義的詩作中汲取營養的痕迹，不論是感於家國離亂的詩作，或是單純的詠情懷物，都流露着淸潤亮麗的自然之美，特別是聲韻的講求和內容的凝練，使他的詩朗誦起來，餘味無窮而備感可親。

其中諸如《念故鄉》、《神木》、《中國萬歲交響曲》、《三月奏鳴曲》、《心願》等，皆經常被大學詩社選爲朗誦的作品，有幾首甚至已有人譜成曲子公開演唱過，其對聲韻和節奏的準確掌握，對中國偉大的韻文傳統的追索，與他同時期的詩人比較，確實已有可觀而自豪的成績。

不可否認，台灣近十年來的文藝發展，不論是在小說、戲劇、舞蹈和雕刻的範疇裡，都有令人驚喜的轉變和成就，唯獨新詩的發展，却一直處在曚昧虛妄的摸索階段。幸而近年來已有幾位覺醒的詩人，走出了現代主義的魅影，開始轉向了從現實生活中出發的明朗風格，使得詩不再是詩人自耽自溺的個人囈語，而逐漸成爲時代的脈博和民衆的聲音。

高準自謂：「生平沒有寫過一首不花心力的詩。」無疑地，這本詩集的每首詩作，都可驗證這句話；而且也驗證了作者在台灣詩壇作爲「異數」的存在意義！

（一九八六）

浪漫主義的新高潮

——我讀《高準詩集》

邱振瑞

沉寂多年的詩人高準，最近又活躍起來，積極進行《中國新詩史論及作品選析》的論著之外，又在最近出版了詩質豐厚的《高準詩集》。蒐集了作者二十九年春蠶吐絲的生命傑作；經過一再修訂刪選，作品更趨晶瑩瑰麗；產量雖然不多，思想性藝術性却有一定的成就，實爲台灣現代詩少數值得學習示範的優秀作品之一。

從編排目次上看來，作者的創作意圖與理想世界，有着十分清晰的脈絡可尋。每一卷詩的內容，都有不同的藝術情趣，通過「召喚」「古意」「夜歌」「玫瑰」「早春」等美的歷程，更可發現作者在不同題材的感情的表達方式，形成一種特殊藝術魅力的存在。

一、高準詩歌的風格特徵及思想性

高準原籍江蘇金山。他出身學術家庭；祖父高平子，爲著名天文學家，深於國學。外祖父姚光，爲清末革命文學團體「南社」後期社長，曾以「振大漢之天聲」自許。

高準的詩，基本上可說是繼承和發展了從《楚辭》以來的浪漫主義傳統，在他的詩中，浪漫主義的根本精神——理想主義、抗議精神和充沛的感情，都有着鮮明的表現。但詩人的自我形象却又帶着深沉的憂傷。

他作品的最大力量是那種反覆追求的精神。具備著强烈的愛國主義的特質。在《念故鄉》一詩中，他對於魂牽夢縈的故國這樣深情地唱道：

自從我有了知覺　故鄉啊
我讀你的名字　聽你的名字
我寫你的名字　喊你的名字
一萬　兩萬　三萬　多少萬遍了呀！
你的名字呀就是光彩與驕傲
你的名字呀就是美麗與榮耀
但我却見不到你的容貌

——自從我開始尋找

這是一首切題的詩，傾訴着以作中國人爲榮的情懷，感嘆着中國的未能自由統一；盼望着全中國的自由、民主、强大、快樂，而且達成了普遍的現代化的建設；痛悼着大陸同胞的苦難，以致寧願這境況是一個夢；遙念着故鄉的美麗風景，懷念着往代的餘韻流徽；悲惜着中國文化的歷受摧殘；遐思着名山大川的風雲變幻；現實中的中國人是這樣多災多難，而不論受到怎樣磨鍊，對於中國，只有一個「愛」字可說！

在愛國主義作品中，以長達九十行的《中國萬歲交響曲》最具體鮮明地表達了他對中國未來的期望：

從帕米爾皚皚雪嶺的東面，
一萬里路，直到太平洋浩浩的西邊，
從黑龍江荒寒漠漠的河沿，
一萬里路，直到芒市鬱鬱的芭蕉林間。
那是我光榮的祖國之所在，
五千年創造與奮鬥的家園！
……

讀了這樣的詩篇，我們察覺到時代的精神和詩人的生命流動在祖國的錦繡山河之中，而强烈的民族自豪感和愛國的熱情是它的靈魂。

抗議「專制」、歌頌自由是他的詩裏的另一項思想特徵。《異端》一詩歌頌伯夷、叔齊、許由、巢父的抗議精神：

獨來獨往的孤獨者啊
倔強的生存
傲然的寂落
你們是無懼於孤獨的！
他們說你們是叛徒！
而薇菜有不朽的種子
穎水有不絕的源頭
人民的尊嚴之火炬在你們手中照耀！

《在山之巔》中則唱道：

願如孤松　屹立於山巔
願如野菊　縵爛於寒凜凜的山崗
願在山上　我。正如鷹
願在雲端

只有在高山頂上才能呼吸着自由，而不受「帽子」「面具」與「外衣」的束縛。這兩首詩都作於五十年代末期，表現了詩人孤傲不羈的性格，也反映出當時的中國社會在一定程度上的側影。

儘管在現實的黑暗中遭受了多少波折，他執意不倦地歌唱燃燒自己照亮別人的情懷。在《白燭詠》中寫道：

啊，是誰給你的使命？
是誰鑄造的運命？
是何方火種，點着你的心靈？
誰要你放光？誰要你犧牲？
誰要你流淚？誰要你帶孝守節？
獻出一生你換得一片熱淚，

這淚珠啊又能凝結在誰的心田？

……………………

不屈的掙扎，永遠的抗爭！

爲光明而生，爲光明而死。

挺立着，燃燒着，

向着無盡的黑暗：

奉獻給不知值不值得奉獻的人。

燭啊！這原是你的運命。

這種干預現實，而又不讓自己在世俗汚濁的激流中淹沒的處世態度，體現着高準的不隨流俗的精神。

《陽光的召喚》一詩，歌頌勞動者，注意社會下層的貢獻；《誄歌》對被壓迫而自殺的風塵少女致以深厚的同情；《蘭嶼情歌》則歌唱少數民族淳樸社會中的勞動與勞動後的歡樂。這些也是詩集思想性的另一特點。

二、高準詩歌藝術性之探討

高準的詩風，既有壯美的一面，也有秀美的一面，而均精約凝鍊，寓意深遠。在形式上，面對現代派所造成的支離破碎，他往往發揚古典式的嚴整；却也時時有大膽的創新。形式的變化十分豐富。如《三月奏鳴曲》以「驚濤狀」的排列，宏亮的音響，給人以熱誠地、渴慕的豪情舞動。《在山之巔》則以「岩筍狀」的排列，恰切的呼應了山的崢嶸。至如《出塞吟》的「斧劈狀」形態、《哀鯨魚》的「輪唱式」組合、《在這玫瑰的五月》中的「飛揚式」排列，及《懸崖上的祈禱》中的「激浪狀」形態，都使形式與感情的節奏有着密切的有機關係，而賦予形式以意義。

他的詩中既有「畫裏的美人終在畫裏，／雲層落下，／便成汚泥。」（《彼岸》）的哲理似的憂傷，也有「夜夜我幻化成一隻燕子／在你音波裏翔翺／飛揚着，熊熊着，燎原的烈焰……」（《鎖》）那樣的純情之詠唱。

高準之所以成爲優秀的詩人，一方面是由於他的才智和創造，也由於他繼承中國三千年文學中的優美、明暢、精鍊、抒情的傳統。

詩的節奏和韻律上，他很注意聲音的諧和，以造成悅耳的音樂效果，全集八十首詩中，除了十二首古典體的之外，新詩中約百分之七十爲有韻新詩。這在自現代詩長期排斥有韻的三十年來，也不能不構成了令人注意的另一特色。

在抒情小品以外，《神木》一詩是與《中國萬歲交響曲》等同類的氣象萬千的鉅製，作者自寫下初稿後，經歷七年間數度的修改才告完成。無論內容與形式都十分堅實。具有氣概磅礡、結構嚴謹、用字精鍊、音節優美的諸般優點。它以生長阿里山的三千歲的神木象徵中華民族與文化之發展及其偉大性。它一方面以高山深谷的地理環境爲緯，又以中國三千年許多的歷史典故爲經，交織出民族的光彩與聲音、歷史的興亡之感，與神木堅强不屈的精神；而最後以今日中國雖然風狂雨暴，海上的神木却已展現新芽，顯示了樂觀奮發的遠景。

詩集裏醞釀歷時最久的一首《秋之夢》，初稿於作者少年時期而擱置到一九八〇年才完稿。它以婉約之姿而凝鍊的寫出對理想尋求的高潔之情。則作者在七十年代高朗的歌聲之後，而復進於「看山又是山」的澄靜之境，或亦正是一種更趨成熟的表現。

總的說來，高準重要的藝術成就在於獨特風格的運用了成熟的浪漫主義創作方法，塑造了一個富有理想，富有熱情，一生嚮往着愛與美，期待着祖國的光明的生動形象。

三、結語——高準在現代文學史上的地位

高準的寫詩歷程，標誌着台灣現代詩中浪漫主義的再興，尤其是積極浪漫主義的展開。他的作品既有濃厚的浪漫色彩，又有一定的現實精神。不少詩中表達了他執意不倦的追求理想，如一朵癡心的向日葵，朝朝暮暮愛戀著太陽。高準還曾提出進步的文學主張，以自己的創作實踐反抗着晦澀頹敗的「現代鬼」詩風。這也正是高準在文學史上不容忽視的理由。可惜的是，高準的詩篇產量較少，又缺乏大衆傳播的支持，致尚未能發生深刻廣泛的影響。今獲見《高準詩集》出版，相信熱愛新詩的讀者，都會欣喜這股湧現澄朗的清流。

（一九八六）

《重返神州》二首讀後

陳發玉

（編按：本篇以書信體評論高準《廬山遊》《謁孔子墓》二首，實爲賞析性之專文。信末其他部份從略。）

高準先生：

拜讀您的《廬山遊》和《謁孔子墓》兩首著作，眞是愛不釋手。這兩首詩在我看來即是您關於詩的宣言。在台灣詩壇上也有人倡導過要回歸傳統，把橫的移植和縱的繼承結合起來，可是在詩創作的實踐中見到的這方面的好詩不多（《創世紀》，張默先生給我寄過五、六期）。我認爲目前着眼點應放在「縱」的繼承上。我國是有幾千年詩歌史的泱泱詩歌大國，我們這些後之來者對我國的詩歌遺產棄之如敝屣，豈不是愧對先人，又怎能「承先啓後啊振我中華民族」，更何況「生生不息的血脈剝極必覆」，風水輪流轉，「中華文化復興之理，已見普入人心，根芽既蘇，東方曉矣。」

我並不一味地反對橫的移植，但如果完全拋棄民族的傳統，不顧漢語語言的特點，把漢詩寫得像譯詩，那豈不成了東施效顰，邯鄲學步！韻本來是增加詩歌音樂性的，有許多外國詩，也講究押韻，國外也並不都是無韻詩，而我們現在無韻詩泛濫成災，押韻倒反而被認為是守舊，豈有此理！先生的二首詩，隔句押韻很規則，加上疊詞的運用，音樂性極强。第一首繼承了古代歌行體的特點，又有點像自度曲的詞，寫得自由舒展，雖有五、七言穿插其中，但又顧及到現代漢語的特點，基本上是雙音詞結尾，突破了古典詩詞的單字尾，這是在傳統基礎上的發展。第二首巧妙地融入騷體的古風遺韻，而又在嘗試進一步推廣聞一多先生所倡導的新格律體詩，整齊劃一，確有建築美。前一首詩短句式，節奏明快，情緒跳蕩，盡覽風光的喜悦之情躍然紙上；後一首長句式，節契舒緩，情思凝重，緬懷聖哲的偉大抱負發自胸中。兩首詩風格迥異而又相互映對，相得益彰。足見先生學識的淵博，功力的深厚，才華的橫溢。使我深深欽佩先生這種弘揚民族文化的精神，在橫無際涯的現代派詩潮的包圍之中，獨樹一幟，獨領風騷！共性是通過個性來體現的，國際性是通過民族性來展示的，犁青先生把您的詩放在「世界詩音」欄目的頭條，想必用意正在於此（因為他也主張中國詩歌要回歸到「民族性」的道路上來）。

在您的詩中所體現的民族性並非是狹隘的，就拿時下現代派詩人奉為至寶的意像營造來說，先生的詩中不是沒有，而是適用得非常出色，如「悠悠的浮雲是仰慕的凝注」一句，「

浮雲」是我古典詩歌中用來象徵遊子的，先生雲遊歐美澳等地，在各大洲的大學裡講學，在東西方的文化典籍裡徜徉……然後來到孔子的墓碑前，虔誠地仰望，這說明孔子用他的思想和學說爲自己建立了一座非人之所能建築的紀念碑，這座高入雲霄的紀念碑不就是矗立在詩人和廣大人民心中的心碑嗎？按先生在學術和創作上的造詣來看，先生對孔子這樣頂禮膜拜，孔子在我國思想史和學術史上的地位豈不是不言而喻了嗎？還有，如：「暴雨不終夕兮您就是見證」等意象的運用都是令人稱道的。本世紀初，意象派重要詩人龐德就說過：「因爲中國詩人不直接談出他的看法，而是通過意象表現一切，人們才不辭煩難地移譯中國詩。」我國古代詩人很會營造意象，如馬致遠的《天淨沙（秋思）》等。先生對意象的營造，說是繼承傳統亦可，說成借鑒西方也行。因爲東西方文化交流早已開始，按先生所說，交流就是吸收。西方學習了東方，並且發展了，然後東方再來學習西方，到最後誰吸收誰，有些事誰也說不清。這用意象寫詩當然是好的，但如果認爲非意象莫爲詩，搞絕對化，那就錯了。白莽譯匈牙利詩人裴多非的名詩《自由與愛情》：「生命誠可貴／愛情價更高／若爲自由故／二者皆可拋」。李清照的《夏日絕句》：「生當爲人傑／死亦爲鬼雄／至今思項羽／不肯過江東」。以上二首詩膾炙人口的充斥著浩然正氣的好詩，就沒有一個意象，像這樣的詩古今中外何止一二，恕不再例舉。而今在有些人的眼裏好像寫詩只有營造意象這一種方法。先生不是這樣，形式爲內容服務，先生視內容而運作，意象的運用恰到好處。不尙高深莫測，不搞晦澀難懂，更使我輩折服！

偉大導師魯迅說：「無情未必眞豪傑」。我看先生詩中自有眞情在，一種對國家、對民族的責任感、赤子情，流溢在你詩的字裡行間，當我拜讀您這二首詩時，我感到詩人是在用感情的手指撥動我們心靈的琴鍵，又怎能不發出優美的旋律，奏出動人的樂章——中華萬歲交響曲！從「哀民生之多艱兮」的屈原到「爲什麼我的眼裡常含淚水」的艾青，歷朝歷代的詩人無不憂國懷民，愛國之心可以說就是詩人魂，沒有這個魂，是斷然不能加入偉大行列之中的，因爲這，就形成了我國詩歌的現實主義傳統。當然愛國主義這面大旗常常被封建專制的統治階級拉來作爲虎皮，所以我們也常常用「人民性」來表述。但是無論怎樣對國家命運和民族前途的熱切關注，是我國詩歌傳統的核心、本質與靈魂。而西方文化的自我價值取向則比較明顯，這在對於文藝復興時期提倡個性解放，反對封建禁錮等方面，是有其積極意義的，是西方文化傳統中的長處，也是中國傳統文化的弊端之一。我們從「五四」時期開始學習西方的自我價值取向，用以衝擊二千多年的封建文化積澱，實踐證明也是取得了一定成績的。這一點應該肯定，但我們不能因爲這一點就走向民族虛無主義。搞全盤西化，勢必使中國傳統文化合理的精神價值得不到繼承和發揚。有人認爲搞現代化，不這樣就不能奏效，這也是被實踐證明是錯了的。亞洲四小龍的發展，有些國家就崇尙儒學，新加坡對儒家思想的重視和研究可以說已遠遠超過了中國。有人說：孔子在新加坡成了人人尊敬的至聖先師，新加坡的社會秩序因此更加穩定，現代化的步伐因此更加加快。這不正說明了我們傳統中有些寶貴的東西，我們要善於繼承和發揚嗎？正如詩評家李元洛曾指出：「以詩歌傳統而言，爲屈原所奠定的而爲古代和現當代詩人所發揚的感時懷國、關心社會和民族的精神——這一中國詩歌傳統的靈魂和生命，却應該得到重視、尊重和高揚，而不是無視、輕侮和拋棄。」從先生的這二首詩中我看到了這一點，先生是在努力促進祖國統一大業的完成，以實現振興中華的宏願，先生清楚地看到中國一旦統一，必然就要騰飛，她一下子就可以躋身於世界强國之中，這對中國現代化的事業的推進將是彪炳千古，永垂史冊的！先生詩的主題正在於此。

近幾年兩岸解凍，關係緩和，民間的交往日益頻繁，譬如：探親、貿易等，特別是文化的交流，進展之快速，令人振奮！我從先生的詩中看出，我和先生的詩觀基本上是一致的。故特此奉函，聊抒衷懷。

附寄拙作詠黃山詩一首，渴盼得到先生的賜教。黃山太偉大，太美了！我勸先生擠時間來黃山一遊，我願作先生的導遊。

敬頌
輝耀詩壇

陳發玉
一九九二、四、八

附：高準《重返神州》二首

《重返神州》二首

高 準

廬山遊並序

戊辰季秋，余自杭州赴西而有廬山之遊。自九江驅車，經山北而上。至牯嶺有「如琴湖」，雖小而美，湖側有「花徑」，乃唐白香山探幽處也。花徑盡頭建有草堂，茅頂粉牆，清泉環繞，蓋香山草堂移建此也。近則錦繡谷、龍首崖、仙人洞等，莫非勝景奇觀。及上五老峰，乃需先抵含鄱嶺，嶺口有亭，遠眺鄱湖，煙波在望。既上登峰小徑，危巖如削，奇松如虬，下臨千仞，動魄驚心。至峰巔俯瞰，「觀禹疏九江」，誠非氣象萬千之可盡也。

下山至南麓，有秀峰佳境，飛泉漱玉，龍潭清盈。而東林古寺今已重築，白鹿書院亦已復修。雖陶公墓址尚遭鳩佔，而中華文化復興之理，已見普入人心。根芽既蘇，東方曉矣！歸臺忽近歲尾，展望新春，賦詩誌之。

·141· 《重返神州》二首

天風蕩蕩，
鄱陽淼淼波光。
縱覽雲飛，
萬木遍山崗。
如琴湖畔，
青松紅葉秋光朗。
花徑通幽處，
清泉繞草堂。

插天石，龍首崖，
虬松矯矯舞蒼茫。
五老峰，錦繡谷，
巉巖如削愁猨狼。
鷹傲長空，
楚天極目，

瞰神州萬里，
颯爽新粧。

飛瀑落，魚龍躍，
晨光暖，谷秀原芳。
東林古寺興新築，
白鹿來歸瑞氣旺。
故國正重生！
東方已曉——
待一統
開新望

戊辰除夕前二日（即一九八九年二月三日）

附註

①《史記・河渠書》：「余南登廬山，觀禹疏九江」。
②白鹿洞書院亦稱白鹿書院，爲宋朱熹講學處。

謁孔子墓

一步步走入那柏蔭的深處
瑟瑟的涼風啊叮嚀着肅穆
一步步消釋了心頭的塵俗
悠悠的浮雲是仰慕的凝注

悄悄地站立在高大的碑前
枯草啊滿覆着永恆的黃土
不輟的弦歌啊何處再尋覓
諄諄教誨着是人生的正途

文化的爝火啊由您而燃亮
代代呵輝耀着是禮樂詩書

您教導着什麼是仁心仁術
惟不憂與不惑能不懼險阻

暴雨不終夕兮您就是見證
生生不息的血脈剝極必復
深深地鞠躬啊向聖哲致敬
承先啓後啊振我中華民族

己巳四月八日即一九八九年五月十二日
追記去歲初冬曲阜之行

燃燒的燭

——讀《白燭詠》並題贈作者高準先生

劉嵐山

一支素潔的白燭，
那麼質樸，熱烈而堅強，
燃燒着，燃燒着，燃燒着，
像一盞閃閃的航標燈。

不管風吹雨打，
不管波浪滔天，
照耀着，照耀着，照耀着，
「既是燭，就該燃燒」。*

（* 這是「白燭詠」中一句。）

（一九八一、十一）

春潮在望

——寫給高老師

黃能珍

陡峭的岩壁有著挺立的松柏，
迷茫的風雪中也有奮力前進的車轍。
當混濁的廢水污染大地的時刻，
他是一道活泉，
在封鎖的地層下噴搏。

（一九八六、十、十一）

春潮在望

寫給高名許

陡峭的岩壁有着挺立的松柏，
迷茫的風雪中也有奮勇前進的車轍。
當混濁的廢水污染大地的時刻，
他是一道活泉，
在封鎖的地層下噴湧。

黃能馥詩書
一九八六・十・十一

新艦已隨詩潮航海上

——讀《詩潮》贈高準社長

吳明洋

新艦已隨詩潮航海上
艦上水手觀星知天象
已知太陽昇起在東方
隨心所欲執筆吐芬芳
詩潮社長高尚其理想
潮來潮去準確有方向
航向遠方先得定心想
海上歲月不忘我故鄉
上下一心同保禮義邦

原編按：吳明洋，台灣台南人，又署「新艦水手」。東吳大學畢業，爲「九行連」新體詩創製人，已出版此種新體詩集數種。本篇爲其閱讀《詩潮》後之新作。

（一九八七，《詩潮》）

漫遊祖國河山，翻憶漢唐餘烈

——讀高準先生的《山河紀行》所想到的

馮英子

《山河紀行》是高準先生一九八一年來大陸訪問歸去以後的作品。高準先生是上海金山人，生於一九三八年。一九四八年隨家人赴台灣，一九六一年畢業於台灣大學，一九六七年赴美，先攻藝術，後專新詩，曾獲中國青年寫作協會新詩獎、中國新詩學會詩獎、美國愛荷華大學榮譽作家獎，是台灣著名的詩人。但《山河紀行》卻不是詩集，他議論風發，愛國情深，記述了他大陸之行的行蹤，發揮了他的愛國情操，表現了他對某些問題的獨特見解，是遊記、是散文、是雜文，也是政論，它是一幢結構嚴謹、造型獨特的華廈，一入其中，文學的、藝術的，千門萬戶，應接不暇。

高準先生是一個愛國者，對於自己的祖國懷有高度的敬意，他在《燕京散記》中說：「我是中國的人民，中國本來就是我的。我從不承認任何人有權阻撓我走遍中國的土地。」所以，他希望的就是要以中國人（而不是持外國護照）的身分公然的到大陸，再公然的回台灣。

他認爲海峽兩岸人民的來去，應當完全自由，他在書中寫道：「中國在先秦時代也曾存在許多相互對立的政權，而無論孔子孟子還是荀子，都照樣周遊列『國』，以探求全中國的前途。……所以作爲一個學人，不論他原屬中國的哪一部分，要堅決打破阻隔，到中國各地去周遊。」

堅決打破阻隔，這實際上是海峽兩岸人民共同的願望。高準先生要以中國人的身分公然到大陸，再公然的回台灣，也就是我們允許的「來去自由」的體現，出於高先生的筆下，更看到了一個愛國知識分子的執著。高先生那次回來是一九八一年，現在，從台灣回大陸的同胞已日益頻繁了，所不足的，倒是台灣方面還未完全撤除人爲的障碍，不免引以爲憾。

高先生熱愛祖國的山河，正如他在《燕京散記》的「小序」中說：「一九八一年的十一月至十二月，我排除萬難，赴中國大陸作了爲期一個月的遊歷訪問，先後到達北京、泰安、西安、成都、重慶、武漢、南京、上海、杭州、紹興等地。其間北出居庸，南探禹穴，東登泰岳，西涉都江。或吟詩雁塔，或聽雨巴山，或三峽放舟，或西湖泛棹。或舉目長城，遙瞻大漠之風沙；或長安訪古，翻憶漢唐之餘烈；或上伯牙之琴台，問知音何在？或謁中山之聖殿，歎風卷雲殘。而漫遊各地，每多放言高論，無所顧忌。至於會親訪戚，携手同遊，謁祖居於張堰，觀滄海於金山，則更感觸爲多。」這段序文，寫得倜儻生姿，爾雅豪邁，使人看到了作者對祖國河山的深切的愛，也看出了作者在文字上的功力。

作者對於中國古代文化的景仰之情，幾乎在每一篇的字裡行間都流露出來，如他在《長安訪古‧乾陵烟雨》的結尾，引李白的「……樂遊原上清秋節，咸陽古道音塵絕！音塵絕，西風殘照，漢家陵闕」之後說：「大漢之聲威，大唐之盛況，正不知何時得以重現啊！」心儀漢唐盛世，面對分裂河山，因此，他在《碑林獻福》這一節中，發出了這樣的呼喊：「中華民族自古創造着燦爛的文化，一次次歷盡艱辛，一次次又從火海裡重生！堅強偉大的民族，你必將再度閃耀出無比的光芒吧！我期待着，我信仰着，我爲你祈禱祝福！」這祝福，正是每一個愛國的知識分子的赤子之心，是的，我們這個民族，有如黃河長江，雖歷萬劫千難，終於要走向大海，這是任何人都改變不了的事實。

作者對於中國歷史的發展和變遷，也有許多自己的看法。他認爲：「中國的歷史，並非直線的發展，而可說曾有三度的反覆：自秦至於南北朝之末；自隋至於南宋之亡；自元至於民國初年……且試看，隋之與秦，初盛唐之與西漢，安史之亂與新莽赤眉之亂，中晚唐之與東漢，北宋之與西晉，南宋之與東晉南朝，從巨視的觀點看來，這一發展的流衍，豈非均可視爲歷史的重覆前進？而元明清之與秦、西漢、東漢，從巨視的觀點，亦同樣可說是一種歷史的反覆。……而太平天國之與黃巾、黃巢，北洋政府時代之與建安及后梁，亦仍不無類似。則中國迄今乃在分裂衰世之局，豈亦歷史之所必然嗎？」（《燕京散記下》）這裡所說的「巨視」也就是我們今天所講的「宏觀」，歷史倘果眞如此，則今天的「分裂衰世」，不正是爲未來的「團結盛世」創造條件嗎？因爲分久必合，也必是中國歷史的一條規律，從宏觀上看歷史，中國今天已到了歷史的轉折點上，從作者的歷史觀上，很可以使人獲得啓發，看到歷史發展的前景。

正如作者在《燕京散記》的「小序」中所說：「每多放言高論」，他對於人物的臧否，也有自己的標準。他認爲「朱元璋比劉邦要壞得多，明清政治也比兩漢要專制得多」。他說朱元璋「到作了皇帝之後的殘暴更幾乎是空前未有，比起元順帝時來代實在不知更要糟糕多少。」他推重諸葛亮，認爲「諸葛亮所代表的意義：『以師敎君，以德抗位』理想的實現，諸葛亮所領導導的『四個堅持』搞個人崇拜、堅持不搞特務政治、堅持建立一個淳厚的社會、堅持要以仁義來統一天下，也正是他留給後世的永恆遺產吧！」談到農民起義，他認爲：「對於歷史上每一次所謂『起義軍』，應該實事求是的個別來看，看什麼呢？第一要看它有沒有濫事殺戮和破壞；第二要看它得到一點權力之後，是不是跟被它要打倒的政權同樣的腐化或殘暴；第三要看它是不是眞正促進了歷史的向前推進。」根據這幾個標準，他肯定了秦末的農民大起義，以及黃巾起義，竇建德、韓山童、劉福通等人的起義；至於黃巢、李自成，他說：「黃巢開創的是殘唐五代長期戰亂的局面，而李自成與張獻忠這樣的會打會殺，對於滿清的入侵軍却一點也沒有發生抵抗的作用。」他批評項羽：「秦政權既不是他推倒的，而進了咸陽之後却不但把咸陽的幾百萬人全部屠殺，還徹底燒毁了全部文化遺產。」這些「放言高論」，確實觸及了我們有些人對農民起義軍的看法，從陳勝吳廣以來，好像有「起」皆「義」，非肯定不可，其實農民起義軍若果眞如此，爲什麼歷史上的農民起義都以失敗告終？難道眞是當時的人民不識抬舉嗎？倒是說項羽在咸陽殺了幾百萬人，我有點懷疑，難道當時的咸陽，已是擁有幾百萬人的都市了嗎？

作者對於祖國河山的拳拳深情，特別活躍於他的遊蹤之中，從小時候在《旅行雜誌》上看到的照片，想像都江索橋的浪漫情調；從小時候教科書上讀到的地理，想像到嘉陵江與長江的不同。他沉浸在古代文化中，對於祖國的山山水水，是那麼嚮往，那麼傾心。他慨嘆「安瀾橋」失去了詩意，他慨歎嘉陵江失去了清澈，他嚮往屈原的《九歌》，王粲的《登樓》；他欣賞俞伯牙鍾子期的清超絕俗。正如他自己寫道：「山山水水，越洋渡海，生平已不知跋涉了多少路途！東到美國，南抵澳洲，西赴英倫，北越北極圈。從大西洋到太平洋，從印度洋到地中海。永遠是獨來獨往，面對着蒼茫……衝破雲霧，突破關隘，從夷州到幽州，從幽州到秦川，從淡水到渭水，從渭水到岷江，奔騰在三峽的濁浪裡，凝望在彌衡的鸚鵡洲頭。永遠是迎風而立，展望着塵烟……我要尋找什麼呀！我能找到什麼呢？路漫漫其修遠兮，時曖曖其將罷」。遊子之意，詩人之心，使人進入這千門萬戶的華夏之後，徘徊流連而目不暇給了。儘管詩人的某些「放言」也許過於絕對了一點，但每一個讀者，都可以看到躍動着的那顆詩人的赤子之心，看到一個愛國知識分子奔騰着的熱情。

（一九八九）

突破波濤的腳印

——評介高準《山河紀行》

曾祥鐸

王國維在《人間詞話》中，有這樣的兩段評語：「詞人者，不失其赤子之心者也。」「客觀之詩人，不可不多閱世。閱世愈深，則材料愈豐富，愈變化，水滸傳、紅樓夢之作者是也。主觀之詩人，不必多閱世。閱世愈淺，則性情愈眞，李後主是也。」詩人高準遊蹤遍四洲，閱世不可謂不多，但其作品，材料既豐，却又能不因其閱世之多而喪失眞性情。現在他的散文集《山河紀行》，就是這樣的一本書。它包括兩個部份，第一部份是以其早年所寫的臺灣山水心影爲主；而篇幅佔了三分之二的第二部份則是他近年突破波濤、單騎獨訪大陸之後，回來在國內外的報章雜誌上發表的遊記。它不僅具有引人入勝的文字魅力，而且處處又能讓你感到藏在文字後面的作者那顆熾熱的心！

睽諸我國傳統的著名遊記，如范仲淹的《岳陽樓記》，蘇東坡的前後《赤壁賦》與柳宗元的山水遊記等，似乎都具有除了敍事還有議論的特色，甚至將議論看得比敍事重要。以《

岳陽樓記》爲例，范仲淹除了致力於描繪岳陽樓的景色之外，還大大地發揮了由這些景物而引起的感慨。最後結論是：有抱負的人，應該「先天下之憂而憂，後天下之樂而樂！」這句話，成了千古名言，整篇《岳陽樓記》，似乎是在襯托這個結論，讀這篇名文的人，可能會忘記其他敍述，却忘不了最後這個結論。《岳陽樓記》如此，前後《赤壁賦》亦如此，這是中國遊記的特色。

從這個觀點來看，高準先生的遊記，可說在極大程度上繼承了傳統遊記的特色。他不僅善於寫景抒情（這是詩人的專長），同時還能發揮深刻的議論（這却不是一般詩人所能做到的），有時儘管着墨不多，却已足以使人思潮起伏，爲之動容。所以，讀高先生的遊記，不能純然抱着讀一般旅遊文章的心來讀，他在遊記中的議論，照我看來，往往比他的敍事還要來得重要。在這些遊記中，我們可以看到像高準先生這樣一位在臺灣成長的詩人，懷着怎樣的苦悶、依戀與同情，用怎樣的目光，去看這一從小就被迫離開的故國山河，處身於壯麗的河山與宏偉的歷史古蹟（如萬里長城）中，是如何的撫今思昔，感嘆歷史的無情，又是如何的希望民族分裂的悲劇早日落幕，寄望於中國之早日復興！我覺得，這些地方才是這一本遊記的精華處，在其中，我們看到了高準先生那一顆熾烈的跳躍着的愛國心。更應該指出的是，高先生在其中所發的感慨與議論，不僅僅屬於高先生個人，同時也能代表不少新一代知識分子的看法。因爲，凡是愛國的知識份子們，沒有不對今日的分裂局面而感到痛心而渴望祖國之統一的。同時，又因爲看到今日之分裂情形，比歷史上任何時期的分裂更爲複雜，更爲澈底，這使將來的統一，會變得更爲艱難，因而也令人更感憂慮。

中國自古以來的確經常分裂，如魏晉南北朝、殘唐五代、宋遼金，以至今日海峽兩岸的對立。細算起來，恐怕混亂與分裂的年代，與太平統一的年代，都差不多長！不過，過去的分裂，儘管時間很長，却不像今天這樣的壁壘森嚴，甚至密不通風，老死不相往來。在過去，分裂儘管分裂，但每每常有往來，雖然彼此之間也常有征戰，但在平時則依然互通音問，在不妨碍國家安全的前提下，一般的來往是向來不禁止的，商業與文化的交流甚至還會受到鼓勵。

臺灣海峽的波濤，將兩岸分隔了三十多年，歷史的與現實的種種因素，使多少人都渴望能更客觀、更正確的去認識與理解海峽對岸，這將是一種非人力能完全阻擋的歷史潮流。高先生這本遊記，除了是一本極可欣賞的文學作品之外，也是一本符合歷史潮流的著作。更由於作者的才華與功力，在處理這些複雜的題材時能得心應手，顯得流暢自然；在文字方面，不僅語言精鍊，極富於表達力與感染力，尤其能給人一種意境雄奇的感覺。在思想性與理論性方面，也具有高度水平。至於高先生在其中所顯示的對我國傳統文史知識的豐富，連我這位專攻歷史的人也感到敬佩與驚奇。本書的出版，對此時此地的讀書界，是一項可貴的獻禮。而我相信，在日後回顧時，將會肯定本書在今日所發揮的歷史功能與貢獻。

（一九八五）

東風夜放花千樹

——我讀高準《山河紀行》

古霞琴

如一枚核果般馥實，如一乘香車寶馬般流暢，亦如通宵火樹銀花般光鮮奪目；而《山河紀行》更好比一株枝椏虬曲却昂藏挺胸的老松，結合了無數的智慧，承載了多少霜欺風雨，終於斑斑爛爛地張舞爲我們摯愛、摯愛的古柯。

本書可概分爲前後兩個部分，前三分之一是高準少年時期散文的自選，後三分之二是他民國七十年底的中國大陸遊記。展讀全書，不及覆閤扉頁，我已怦然心動。未及弱冠時的他，即已卓爾不群，靈性流動，出挑得令人愛不忍釋。他絕非一名行色匆匆的孟浪少年，倒十足是朝你深情凝眸、盈盈淺笑的一抹新綠。

後頭大半部，統攝於六篇光彩鑑人的遊記。它們清晰地剪影出一付韻緻成熟、翩翩踅入中年的高準。那曾幾時慇懃叮嚀風月的孩子，而今極有「振衣千仞岡、濯足萬里流」的架勢了。循著詩人獨有的純眞氣質，他在努力回溯，回溯向一座中國傳統精神的山嶺。卸青春浪漫的外衣於原野，而逕自瘖啞地與他的理想國相問答。他是清而高的，雍容而豁達，而我則有幸依循著他的足跡，茅塞頓開得以一親山林之芳澤。畢竟高準所捕捉的不止是空間啊！而教人倍感溫馨的是，他以何其孺慕的心態在踐祖國山河之餘，仍率性地爲我們邀清風、請明月呢！

初享令譽時的少年高準，含英咀華，意氣飛揚。不止於斐然的文采，並且字裡行間饒富玄機。儼然是個「行到水窮處，坐看雲起時」的禪者。喔！那帶著三分癡的孩子，是個祈禱天澤的性情中人。遮掩不住對愛情的天眞遐想，那隔霧看花的江南少年呀！用唯美而溫存，浪漫而精緻二語差可形容吧。其中兩篇美術博物館的紀遊，羅縷詳實，深入淺出的神貌，也正貫穿了高準素來龐而不雜，密而不亂，華而不喧的風格。

他——簡直是一輪皎月，萬里無雲地預言出明日的晴空，並且是朵新探的梅，奮切地撲向人間來了。

中年的高準廓清了各方面的理念，廣覽群書，輾轉紅塵。因此洗練、沉著、而剴切，坦然無疑地抒發議論，不著痕跡地融會情景，文氣愈壯。隱隱遠山之前，他攬將一身的秋思，他義正辭嚴地茁長了，並挹注了騰騰不盡的祖國之愛。一襲風骨嶙峋，差可鈎勒出一個詩人的大概。

由於文心巧思，全書頁頁文焰逼人，無一句不可摩娑，每篇都善用了許多修辭技巧，純熟而貼切。高準的文字堪稱典贍，而且寫景的能力很強，衣鬢過處，必能鞭闢入裡地形容。全書五光十色的遊記中，他總能氣韻生動的完整地交代出所向的山川、建築，並且疏落有致的點染着人物。而無論何時何地，他也都要來上一番尋索的探究。因此細心及膽識也是他後七篇作品的特點。

嚴謹的結構，多樣的句法，著力的敍述，豐富的意象，以及厚重的筆觸，是他三十年來的一貫風格。各篇文章的氣勢都甚爲磅礴，但又瀟灑得尋不出藩籬。統籌全書看來，他的作品大抵可用馬賽克圖案來比喻：反覆營造、古雅大方，調配上適當的顏色。於是除了局部的美感，又必然浩瀚廣博地舖排開去。

文如其人，他也有所操持地在生活，率眞地堅持中國讀書人的立場。滿溢着的關懷與識見，又使他不時地品評人物，縱橫古今。他帶領讀者去交接值得一識的中國歷史人物，並雄辯地解釋出所以褒貶的理由。在他棄郭沫若故居不赴一節上，更見識了一位有所不爲的儒俠。回顧書中那位鏗然發論的高準，又有閒情逸致入西山去採紅葉，的確是令人拍案歎羨的。

披露的是山巓水涘，汩汩流衍的是赤子之心，毫端出沒的是令人撫膺欲泣的家國情結。讀此書，我的心情甚爲複雜，而純文學的感性又獲得了滿足。我想引用魯迅的一聯詩句來形容高準：「橫眉冷對千夫指，俯首甘爲孺子牛。」——卷二中的他，鮮明的顯現了這一形象；而又如心志篤定的魯仲連，閃耀著堅勁而智慧的光芒。但在文學領域中，他眩人眼目如一幅織錦璇璣圖。

綜而言之，《山河紀行》是簫劍交鳴的心曲，而細瀉如桃花江水一般，委實是上駟的散文集。

（一九八六）

不怕寂寞的獨行者高準

——高準《文學與社會》中文學評論文章讀後

陳映眞

你這樣蒼白的容顏，
你這樣瘦削的身材，
啊，誰知道你滿腔熱血，
誰瞭解你堅貞的愛戀？

——高準《白燭詠》

在臺灣，從事文學創作的人，兼寫文學評論文章的很不少，但能寫得理路立論言之有物的，並不多見，高準却是這不得多見者當中的一個。

但二十年來，高準一直是個寂寞的人。他在文學上、政治上的看法，和目前支配性的觀點有很大的不同，因此，對他猜忌、排斥、誣陷、扣帽的人是成群的。他的生活秩序有點漫無條理，因此愛他、關心他的朋友，一般地對他是敬遠的。一種善意的敬遠吧。

然而，就在他的孤獨中，高準搞創作、搞研究，有一定的，卻不廣爲人知的成績。現在回顧起來，高準的詩，是臺灣極少數優秀地秉承並且發揚了中國抒情新詩傳統的詩人之一。他的語言清晰，充滿了濃郁的情感。他的漢語準確、豐美，並且表現出中國新詩在韻律和音樂上的遼潤的可能性。比楊喚、覃子豪、鄭愁予和瘂弦遠遠年輕的高準，在抒情詩創作上的成績，不論怎麼說，是極爲獨特的。而在與他同輩的文學家中，高準幾乎是沒有匹類的，唯一的存在。

對於這樣的詩人高準，臺灣的詩壇一直不曾給予他應有的關注和評價。這是對臺灣詩壇一直極不了解的我，所深以爲不可思議的。

但是詩人高準之所以被忽視，當然和五〇年至七〇年間臺灣詩壇的近乎全面的模仿歐美「現代」主義這個氛圍，有密切的關係。隨一九五〇年韓戰爆發而登場的冷戰，從日本、韓國、臺灣一直到東亞各地，民族解放的、干涉社會生活的、現實主義的政治、文化、文學和社會運動，受到全面的彈壓。正好是在這全面的「巫師狩獵」（Witch hunt）後荒蕪的、白色的廢墟上，從美國新聞處和文化中心散播的西方「現代主義」文學，支配了包括臺灣在內的、遼潤的亞洲、第三世界。在三十年代的歐洲，以顛覆當時資產階級人文價值爲職志的現代主義，至此成爲政治肅清後逃避現實的、白人崇拜的、反對民族解放的文學形式。

臺灣現代主義的顚峰時代的一九六〇—七〇年，高準從少年期進入青年期。高準沒有在這個時期一窩蜂地跳入現代主義的潮流，是他的不可思議之一。而在創作上，他表現出他的中國新詩的抒情傳統的高度癒着，在臺灣文學之著名的「三〇—四〇年代傳統的斷層」下，是高準的另一個不可思議吧。

大約是從一九六八年他初次遊學美國時起吧，他開始注意到三、四〇年代的新詩發展。到他一九七四年遊學澳洲時，高準更得到「研究當代海峽兩岸詩歌的發展」的機會。這研究機會，使高準成爲臺灣極少數越過了上述的「傳統的斷層」，在認識上、閱讀上和具體創作上，熟悉整個五四運動以來中國新詩傳統的詩人。在國外研究的便利，也使他得以親炙一九四九年以後中國大陸新詩的發展。高準在這一方面長期的關注和研究，落實成爲他一篇極値一讀的論文《論中國現代詩的流變與前途方向》，這文在一九七二年就已寫下發表，到一九七八年重加修訂。對於因爲國內外政治條件，而懸隔中國文學的「三〇—四〇年代斷層」的文學青年，高準的這篇論文，應該是很好的教材。另外，他在一九七九年率先赴愛荷華與大陸作家聚會而在會議中發表的《中國文學的前途》一文，也正是他長期關注海峽兩岸新詩發展後所作出的扼要的步初總結，對於一九四九年以後兩岸新詩的比較，有一定的參考價値。

高準更費心力的《新詩史論》一書，由於一再被迫中斷而現在還沒完成。那麼，以上的兩篇，在目前來講，還是這方面最好的導引。

一九七〇年，世界和臺灣都面臨戰後三十數年來的巨變。世界知識份子、學生和青年的反亂、越戰的挫敗、亞洲民族主義的高漲、冷戰結構的再編成，使遭受釣魚臺事件衝擊的臺灣知識份子開始了反省的運動。一九七二年，高信疆、唐文標、關傑明揭開了以反省和檢點臺灣現代詩爲焦點的「現代批判」，高準一直是「現代詩論戰」的重要的旗手。在這一年三月，高準寫《文學與社會》一文，是七十年代開始反省文學與社會、生活之間的關係的比較最早的一篇文章，早於關傑明的文章半年。相對於七〇年以前文學的天才論和文學的個人主義、形式主義、心理主義背景，高準「文學與社會」關係問題的提起，有重要意義。同年末，他寫《論中國現代詩的流變與前途方向》，高準在中國新詩歷史和藝術發展的背景上，暴露了五〇年以後臺灣「現代詩」的空虛和病態的特質。一九七三年的《〈七十年代詩選〉批判》、一九七七年的《〈八十年代詩選〉的奧秘》以及他主編詩刊《詩潮》的一些文章，基本上是批判臺灣現代主義新詩的工作。

收集在這本選集中的高準論文，拙見以爲要數《論中國現代詩的流變與前途方向》寫得最好。戰後臺灣的論文，絕大多數是枯索無味的學匠文字，語言上往往表現出一份拙劣的、歐語中譯的惡文氣味。但高準的這篇論文，從頭到尾，都是清暢的中國白話寫成。由句而段，由段而節，由節而終篇，意理明瞭，語言清俊流暢，絲毫沒有咬人舌唇的「理論臭」和不中不西的惡文氣味，讀來眞有耳目一新之感。他引用了在臺灣一般爲難於入手的資料，把臺灣的現代主義詩放在整個中國新詩地圖上加以說明和批評。論文之末，他羅列了現代詩的「八病」，並且爲將來新詩的再建設舉出「五點基準」和「三項方針」，極具參考和研究價値。有人說，日常生活中的高準之無條理，恰好與高準在論說、寫文章時的條理整然，成爲明顯的對比。熟悉高準的生活與文章的朋友，一定都能同意這個看法。

但雖然如此，他在行動上却絕不「臨事而懼」，當須要挺身的時候，他總是勇敢的站出來。在一九七七年展開的臺灣「鄉土文學論戰」中，高準的立場也是明確的，而且也是具體地參與了戰鬪的戰士。

高準的論說文還不止是說理清暢。很多的時候，他頗有獨到的立場與見解。例如上述他自稱爲「新八不主義」的對新詩再建設的「五點基準」和「三項方針」，是其中之一。此外，在他關於政治社會的幾篇文章中，也多有獨特之點，不過這不在本文談論之列了。除了在臺灣「現代主義」狂瀾中，他始終在創作上和理論上批評和反對「現代主義」，他一直是一個熱情而終始一貫的愛國主義者。他熱愛祖國，關心祖國的前途的情懷，洋溢在他的詩創作和理論、評論文章之中。其執着、熱情的程度，又是四十年來國土分裂，歐美價值體系和冷戰心智強大影響下的臺灣文壇中所不能多見。而也因了他的愛國主義，他受到文壇同儕和有關方面的猜忌、排斥、告黑狀和打擊。

一九八一年，他爲了研究中國新詩的發展，在不持有外國護照的條件下，到中國大陸作研究旅行。這是高準「特立獨行」這個性格側面的一個例證。他以這信念打破了臺灣學人忌於訪問大陸的既成禁忌：「我是中國人。中國本來就是我的。我不承認任何人有權阻止我走遍中國的土地。」

有這樣的認識其實並不難。難則難在高準毅然力行，結束大陸訪問後，他還堅決要求政府允其返臺，成爲一九四九年以後，臺灣公開訪問大陸的唯一的詩人。訪問大陸期間，高準對大陸提了不少批評意見，如「釋放民運人士」，「爲中國統一召開國民會議」等，都是頗具見識和知識勇氣的提法。

如果一定要在他的文學評論文章中找缺點，也許可以提出這三點。第一，文學批評本身，在世界範圍內，有巨大發展，甚至成爲一門越來越體系化的人文科學的一個組織部門。在這一方面，不必說主要地搞文學創作的高準，即使學院中的文學系，也極少有文學批評上較新、較激進的論文。第二，在批判臺灣的「現代主義」和「超現實主義」時，高準似乎沒有分別三〇年代革命的現代主義和五〇年代頹廢的、冷戰的現代主義的區別。第三、對於七七年的臺灣鄉土文學論戰，高準基本上正確地把握了它相對於五〇—七〇年臺灣文學西化、模仿和輸入的性格，並加以反省和批判，而有（中國）民族文學意義這樣的認識。但高準擔心「鄉土文學」在「推衍過度」之餘，有被臺灣分離運動所利用之虞。

高準的憂慮，其實也不能說全爲杞憂。八〇年初，有「鄉土文學是『臺灣人意識』的文學」論，「參與鄉土文字論戰的人是過激派，眞正的鄉土文學另有流承」等奇譚異論出現，或爲了掠奪這歷史性論戰的果實，或爲了改寫這論戰之性質，以適合分離主義的臺灣文學史綱。但是，從思想史的觀點來看，「現代詩論戰」和「鄉土文學論戰」，不論從七〇年代世界思潮、政治的背景來看，從論戰關係人的「人脈」來看，或從論戰文章的思想內容來看，鄉土文學運動，其實具有明顯的中國反帝民族文學運動的特點。這是任誰也篡奪、塗改不了的。高準的憂慮，似乎缺少對具體問題做具體分析定性的缺點。

事實上，歷史給予高準的主要評價，毋寧是那秉承了中國抒情新詩傳統的，才華飛揚的他的創作吧。而他的評論，對於詮釋詩人及其所處的時空，正是一個重要的註腳。

（一九八六年七月）

另外的聲音

陳鴻森

一

五十五期的《大學雜誌》上，刊出了一篇由王文興、余光中、邢光祖、高準、彭歌、瘂弦諸先生舉行的「文學與社會」座談會的記錄。

這無疑是一次成功的座談會，將或多或少地喚醒共同追求文學的眞實的人，自覺到自己的位置吧。

無可否認的，在文學的範疇，存在着無數成立的可能。即使在每位作家或詩人對文學的「認識」上，都具有某種無意識的共通性；但這種共通性幾乎全是由舊有的作品裏得到的近乎原則的東西。於追求的過程上，這種共通性具有兩個意義，其一是指引的價值，其二是形成一種「對尙未出現的美」的壓力。

如果文學早已從歷史中抽出了某些一定的行動，那麼作爲今天的文學其存在已無意義。創作即是指破壞既有的美和經驗而言。而因這種的破壞，使得決定什麼是優秀的作品的任何理由，都喪失其有效的說服力。因此我們不得不接着說：所有追求上的努力，無非是以着賭注的方式，在實驗他心底的一個決定——指成爲他作品的特質的力量。

這個決定，將會逐漸因個人經驗的累積而成爲某種頑强的信念，此即是那充滿着惰性（也可能是虛榮）的風格之產生。

我們渴望嚴正的批評的心情，實質上也就是渴望文學的眞實的心情。而我們常會願望着批評家和創作者能經常是同一個人。據於此，批評實亦即經由創作的個人經驗所構成規律的系統行爲吧。

我始終以爲：一個詩人寫理論，實無異於當我們通過了暗夜的曠野，爲了寂寞和克制恐懼的心理而哼出來的聲音。出現於文學批評間的差異，毋寧可簡化爲各人「趣味」以及「對語言契入程度上」的差異。

讀了此次座談的記錄後，發覺與會過程，雖曾就問題核心展開熱烈的討論，但某些觀點唯因未克更深入地挖掘，尙呈似是而非狀態。對於因各人趣味不同致觀念必然地迴異的那種辯證，是極端困難和危險的。但對文學發展的外在事實的究明，却是必要的。

此次座談會裏，高準先生的見解與我個人所以爲的有較大的距離。這裏，我想就高先生所提出而當時又未被正面研討的若干見解，提出再討論。

二

關於「文學的社會功能」這個命題的成立，至少意味着兩個意義——文學本身具有某種的社會功能和這種功能乃是不容以其他表現方式獲得的。

在接受了現代文學藝術的意識裏，我們已逐漸地離開了現象的世界，而進入語言深處的感覺世界了。或許我們可以說：過去社會寫實主義的傳統所擁抱的即是現象上的世界，其立場上是群衆的、道德的、無我的、相信着文學與人生間存在着一種等價關係。現實主義、自然主義等都屬於此。

這現實主義、自然主義無疑是處於一客觀强度裏走動着。人是一種非單獨的存在。人類與外在間的交通是藉汎神觀所分泌出來的力量進行的。人、文學、自然三者是存在於一個正三角形的關係上。文學的社會功能也因此得以發達。

然則，生活景況已逐漸改變，自然本身也逐漸現出其危機感的現代，即使我們不願若未來派者那樣過份的以爲「美就是速率」，但至少自然已非美的必要對象了。反而，對自然越來越感到空虛和不安，而轉向人體本身的實在感去追逐；個人權力和意志的發達，便對社會功能的價值，展開破裂的行爲。更積極地說：今天的文學却已被用以拮抗自然現實所產生的苦悶之手段。

高準先生以爲：

「文學是社會的產物，而且必然要傳達於他人，所以文學也就必然有它的社會功能和責任……。簡單的說，表現人生以提高人生的境界，反映社會以引導社會進步，也就是文學的社會責任，而把這些感受與理想普及於更多的人心，就是文學的社會功能。」

在字行上，充份的流溢着古典主義的久遠的芬芳；隨後又補充的說明：

「我說文學是社會的產物，但沒有說文學只是社會的產物……我們看魯濱遜爲什麼寫飄流記，因爲他是準備要回到文明社會來，要把日記發表給人家看的。像最近關島叢林裏發現的橫井庄一，他沒有寫日記，因爲當時是決心留在叢林裏一輩子不再回到社會來了，所以不需要寫。因此，文學還是社會的產物。」

所謂「文學是社會的產物」，嚴格的說應是：「文學是人的產物」，因社會本身只是一種結構的型式而已，人經由痛苦的存在，以其冷酷、堅決的態度，對自然的反逆，在這抵抗的行動裏，發現眞實。而社會力量產生的僅是各種宣傳文學而已。而從「必然要傳達於他人」這理由上，去決定「必然有它的社會功能和責任」，這是不正確的，我國古時有不少藏諸名山的作品，不也已形成我國文學傳統的一部份嗎？而援用魯濱遜和横井庄一的例子，與其結論「因此文學還是社會的產物」並無必然關係，這只可能說明其心理意欲不同而已。

我難以想像文學在被接受後，如何能有效的去引導社會進步的這個事實。本來不論中外，文學都是由實用性出發的，譬如我國前原始的文學型態是商代的巫術文學；西洋在文藝復興以前，霍雷斯所謂的「或爲教訓或爲娛悅」的文學觀。

然而，人類思想不斷地接受各種沖激而改變時，文學的本質亦作着相關性的改變，這種教化的文學目的論，很快便被「趣味」和美的追求取代，在今天，文學顯現已進入到更深處的「認識」的位置了。

三

曾提及：由於人類思想不斷地接受各種客觀狀的沖激而改變時，文學的本質亦作相關性的改變。見諸西洋近代的文藝思潮或運動，猶若波浪一連一緊隨而來，尤其於法國，可說每十數年便會產生一個對前一思潮反動的流派來。

固然我們不能否認這種改變有其社會因素。然而這並未持有必然的決定力。但另方面，使文學史得以延續的「求變」的意志亦有甚大的作用。因爲我們勢必承認：人類想像力前進的速度，是恆大於客觀的社會文明型態改變、或進化速度。這絕非全如高準先生所以爲的「怎樣的社會就會產生怎樣的文學流派」。而高準先生所以爲的：

「我們看，有了魏晉六朝的極度動蕩不安的社會，也就有魏晉那種消極出世、悲觀苦悶的作品；有了盛唐那繁榮奮發的社會，就有王之渙、李白、岑參、高適那種意氣飛揚的浪漫主義的詩歌；有了天寶的繁華和安史之亂的悲慘之强烈對比，就有杜甫、白居易這種悲傷沉痛的寫實主義的傑作；有了晚唐五代的腐敗社會，就有李賀、杜牧這種唯美主義的作品和那種以及時行樂爲目的的詞的產生……。」

我以爲援用這種便宜的歸納法，在文學的範疇上，是十分冒險的。即以唐代爲例，盛唐時候王維、孟浩然、裴迪、元結、韋應物、柳宗元等田園風的作品，即有別於以上所謂的浪漫詩；又若李白的浪漫情調和杜甫憂時憂國的心懷又截然迴異；又如白居易的社會詩的同時，也出現了有別於此的孟郊、韓愈、賈島等的技巧走向。

這種對每一時代（世代）文學主流的關切，是屬於一種歷史工作，是由後人來行使的；在同一時代上，我們甚至要說：優異的作品是否定流行的。

四

如果文學眞必需持有某種功能的話，那麼這種功能與文學的關係，絕非預定的，而是後隨的，也就必需從接受的一方去考察。

因此，一個作家或詩人，在其脫離於「寫作的時間」之外，他與任何人並無二致。而一個文學家的責任，乃在於如何把其感動和美表現出來。假設必需找出文學家對社會的責任，那是他必需履行他作爲一個人的責任，這種責任和一個司機或農夫的亦無異。

「凡故作晦澀、蔑視廣大的讀者、摧殘文法、玩弄形式、不求發揚人性、淨化人生，而却互相標榜，自鳴得意的那種作家們，不但在文學上爲低劣，而且也是逃避了他們所應負的社會責任與道德義務……。眞正的作家必需確認文學的根本目的，那就是以既優美卓超，又能夠普遍傳達的文筆來發揚人性、美化人生，從反映現實以求現實的改進，從抒寫感情以求感情的昇華，從表達人民的眞正願望以求願望的合理實現，從表現人生的眞實面目，以求人生的走向光明。這也就是文學家的社會責任。」

高準先生上面的這種說法，似乎是急切的想成立文學的價値。文學的根本目的，如果是以「既優美卓超，又能普遍傳達的文筆來發揚人性、美化人生」，那麼文學家是虛僞的。「

人性」是什麼？我們發現人性往往是醜惡的。而求現實的改進，願望的合理的實現，這些社會建設問題，我想從社會學家，經濟學家或政治家裏的任何一種人來謀求都較文學家有效和容易。

全面投入於生活裏的要求是不錯，人類極易從環境裏尋得某種有機的適應感，這種適應不是妥協，而是在完整的表現了自己時，那種個人內在的時間和空間意識也隨而被表現。讀者在作品裏也重現到這種「認識論」。

如意圖文學的社會功能，將能改變社會的什麼，這是次等文學，像工具一般而已。眞正文學的功能僅存在於我們藝術良心的眞摯上。

（《大學雜誌》六三期，一九七三年四月）

有其功能絕不次等

——兼評《另外的聲音》之謬

何懷碩

大學雜誌張景涵兄來信要我對「文學與社會座談會」及六十三期陳鴻森《另外的聲音》發表「獨到的觀點」。事實上，在我歷年的文字中對文學藝術的意義與功能已發表過不少意見。那個座談會我未及參加。《另外的聲音》一文我仔細看過，覺得其文錯謬、矛盾之處甚多，而且思路不清，表達上不知所云或不合邏輯之處也不少。但我們還是可以大略知道陳「文」所說的，是一種高蹈的虛無主義。在青少年文學愛好者中，走了歧路便陷入「幼稚的清高」或「庸俗的理想主義」，若不及時猛醒，是十分可惋惜的。我願提出我的看法給青年朋友們作參考，故之所以兼評陳「文」之謬，目的也在防止有一部份青年人受這種觀念的影響；但我仍希望持有這種「高論」的發言者，亦聽聽我的「這一種聲音」。

所謂文學的社會功能，是立於客觀的立場來探討文學在人類社會與歷史進展中所發生的影響與貢獻。從而予吾人一種正確而深入的文學觀念，增強文學者之文化使命感。而對於文學者自身的主觀創造來說，自然無庸刻意要把文學作爲一種改變社會的工具。因爲極端的功利主義適足以將文學降爲淺薄的說教。但是，我們與高蹈派不同的地方，就是我們認爲文學者應有一種文化意識，一種對於人類歷史與社會文化的使命感，所謂「天下之心」。因爲文學是作家人格的表現，其人格之高下，便要看他對全人類的命運、苦樂、福禍……是否有一份關切與深刻的體驗；他個人感情的表現，是否能引起人類普遍的共鳴；他能否成爲人類的代言者，亦端視其對社會與人生是否有一種普遍的同情（亦可說是所謂「博愛」或「民胞物與」）。文學不是一種自私的享受，它有其社會性，是一種社會性的創造。（高準兄則說「文學是社會的產物」，亦不爲過。）所謂「藏諸名山」，一樣無損其作爲社會性的創造的本質，因爲若其文學不爲傳達他人，則大可不必寫，更不必「藏」，何不毁之？藏諸名山是有其不宜於當時發表的時代的苦衷而然，其目的還是希望見示於後世，邀得以後百代人類的共鳴，一樣有其社會性。所以我常說人類一切的創造，其價值的歸趨最後必是道德的。而此道德二字是廣義，不是狹隘的道德教條那樣僵化的束縛。我對道德的看法是：凡一切爲人類文化向上向前進步之努力行爲即爲最高的道德表現，一位創造者之所以贏得萬世百代的景仰與懷念，不止爲了他的天才，更重要的是他的天才爲廣大的人類做出了不朽的奉獻，換言之人類世界因爲有了他而受惠。屈原的名句「長太息以掩涕兮，哀民生之多艱」；杜甫的名句「

安得廣廈千萬間，大庇天下寒士俱歡顏」，說不盡第一流的天才們，他們在人類歷史上所留下的業績，就因爲與人類的命運相關，他們不是一班舞文弄墨的騷人墨客，不是玩弄辭藻，全爲個人享樂的耽美者，所以稱得上「偉大」二字。不幸愛好文藝的天才中，有一些藝術至上主義者，爲藝術而藝術，走入自私的個人主義的象牙之塔，他們的天才之火，便只能像高塔上的一星小光，成爲標示出它存在的記號，絕不能如一盞明燈，照亮了人生之路。而我們同樣反對「文以載道」那樣淺薄的功利主義與說教，其理由是因爲文藝不以說理或教條的方式，乃以感性的形式來表達；它不是要你「知道」，而要你「感受」；它以極誠摯而忠實的態度，以極富感染力的方式，激起你心靈深切的感受；以作家個人高超的人格，震撼我們平庸的靈魂。我們反對文學成爲道德的附庸或奴婢，却絕不認爲文學與道德無關聯。因爲偉大的文學不刻意作道德說教，而表現了作家崇高的人格，它自然是道德的，即使揭露了人性的醜惡面，它增進了吾人對人性的認識，使我們對人生有更深透的了悟與批判，其最高歸趨仍然是道德的（庸俗的社會教育官吏常把這一類的文藝作品列爲禁品，以爲它們敗壞風化，就因爲他們只死守狹隘的道德教條）。

高蹈派高舉純粹文藝、摒棄「功利」、藝術至上的彩旗，漠視文學對人生的嚴肅性與嚴重性，他們不是風花雪月，便是賣弄文采，雕琢辭章，不然便是把個人浮光掠影的，瑣屑而貧乏的感觸，作一番誇大與文飾，而以晦澀與虛矯自傲的表現。他們對文學的意義與價值，無法有清晰而正確的了解，就如陳鴻森先生文中所說：「眞正文學的功能僅存在於我們藝術良心的眞摯上」——這是何等表面漂亮，內容空洞而浮薄的觀念！再說，這句話是不通的，「功能」如何存在於「良心的眞摯」之「上」？這都是玩弄概念，而不知概念爲何物；奢談文學，不知文學爲何物的文學愛好者普遍的缺陷。試看能寫新詩而無法寫一封通順的信的「詩人」（當然是極少數的「詩人」），豈不多爲高蹈派的信徒。

陳「文」從頭到尾，不通順，不合邏輯之處比比皆是，茲略舉數例：

陳「文」：「無可否認的，在文學的範疇，存在着無數成立的可能。」——這是什麼話？「可能」如何已「成立」？下面接着說：「即使在每位作家或詩人對文學的『認識』上，都具有某種無意識的共通性」。——既說「認識」，如何是「無意識」？這都是對概念一知半解或含混誤解所致。

又：「如果文學已從歷史中抽出了某些一定的行動」，——「抽出」了「行動」，令人費解！

又：「創作即是指破壞既有的美和經驗而言。」——何等狹隘而偏頗的說法！這只能是「達達主義」的「創作定義」。創作確有破壞既有的美與經驗的因素，但絕不僅此，繼承、發揚、轉化或擴大、加强……均爲文藝創造的途徑。試問完全破壞「既有的美與經驗」，一個人能憑空「創造」什麼？起碼在文字的使用上，免不了繼承既有的經驗，這很平實而簡單的道理。

又：「人類與外在間的交通是藉汎神觀所分泌出來的力量進行的。」——這是什麼話？有人能「懂」嗎？

又：既承認：「由於人類思想不斷地接受各種客觀狀的沖激而改變時，文學的本質亦作相關性的改變」，接着又說：「固然我們不能否認這種改變有其社會因素。然而這並未持有必然的決定力。但另方面，使文學史得以延續的『求變』的意志亦有甚大的作用」，這二語句不是自我矛盾嗎？況說「文學史得以延續的『求變』意志」何所指，其曖昧與無稽，簡直如白日夢囈。下面又說了一句驚人的話：「人類想像力前進的速度，是恆大於客觀社會文明型態改變、或進化的速度。」——這樣本末倒置，亂發「妙論」，到了令人吃驚的程度。而且，什麼是「想像力前進的速度」呢？

好了，我的基本觀念已簡述如前；我對陳「文」的批評也不必再多說，讀者若已讀過該文，宜乎自己重新仔細推敲，當可發現難得找到一句通順合理的文句；其觀念的清高自恃，虛無而矯情，更不值信賴！

最後，再說幾句：文學有其社會功能，才顯示了文學對人類過去、現在的綜結與正視，揭露、發揚與批判，以及對未來的啓示，才產生文學偉大的價值。故說「有其功能，絕不次等！」如果沒有功能，便對文化沒任何貢獻，等同夢囈，不但輪不到「次等」，簡直是廢物！文學功能的發現，自然是作品之後批評的檢定與判斷的產物，並不是作家在創作或創作中刻意製造的。偉大的心靈只管憑他天賦銳敏的觀察力與豐富的想像力，以他卓超的人格與眞摯的感受通過常人所不能的文學技巧表現出來，便已具有藝術的價值與社會的功能，就必然是一等的文學。今年二月裏，我在中副寫了一篇《矯情的武陵人》之後，遠客西雅圖的梁實秋先生讀後給我來了一信，裏面有一句話說：「禪宗講究超凡入聖，但更着重超聖入凡。」我覺得讀書人應牢記這一句話；文學可使人從庸俗的現實人生中提昇，進入一個高超的境界，但文學不應遠離與拋棄痛苦的衆生。即使人生現實面多爲醜惡，文學應負起批評人生，改造現實的神聖使命。而賤視人生，自己又終無所逃於人生，只見出矯情與虛無，是眞正的庸俗。

（六十二年四月廿三日）

（《大學雜誌》六四期，一九七三年五月》）

呼喚「眞有生命的中國文學」

——臺灣詩人高準對現代派詩的批判

王京瓊

【原編按】：高準對現代派詩歌的「現代主義」和「超現實虛無派」，進行嚴厲的不妥協的批判，歸納出其有「八大弊病」，並針鋒相對地提出他對詩的「八點主張」。這是他批判現代派詩的重要思想成果，對今日大陸文壇也有重要的意義。

作者王京瓊，本所研究人員。

一、台灣現代派詩的興起及其原因

臺灣現代派詩的興起主要是在五〇年代中葉以後，以詩歌領域爲先導。其主要原因是：

1.社會政治原因。一九四九年國民黨政權遷臺，臺灣與大陸的聯繫被人爲割斷，五四以來的新文學被視爲禁品，大陸作家的作品更難讀到，臺灣島文學出現了斷裂，失去了歷史憑依。但是作爲意識形態重要組成部分的文學不可能因爲這種斷裂而死亡，它必須尋求新的依托，以企望在新的特殊環境中成長、發展。

2.文學自身的原因。文學的發展與社會素有密切聯繫，沒有與大陸相對隔絕的臺灣社會，也就沒有相對獨特的臺灣文學，特別是作家的組成成分往往會決定一段時間、一個區域內文學的主要傾向（潮流）。當時大陸遷往臺灣的大陸詩人有紀弦、覃子豪、鍾鼎文、李莎、王藍、余光中、宋膺、楊喚、鍾雷、張秀亞、葛賢寧、羊令野等，這批詩人中與現代派有染者居多。像紀弦在二〇～三〇年代就頗負詩名，曾與戴望舒等創辦《新詩》月刊。詩人成分的這一狀況便成爲以後現代派詩之所以在臺灣興起的一個重要原因。

3.由於與大陸的隔絕，和赴歐美留學生的增多，臺灣文人主動學習、模仿西方現代派文學也成爲日後臺灣現代文學產生和發展的一個重要原因，不少詩人、作家和刊物在學習西方寫作技巧的同時，接受了存在主義、弗洛伊德主義、意識流、超現實主義等意識形態。繼而通過他們的作品和議論廣爲傳播。

4.國民黨去臺初期，以文學爲政治工具，配合反共宣傳，號稱「戰鬥文藝」，出現了「反共八股」，詩歌領域尤然。儘管當局不斷提倡、獎勵這種「反共八股」詩作，但仍爲讀者厭倦。這也給現代派詩的流傳提供了機遇。

一九五三年二年，以現代派詩人紀弦爲首創辦當時頗有影響的詩刊《現代詩》。

一九五四年六月，現代派詩人覃子豪、葛賢寧、鍾鼎文、余光中等創辦《藍星》詩刊，組成「藍星詩社」。

一九五四年十月，國民黨軍隊中的現代派詩人張默、洛夫、瘂弦等，建立「創世紀詩社」。

一九五六年一月十五日，以紀弦爲首建立「現代詩社」，始有盟員八十三人，後發展至一一五人，臺灣大多數著名詩人均在其中。

與此同時，紀弦爲現代派詩制定了著名的《六大信條》（也稱爲六大綱領）即：

1.我們是有所揚棄並發揚光大地包含了自波特萊爾以降一切新興詩派之精神與要素的現代派之一群。

2.我們認爲新詩乃是橫的移植，而非縱的繼承。這是一個總的看法。一個基本的出發點。無論是理論的建立或創作的實踐。

3.詩的新大陸的探險，詩的處女地之開拓，新的內容之表現，新的形式之創造，新的工具之發現，新的手法之發明。

4.知性之强調。

5.追求詩的純粹性。

6.愛國反共，追求自由與民主。

藍星詩社、創世紀詩社、現代詩社的成立與《六大信條》的出籠，標誌着現代詩派全面興起，並開始左右臺灣詩壇。

二、高準在詩壇的出現及其思想發展

高準，字正之，一九三八年十二月二十三日生於江蘇金山*（今上海市金山縣）一書香之家。祖父高平子是著名的天文歷學家，外祖父姚光，即爲清末革命文學團體「南社」的後期社長。

*按：高準生於上海市，祖籍金山。原作者誤。

高準幼年曾生活於西湖之濱，一九四六年定居臺灣。讀高中時，即致力於詩歌創作與繪畫。一九五七年台北發生「五·二四」事件，有感於美軍殺人享有治外法權，痛國權失墮，便研習政治學說，以第一名入台大政治學系。在校期間成績優秀，曾主編《海洋詩刊》、《政治學季刊》等學生刊物。一九六一年獲「中國青年寫作協會」全國徵文詩歌獎，並出版第一本詩集《丁香結》，撰寫論文《論孔孟荀政治思想異同》，顯示了他在詩歌創作和學術研究方面的才能。一九六二年又以第一名考入中國文化研究所（即中國文化學院前身）深造，一九六四年再次以第一名成績畢業於該院碩士班，受聘爲中國文化學院講師，同年出版詩集《七星山》。一九六七年春，獲臺教育部頒發的「中華文化復興與運動青年楷模」獎，是年秋赴美留學，先後在堪薩大學和哥倫比亞大學進修。一九六八年返回臺灣仍執教於中國文化學院。一九七一年晉升爲副教授。

從一九五五年發表《出塞吟》開始，高準的成長歲月（從中學到大學）恰是現代派甚囂塵上的時期。在這樣一種環境下走上詩壇，要保持或者去創立自己的風格，必須經過理性的選擇，才能確定何者爲正，何者爲謬。他在《高準詩集》自序《寫詩的歷程》一文中說：「一九五九年二月（是年他二十一歲——引者注），台大唯一曾存在過的詩刊《海洋詩刊》邀我爲編委，當時幾位社友對「現代主義」就有着若干共同的批評意見。還記得在由香港來台升學的社長余祥麟兄的主持下，我們還通過了幾條「共同綱領」，分條印在詩刊的頁眉上，其中針對當時一些流行觀念而有如下的幾條：「我們强調橫的移植，更强調縱的繼承」；「我們同意自然的韻律有助於詩的美感」；「我們要在新與舊的衝突中尋求寧息的和諧」；「我們是中國母親的孩子，我們的一切爲了祖國」。不難看出，這些觀點雖有異於現代派的某些提法，而整個情調仍是在現代派的基本理論統轄之下。文學青年受時潮的影響可說具有一定的普遍性，初涉文壇，閱歷未深的高準也不例外。然而高準有着與衆不同的個性與思想，他說「對『强調縱的繼承』的要求，對『韻律』的肯定，對『新舊和諧』的重視，及對『祖國』的尊仰，始終的成爲我歷年的信念，而且後來更日漸漸地增强着。」①沒有這些基本的也是至關重要的思想指導，以後的高準或許也很難成爲反對現代派的猛士。

據高準自己介紹，他眞正徹底摒棄現代派的影響，借重於一部《聞一多全集》——是「受一位早年曾寫新詩而擔任國際政治課程」的老師的建議。聞一多先生早期與「新月派」接觸較多，但思想上强烈的愛國主義和創作手法上濃厚的現實主義，使他的詩獨樹一幟。像《紅燭》、《死水》等詩集，膾炙人口，享有盛譽。聞一多在思想上和創作上的這兩大特點與當時高準的思想意向和創作意向是有吻合處的。詩人寫下了《白燭詠》（一九六三年八月，是年二十五歲），「自此，也就完全地棄絕了現代主義的理論了。」②

三、高準對現代派的批判

據尊高準爲「新詩大論戰的主要旗手」的彭紹周介紹，一九七一年十月，《大學雜誌》十五名青年學人聯名發表《國是諍言》，高準參與寫作，其中「立法的健全」、「監察與諫察」、「學術自由之必要」、「開放對大陸研究之必要」、「門戶開放之必要」均由其執筆。一九七二年春，在《大學雜誌》舉辦「文學與社會」座談會上，詩人發表演講，「率先倡導文學家應關心社會反映現實，以求現實之改進。是年底至次年初，又發表長文，提出新詩的『新八不主義』，對『現代派』的理論提出了徹底的批評，並力矯在臺灣流行了十餘年的『超現實主義』虛無詩風，爲當時的『新詩大論戰』（陳映眞語）中最主要的文獻之一」，「爲（台灣近年來）現實主義的，中國風格的，干涉生活的文學藝術準備好了認識的條件」。③

從思想內容和藝術手段上區分，所謂現代派可分爲「現代主義」和「超現實主義」兩類，高準對二者都進行了嚴厲的不妥協的批判。

1. 對現代主義的批判

高準認爲，現代派對「詩的純粹性」的强調，是反對泛政治主義的戰鬥派的；主張「知性的强調」，是對浪漫主義的反對；主張「橫的移植而非縱的繼承」，是爲反傳統而盲目「全盤西化」。他認爲，事實上現代派所倡言的「主知」與「純粹」兩大要領，「實無非法國十九世紀高蹈派之餘唾。」這種詩是由「要求抑壓主觀而反使主觀飛躍，是狂呼着『放逐情緒』的一種强烈情緒。這實是一種神經質的感傷家夢想成爲英雄的情緒之反射。」④他從現代詩的歷史淵源上找出癥結，認爲在文學中强調「橫的移植，而不是縱的繼承」是說不通的理論，理由是：「文學就是生命的表現，也是社會的產物，社會只能繼承歷史而發展，生命則是從社會中吸收養分而長成，所以文學所表達的也就是人生的體驗。」物質產品可以移植，人生體驗又如何移植呢？我們的社會既與『波特萊爾以降』的歐美社會不同，人生經驗自亦與『波特萊爾以降』的歐美詩人有異。而欲移植其作品的風格，則結果就必然要造成一種虛僞的風格——在內涵上是空洞虛無，在外形上是東施效顰。」⑤詩人的論證雄辯有力，是恰如其分，恰到好處的。

由於詩人對現代派的批判具有深入剔透的思考，在不同的文章和不同的場合也從不同的角度進行闡發，在《中國文學的前途》中，他則進一步說，現代主義「强調橫的移植，事實上就是一種主張全盤西化、排斥民族精神與民族風格而盲目反傳統的心態。所謂主知的强調，事實上就是排斥詩的抒情本質，排斥健康的積極的浪漫主義的精神，造成一種頽廢的專作字句花樣變化的文字遊戲的狀況。所謂對詩的純粹性的强調，事實上就是要使詩人摒絕對社會的關懷、排斥現實主義的精神而進入一種所謂超現實的晦澀虛無狀態。」⑥可謂擊中了現代主義理論的要害。

高準對現代主義的批判並沒有僅僅限於純理論的論證、批駁，針砭其主要的綱領性的思想觀點，對這些思想下滋生的新的思想傾向、觀念、藝術追求等同樣不放過。如，現代詩社首領紀弦曾對其倡導的現代詩有如此細論：要「一反浪漫主義及其以前的詩之表現一個完整的或統一的觀念。它只表現一個情調，一個心象，一個直覺，或一個夢幻。」且認爲「十九世紀的人們以詩來抒情，而以散文來思想；但是作爲二十世紀現代主義者的我們正好相反，我們以詩來思想，而以散文來抒情。」主張「現代詩根本否定了文字的音樂性，無論其爲韻文或散文的。」⑦這種觀念和主張雖不像「六大信條」那樣富有論點的統攝性，但其破壞性也是不能低估的。高準批評道：

「既然他們的詩只表現『一個情調，一個心象，一個直覺，或一個夢幻』，根本排斥任何『完整統一的觀念』，那末，又如何能『以詩來思想』呢？又有什麼『知性』可言？這種魯莽滅裂的矛盾，現代派的詩人們始終難以自解。而以往的詩也並不只可抒情，同樣也可表達思想；以往的散文也不只可以表達思想，同樣也可以抒情。這都是最基本的常識了，但由於現代主義的盲從者們之根本不知思想爲何物，又不知詩之本質必然是抒情的。以致竟也始終不悟其論點之缺乏基本常識。至於文字之具有音樂性，乃是客觀之事實，又如何能主觀地否定得了呢？」⑧

詩人的批評入情入理，卻不劍拔弩張，冷潮熱諷。而以明晰的語言、無可辯論的邏輯力量讓人首肯他的論點的正確性。

2. 對超現實虛無派的批判

何謂「超現實虛無派」？高準有一解釋：「（台灣的）超現實虛無派不僅指盛行於兩次世界大戰之間的西方超現實主義的抄襲者，實是承受了超現實主義、達達主義、存在主義、虛無主義等西方現代頹廢思想之膿血的總皮囊，又復加以似懂非懂的語言能力，與變本加厲的狂妄心態而成。」⑨

高準對此現象有一段十分生動的描述：「自現代派之謬論倡發以後，配合了盲目崇外心理之盛行，又適逢西方資本主義工業文明弊竇百出下的頹廢、虛無、反理性、反道德之思想的横決，臺灣的詩壇遂頓然像有一種腐蝕土壤的細菌蔓衍着；很快地造成了一種河堤決口的現象。一道濁流洶洶地衝了出來，幾乎淹沒了所有詩的苗田，不久之後，甚至把首倡現代派以引導其發展的那條『揮着手杖銜着烟斗的魚』，也衝得遍體鱗傷，後悔不已。」⑩可見始發於一九五九年，一九六一年後泛濫於臺灣文壇，前後計十餘年的超現實虛無派的危害之大。詩人不無憤慨、痛心地說：「在這一濁流的肆虐下，歷史悠久的中華詩國，竟幾乎成了莠草遍野的荒原。不但阻絕了全國（除了該派作者自己）的人民對新詩的親近，更阻絕了無數富於純正抒情詩才的青年的創作之途。這一曾經誕生過屈原、陶潛、李白、杜甫的偉大的詩之民族，其詩之傳統，遂竟被一群只知拾西方唯慾思潮之餘唾而數典忘祖之徒所褻瀆；其詩之創造，乃竟被一群以摧殘漢語爲己任者所沾污。」⑪

從實質看，從思想上清算超現實虛無派尤爲重要。他在思想上對詩人（尤其是青年詩人）自身的蝕害和對讀者的蝕害是不能寬恕的。高準將其歸結爲四大弊害：

第一，人生觀根本錯誤。「虛無，悲觀，反理性或無道德感」（洛夫語）⑫是其根本思想，從而否認人們對眞、善、美的追求，認爲西方人幹了些什麼，「我們現在就可以照單全收過來」，認爲「凡是中國歷代文學家所創造建設及信奉的，就都要排斥而撕毀」，認爲中國的現代詩不僅「與古詩不發生連鎖關係，甚至與五四時代的白話詩也是貌合神離」，認爲「純粹的詩已非文學」。這是典型的民族虛無主義，社會、文學若依此論而行，後果何堪設想！

第二，價值取向與判斷力根本錯誤。即認爲西洋的都是好的，中國的都無可取處，其價值取向可想而知。超現實虛無派所接受的是西洋的文化糟粕和病態文化，諸如達達主義、超現實主義等。

第三，「學問空疏而予智自雄，蠱惑青年」。

第四，風格矯揉虛僞、文詞晦澀、內容空洞。作者思想的空洞虛無和作品內容的空洞虛無是相對應的。高準選取超現實主義的主將洛夫的《石室之死亡》（第五十八首）、周鼎的《DADA》、碧果的《碧果作品》詩爲例，逐一剖析，不能不說是切中要害的。我們看看由現代抒情詩派進入超現實派的瘂弦在一九七二年擔任「中國青年寫作協會」總幹事時，在會議上發表的《我們的話》的『自省』文字，即可知超現實虛無派的理論和實踐對文學和詩人自身的戕害是何等的觸目驚心！瘂弦說：『我們要爲七十年代的文藝感到發自內心的悲憤！……存在主義的蒼白，個人主義的羸弱，文學已經萎縮到「性」和「暴力」的泥淖，就像是抽着大麻烟的嬉皮，洋洋得意地欣賞着自己的肚臍，就這樣愚騃而又任性地把文學拖進了污染的窘境。』」⑬瘂弦的認識是深刻的，但他並沒能從根本上與之決裂，後來仍重蹈覆轍。

四、高準對現代派批判的重要思想成果

像另一批判現代派的猛將唐文標所說：「今日的新詩，已遺毒太多了，它傳染到文學的各形式，甚至將臭氣閉塞青年作家的毛孔。我們一定要戳破其僞善的面目，宣稱它的死亡，而希望中國年輕一代的作家，能踏過其屍體前進。」⑭高準總結了現代派的八大弊病，無異於對現代派文學的死刑宣告：

1.拖沓堆砌，結構散漫；2.叫囂吶喊，流爲口號；3.摧毀韻律，詰屈聱牙；4.排斥抒情，毀棄性靈；5.蹂躪漢語，曖昧晦澀；6.割絕傳統，喪心病狂；7.揉矯做作，頹廢虛無；8.

摒絕社會，痲木不仁。

同時，高準針對八項弊病提出了關於詩的八點主張：

1.詞義清新，不作漢語之罪人。此針對弊病第五款。他認為無論「寫詩作文，都應盡量選用清新正確的詞匯……表意既正確而又清超不俗乃可謂之清新。」

2.情意眞摯，不作浮濫之吶喊。

3.結構精粹，不以散漫為自由。

4.韻律諧調，不失聽覺之優美。

5.境界高遠，不作頹廢之虛無。「所謂境界高遠，就是一方面要以眞、善、美、義、仁、愛等高尚的人生境界為理想，一方面要以雅潤、清麗、精約、壯健、雄深、秀美、沉鬱、曠逸、空靈、蘊藉、纏綿、豪邁等優美的文學境界為指歸。」

6.加強地吸收傳統精華，繼承廣大民族的歷史命脈。此針對弊病第六款。

7.深切地關注社會現實，堅決在中國的土地裏紮根。此針對弊病第八款。認為「只有深切地關注社會現實的文學，是最有血有肉的文學，只有堅決在中國土裏紮根的文學，是眞有生命的中國文學」。

8.熱烈地發揮抒情精神，徹底清除「超現實」之迷妄。此針對弊病第四款。認為抒情是詩的本質，只有發揮抒情精神，才能使詩成爲激動國民心靈的暖流，使詩教灌溉全民族的心田。

高準認爲，前五點是作詩的基本準則，後三點則是作好詩的三項方針。⑱

高準對現代派詩歌八大弊病的歸納和由此而提出的八點主張是批判現代派的重要思想成果。從對現代派的批判中，高準比較全面地反映了自己的詩歌創作思想和詩歌美學思想，儘管這些思想還沒有上升到系統的詩歌創作理論和詩歌美學理論的角度加以論述，但已不僅僅是片言隻語，信口說及的詩歌創作觀點和詩歌美學觀點。這一立論我們可以從他的豐富的創作實踐中得到的印證；在他的另一些詩論中，如《中國大陸新詩評析》及他創辦主編的《詩潮》詩刊卷首的《詩潮的方向》等等中，也可得到印證。

高準之所以在臺灣七〇年代的新詩回歸浪潮和青年詩人運動中，「都發揮了重要作用，有着一定位置」⑯；之所以自一九七二年「高信疆、唐文標、關傑明揭開了以反省和檢點臺灣現代詩爲焦點的『現代批判』（後），高準一直是『現代詩論戰』重要旗手」⑰，是與他自身的這些詩學思想分不開的。他的這些批判和主張，對今日大陸文壇也有重要的意義。因此高準呼喚「眞有生命的中國文學」，反對文學割裂傳統和脫離人民，反對頹廢虛無和「全盤西化」的思想實爲今日最有生命力的思想。

當然，高準對現代派的批判也有缺憾：其一，他的批判主要針對詩壇的現代派，而未能拓寬一步進入小說和別的文學形式，這使對臺灣文學不甚熟悉的讀者很難從整體上把握臺灣現代派對整個臺灣文壇的影響程度。實際上小說中的現代派思潮，在臺灣仍然具有強大勢力；其二，他批判沒能對臺灣現代派的歷史作用及其在藝術上的可借鑒處給予足夠的重視，這樣就成了單純的否定。

（原編按：本文責任編輯　范忠信）

注釋：

①②高準：《高準詩集》，第十二頁，第十三頁，台北文史哲出版社，一九八六年版。

③彭紹周：《高準其人其事》引自高準《文學與社會》第三八七頁。

④⑤⑥⑦⑧⑨⑩⑪⑫⑬引自高準《文學與社會》，第六六頁，第二九九頁，第六三頁，第六七頁，第八二頁，第八二頁，第八三頁，第九四—九五頁，第九一頁。台北文史哲出版社，一九八七年版。

⑭⑮唐文標：《天國不是我們的》第一四四頁。

⑯古繼堂：《台灣新詩發展史》，第三七二頁，人民文學出版社一九八九年版。

⑰陳映眞：《不怕寂寞的獨行者高準》，引自高準《文學與社會》第四頁。

⑱高準：《文學與社會》第一一四頁。

（《台灣研究》，一九九〇年一期，社科院台灣研究所，北京）

本書編按：原文註⑮之相關文字未見，或爲原刊物編者所節略。

論台灣詩人高準的詩學觀

鄒建軍

台灣著名詩人高準（一九三八—），字正之，祖籍江蘇金山。曾任中國文化學院講師，副教授、教授，美國柏克萊加州大學研究員等。主持《詩潮》詩刊多年。一九八八年曾共同發起「中國統一聯盟」幷出任首屆執行委員。現任詩潮詩社社長，中國文化大學中文系文藝組教授。他于一九六一及一九七一年先後獲中國青年寫作協會及中國新詩學會詩獎。一九七二—七三年曾發表對台灣現代主義詩的長篇批判，提出新詩的「新八不主義」，爲當時新詩大論戰中的主要旗手。他一九七七年創辦《詩潮》詩刊，揭櫫「發揚民族精神」、「把握抒情本質」、「建立民主心態」、「關心社會民生」、「注重表達技巧」等旨趣。一九八一年受中國作家協會邀請，先後游歷長城、泰山、三峽等名勝，爲台灣作家公開訪問大陸又能回台第一人，親身實踐地開拓了海峽兩岸溝通的道路。高準著有詩集《高準詩集》、《葵心集》，散文集《山河紀行》，專著《反專制主義大師黃梨洲》、《中國繪畫史導論》，詩論專集則主要有《文學與社會》、《中國大陸新詩評析（一九一六—一九七九）》和《詳註中國古今名詩三百首》等。高準的詩及詩論，以其人格情操的峻潔，立論的高遠和技巧的精湛，在海內外產生了廣泛的影響。任何一個詩人，其詩之所以孤標獨秀，都與其有獨具的詩學觀念有關，何況高準這樣一位富有思想的詩人和詩論家？那他的詩歌美學思想體現在哪裡，他有哪些重要的詩學主張呢？

㈠詩的根本目的．詩人的自由．詩的偉大性與社會性

高準是現實主義詩人，對詩的社會功能和詩人的社會責任，他是相當强調且一貫堅持的。他十分關懷台灣的社會現實，一九七一年十月，《大學雜誌》十五名青年學人聯名發表《國是諍言》，高準參與著作，其中「立法的健全」，「監察與諫察」，「學術自由之必要」，「開放對大陸研究之必要」，「門戶開放之必要」均由其執筆。《論台灣的社會矛盾及其解決之道》、《略論台灣人口問題》都是其精心之作。《台灣對中國前途所處的角色與使命》，《對中國歷史與前途的幾點體察》等論文，力主海峽兩岸的交流，最終求得和平統一。由此看來，他對詩的社會性的論述就順理成章了。

詩（乃至文學）的根本目的是什麼？「要以既優美卓越又能普遍傳達的文筆來發揚人性、淨化人心，從反映現實以求現實的改進，從抒發感情的求感情的昇華，從表達人民的眞正

願望以求願望的合理實現，從表現人生的眞實面貌以求人生的走向光明。」①在高準看來，這既是詩之所以存在的根本原因，也是詩人的社會責任。這顯然是積極入世、干預生活的詩學主張。發揚人性、淨化人心，改進現實，昇華情感，表達人民的合理願望，引導人生走向光明，這是與西方批判現實主義文學，與中國傳統文學的爲時爲事的精神一脈相承的，並且在新的時代條件下有所發展。他反對那些爲藝術而藝術的詩學觀，他也反對將詩的目的和功能局限於批判的單一狹窄的詩觀。他認爲詩的根本目的是以表現人生爲中心，以促進社會進步爲指針。所謂詩人，就一定要負起這歷史的使命，否則根本不能算是詩人。那些故作晦澀、蔑視廣大讀者、摧殘文法、玩弄形式，不求發揚人性、淨化人心，反而互相標榜的作家，逃避了應負的道德義務，是文壇的耻辱。實在也是，你不能表現人生以提高人生境界，反映社會以引導社會進步，你的作品又有什麼發表與存在的價值呢?所以，詩人「應以其作品昇華宣導自我的情緒而使他人之情緒亦得藉的昇華宣導，使人類的感情能有所寄託。」②在高準這裡，詩反映現實並非一句空話，也並不只是一個概念，他是要求詩人的個體的表現來達到促進社會進化的目的。社會是由人組成的，人的思想、情感、心理、理想，是詩服務於社會的有血有肉的中間環節。詩主要是豐富人類的精神、情感和思想寶庫。這種既堅實又高瞻遠矚的詩觀，是充分地考慮到了詩歌藝術反映生活的特殊規律的。

詩人要負起社會責任與歷史使命，就必須要有表達的自由。他指出，「必須要有表達他對於其時代與社會的感受的自由與責任感；必須要有表達他對於其同胞與國家的關切的自由與責任感；也必須要有表達他對於人類的前途與合作的觀感的自由。」③不論「自由」的政治色彩如何，照馬克思主義的觀點，人類社會經過幾個階段，逐步走向「自由王國」，人類社會史也就是一部追求自由的歷史。拿詩人來說，只有當具有充分表達自由的時候，才能寫出眞誠的詩，也才是眞正的詩。在高準看來，歌頌和暴露的自由都是需要的，在某種意義上說，暴露的自由尤其重要。他認爲國家和社會根本不需怕詩人的「揭短」。如果固有的社會秩序是合理而良好的，詩人基於社會良心和對詩的根本目的的認識，不可能去危害它。如果固有的社會秩序是不合理而弊病叢生的，那詩人正應以良心去應用其筆來攻擊它，摧毀它才是對社會的貢獻。一片歌舞昇平是極不正常的詩歌現象，「只有極度腐敗的社會才會沒有人去表現社會的問題，而紛紛逃避現實；只有極度墮落的社會才會沒有人敢不歌功頌德；只有極權控制下的社會才會沒有人敢表現政治與社會的黑暗面」。在我們的社會主義社會裡，特別是黨的十一屆三中全會以後的十餘年，諷刺文學和暴露文學佔了很大的比重，這恰好說明我們的社會是健康的、正常的。新時期十年的詩歌之所以取得了巨大的成就，正在於黨在總體上實行了雙百方針，廣大詩人有了充分的表現自由。詩人有贊頌的自由，也更有揭露的自由，所以切實地擔負起了歷史的使命和社會的責任，都在爲社會主義的物質與精神文明建設而努力寫作。

詩的偉大性與詩的社會性是同命運的。高準說：「沒有一部偉大的文學作品不是映現社會與人生的。反之，不能映現社會與人生的作品也勢必要喪失它的偉大性」。④在詩史上，歷來就有大詩與小詩之分。所謂大詩，即那種具有崇高美、壯美的境界的詩，那種具有命運感、歷史感和當代性的詩，那種能反映一個民族變遷歷史和國家變革規模的史詩。反之，則是小詩。但無論如何，偉大的詩都與詩的社會性同步。李白從少年時代的任俠好義，青年時代的仗劍浪游，壯年的得意與挫折，到悲慘黯淡的晚年，其詩描寫了他如何艱苦頑强地跋涉在漫長而曲折的生活道路上。李白是一個有著强烈的功名事業與拯物濟世的熱望的人，是一個熱愛祖國、關懷人民、不忘現實的詩人。高準指出，李白的詩，也正是紀錄了他艱辛的一生，以卓越的風格反映了時代與人民的心聲。相反，那些鑽進象牙塔中無病呻吟的人，還叫嚷「不朽」，簡直是扯住自己的頭髮叫著要離開地球。杜甫、屈原、陸游、蘇軾以及當代的艾青，其所以成爲偉大的詩人，都在乎他們首先是一位關懷民生，關心民族的人。詩中沒有人間烟火，沒有當時當地群衆的心脈的流動，他的詩怎麼可能成爲大詩？

在台灣現代主義詩風勁吹，歐化和洋化之火熊熊，許多詩人不屑於表現社會的背景下，高準詩的社會性的美學思想的提出，其意義不可低估。一九七二年三月《文學與社會》的發表，影響甚大。這是七十年代台灣文壇開始反省文學與社會、生活之間關係的最早文獻，相對於七十年代以前文學的天才論和個人主義、形式主義、心理主義背景，無疑是一桿亮麗的旗幟。它率先倡導詩人應關心社會、反映現實，以求現實之改進，對現代派詩風是有力的針砭。這爲台灣後來的「現實主義的、中國風格的、干涉生活的文學藝術，準備好了認識的條件」。⑤

㈡詩的傳統根性．詩與愛國．詩的民族性

陳映眞是台灣鄉土文學證論的一個重鎭，他曾談到高準的兩個「不可思議」。他說：「台灣現代主義顚峰時代的一九六〇－一九七〇年，高準從少年時期進入青年期。高準沒有在這個時期一窩蜂地跳入現代主義的潮流，是他的不可思議之一。而在創作上，他表現出他和中國新詩的抒情傳統的高度癒著，在台灣文學上著名的三十－四十年代傳統的斷層下，是高準的另一個不可思議吧。」⑥在這裡，陳映眞實在地揭示了獨特的高準與中國文學的民族性與抒情性的密切關係。正由於他有健全的體魄與靈魂，所以能免受全盤西化論的感染；正由於他比較注重中國固有的傳統，所以才的全副精神去認識傳統並發揚傳統。一九七三年爲《

詳註中國古今名詩三百首》寫的緒論《中國詩的偉大傳統》就具體揭示了中國詩的崇高之處。他之所以要窮數年之功來弄這部書，也許是想在那西風勁吹的背景下，擔當一個古今一線牽的角色。幾年之後，他又尋找各種機會（包括去美國、香港、澳大利亞和來大陸），研究大陸新詩，使他成了台灣極少數超過了「傳統的斷層」，在認識上、閱讀上和具體創作上熟悉整個五四運動以來中國新詩傳統的詩人。在國外研究的便利，也使他得以親炙一九四九年以後的中國大陸新詩的發展，這結果，即是厚達七百頁的《中國大陸新詩評析（一九一六—一九七九）》。在這裡，他幾乎沒有採納趙天儀「充實世界現代詩學原理的運用」的建議，而是用中國傳統的詩美觀來觀照新詩。為何如此？他說：「本書在詩藝方面的評論角度，正是希望避免現代西洋理論的滲透，而試圖純就中國傳統詩學與詩教的觀點來審驗新詩，以檢視有哪些是可以繼承中國詩的偉大傳統的。」⑦即是說，他還是以繼承與發揚詩的傳統出發的。高準在批判現代派時，一是尖銳地批判其虛妄的無病呻吟；再就是猛烈地批判其割斷傳統的西化觀念。高準遊歷過許多國家和地區，「深刻地感受到如果沒有民族主義，就永遠只能做人家的附庸。而民族主義主要是要表現在文化上。」⑧高準倡導民族傳統，有它闊大而深刻的時代文化背景。事實也的確如此。像中國這樣一個具有五千年文化文明的古國，如果自我採取虛無主義態度，像《河殤》那樣全盤否定文化的傳統，那中華民族怎樣立足世界民族之林呢?拿詩歌來說,那些一點沒有民族傳統氣息的移植之花,有的雖有一時之影響,但一般來說很難傳之久遠。余光中的詩,傳誦人口的多數是中後期具有民謠風和傳統味的詩。傳統正如瘂弦所斷,正是河川的上游與下游。

高準在台灣是高舉詩的愛國主義旗幟的重要詩人。他評聞一多的詩,多引其《憶菊》等愛國詩,並稱「聞一多,他可說是一個具有我國傳統關心國是的情懷的知識分子的典型」。⑨他對台灣當局長期禁止聞著相當反感。其實每一個具有正義感的人都莫不反感。聞一多寫於二十年代的詩多係純正的愛國詩,實爲二十年代中國民族詩風的代表。這種詩有什麼禁止的必要呢?在中國,因人廢言的實事實在太多了,每個人都清楚這是很蠢的事,但很少有人有勇氣指出來。高準還稱揚徐志摩《五老峰》,原因即在乎它讚頌了祖國河山的偉大壯麗。高準是具有漢文化血統的華夏民族的子孫,他是台灣作家中第一個訪游大陸的詩人,並爲此寫了長篇散文體游記《山河紀行》。當時,有人勸他考慮會不會因訪大陸而遭禍時,他莊嚴地說:「我是中國人,中國本來就是我的,我不承認任何人有權阻擋我踏遍我自己的國土。」⑩他心目中的祖國不是囿于某個政治概念的範疇,或抽象的思想概念,而是具體的河山,是文化的全體。陳映眞說:「他一直是一個熱情而始終如一的愛國主義者。」⑪他熱愛祖國,關心祖國的前途的情懷,洋溢在他的詩創作和理論、評論文章之中。其執著、熱情的程度，又是四十年代末期以來國土分裂，歐美價値體系和冷戰心智强大影響大的台灣文壇中所不多見的。所以，胡秋原在《中國大陸新詩評析（一九一六—一九七九）》序中，說高準的選詩標準中的政治標準是「人道主義、愛國主義與民主主義的方向」。⑫所以高準這樣說：「詩人及一切文藝家的職分就是要以他的詩心劍膽以與人民相激勵，爲民族奏雄歌。」⑬

在台灣七十年代以降的台灣文壇，有所謂鄉土文學的回歸。高準在鄉土文學論戰中，强調了鄉土文學的愛國性。他指出，鄉土文學的發展是必然的趨勢，但不能不注意有時也可能會流入另一種岐途，那就是過分發展了地域性，而助長了一種具有排斥心態的狹猛的地域主義的心態。甚至于被一些政客野心家所利用而成爲台獨思想的工具。他以爲全體中國作家都應進一步認清：「只有整個中國才是我們的故鄉，整個中國的歷史與土壤，才是我們的鄉土」⑭。所以，鄉土文學「只應該成爲重振民族雄風與愛國文學的先鋒隊」，才能成爲中國現代的主流，才能有眞正代表時代的作品。高準對那些妄稱「鄉土文學」爲「工農兵文藝」的人十分不滿，他說：「工農大眾與勞苦的戰士，都絕不應該受到排斥與冷落。」⑮關心鄉土，實際也就是關心自己的民族與國家，那麼，「鄉土的文學或民族的文學，當然對大多數人的農民工人以及每個成年男子都可能去當的兵士，也應該關心」，應該在寫作的領域內得到廣泛的反映。有些人倒不是眞正反對寫大眾，而是別有用心，那就另當別論了。

鄉土文學當然是對的，然而鄉土文學要有光明的前途，應把握什麼要點呢？高準指出：「它光明的前途在於與民族精神相結合，與民生精神相結合，並且也要與民權精神相結合。它需要從對區域的關懷擴展而達到對整個國家民族的關懷，它需要關懷工農與戰士，也需要關懷一切的芸芸衆生，它也不能只局限於現實主義的範疇，而也必須與浪漫主義的優點相給合。」⑯在與鄉土文學論戰中別一派別的論爭中，高準的民族觀、社會觀和傳統觀集中地結合在一起了，它們已作爲一種信念而活躍在高準的思想中，發展在其人生歷程中。他的一舉一動，一言一行，幾乎都是其詩神的體現了。正如他自己所說：「對強調『縱的繼承』的要求，對『韻律』的肯定，對『新舊和諧』的重視，及對『祖國』的尊仰，始終成爲我歷年的信念，而且後來更日漸地增强著」。⑰

㈢詩的抒情：眞、善、美的和諧統一

詩的抒情本質應是詩的最基本的命題，中國本來是具有抒情的傳統的國度。相對西方來說，敍事詩在中國並沒有得到充分的發展。所以，中國的不少著名詩論家都對抒情的詩本質特徵作過認眞研究與概括。像當代的何其芳、覃子豪、呂進等的詩歌概念，都充分地考慮了詩的抒情本質。但有的人並不注重且反對詩的抒情。六〇—七〇年代的台灣詩壇，現代派就力主知性，而放逐詩的抒情。並且將知性與感性對立起來。高準，這個繼承了中國抒情傳統的詩人，怎麼也不相信現代派的主旨，他說：「今日的中國詩人，承其抒情之長流而匯以西洋之精萃，或還不失爲一條可走的大路。我懷疑那些只管移植而不顧根源的農夫們會否有一次眞正的豐收」。⑱現代派的某些詩人正是放逐了詩的抒情而走向了詩的死胡同，晦澀難懂，意象堆砌，毫無內涵，亦無美感。可見高準的懷疑具有眞理的預測性。爲什麼現代派的一些詩人只講主知而不講抒情呢？高準說關鍵是他們不知思想爲何物。其詩只表現一個情調，一個心象，一個直覺，或一個夢幻，根本排斥任何完整統一的觀念，又如何以詩來思想呢？又哪裡有眞思想可言呢？「實際上，以往的詩並不只可抒情，同樣也可以表達思想；以往的散文也並不只可表達思想，同樣也可以抒情」。抒情是詩的本質，放逐或排斥了抒情，也就放逐或排斥了詩。所以，高準主張良好的現代詩一方面要暢達地運用現代語言，講求現代技巧，一方面也力維詩之抒情本質而對中國歷代文學傳統中的精華有所承續。這實在是對現代派詩的有力針砭，也指出新詩的光明之路。

可以說，高準是現代派風潮中高舉詩的抒情旗幟逆風而行的少數詩人之一。一九七二年撰寫的《論中國現代詩的流變與前途方向》，全面檢討了現代詩的八項弊病，其中第二項即是「排斥抒情，毀棄性靈」。高準嚴正指出：「抒情爲詩之根本性質，亦惟有以抒情爲本，才能使詩成爲昇華人類感情、培養優美性靈的瓌寶而具有其存在之重大價値。自現代派排斥抒情，造成錯誤發展，至於超現實派，逐至變本加厲地毀棄性靈，至於成了發揚唯慾墮落思想的工具。」⑲一九七七年五月《詩潮》創刊號卷首《詩潮的方向》第二條即是「是把握抒情本質，以求眞善美的決心，燃燒起眞誠熱烈的新生命。」他在此期的編輯報告中說，《詩潮》雜誌「要使詩走向正確的方向，號召長期以來自命超越現實而專拾西方世紀末之餘唾的詩人們引發起眞摯的熱情而與民族的命運相結合，也要使純潔的眞正的詩的種子在群眾中發芽茁長，而使它的花朵從社會各角度中綻放起來。」⑳可見高準是從發展詩運命的目的，從振興民族文化的角度，針對現代派的主知而舉起詩的抒情的旗幟的，因而這個主張極具號召力，也產生了廣泛而深遠的影響。

行動當然是跟著思想走的。高準著《中國大陸新詩評析（一九一六—一九七九）》所憑依的藝術批評標准，即是謝赫的「氣韻生動」。何謂「氣韻生動」？「氣韻生動是一切生命生長、充實、順暢、眞純、圓滿、光輝、動進之象，此所以爲美」。㉑所有這一切如果沒有情的浸潤，都無從說起；詩無從來氣來韻，不會生動，更不用說圓滿了。高準這樣評說何其芳的《秋天》等抒情短詩：「以一稱高貴的自由情操，表達出優美的抒情詩句，眞摯清麗，簡潔明暢，是繼承了中國舊詩詞中良好抒情傳統的新鮮靈活的創造。」他對瘂弦「前期甜美而富有磁性又帶著民謠風的歌聲」十分稱揚，說瘂弦本質上是一個抒情詩人。高準對從現代抒情派進入超現實派以後的瘂弦，就不必爲然了。高準，這當代台灣著名的主情詩人與詩論家，對那種詩情眞摯，形式自然而雋永的詩是永遠懷著摯愛的。他在談到光未然《黃河大合唱》中《河邊對口曲》，談到徐志摩的《這是一個懦怯的世界》、《五老峰》，聞一多的《憶菊》、《祈禱》，駱耕野的《不滿》等詩時，都欣然怡然。

他自己的創作正是基於對詩的抒情本質的掌握而取得了顯著的成功。其詩，一面得力於傳統的民族意識，如《白燭詠》等；一面得力愛國愛鄉土之感，如《中國萬歲交響曲》。陳映眞認爲，高詩是台灣極少數優秀的秉承並且發揚了中國抒情新詩傳統的詩人之一。「他的語言清晰，充滿了濃郁的情感。他的漢語準確、豐美，並且表現出中國新詩在韻律和音樂上的遼闊的可能性。」㉒這正是道出了高詩的本質之處，他的詩正是優美感人的抒情詩。在台灣，比楊喚、覃子豪、鄭愁予和瘂弦遠遠年輕的高準，在抒情詩創作上的成績，的確是極爲獨特的。「而在與他同輩的文學家中，高準幾乎是沒有匹敵的，唯一的存在。」㉓

在高準的詩論生涯中，產生了許多集中的詩學思想成果。這很不好分開來講，那就讓我們變換一個角度來透視一番。

㈠新八不主義的提出：

即以尖銳的刺刀剖出現代詩的八大弊病，又提出自己的八點正面主張。一九七二年撰寫的長文《論中國現代詩的流變與前途方向》，指出現代詩的毛病是（其中第一、二兩項主要指所謂戰鬪派的詩，其他六項主要指現代主義派的詩）：⑴拖踏堆砌，結構散漫；⑵叫囂吶喊，流爲口號；⑶摧毁韻律，詰屈聱牙；⑷排斥抒情，毁棄性靈；⑸蹂躪漢語，曖昧晦澀；⑹割絕傳統，喪心病狂；⑺矯糅做作，頹廢虛無；⑻摒絕社會，痲木不仁。這是二十年前的評論，我看他是從批判的角度去看的，否定當然就會多一點。這如作爲對現代詩的整體估價，當然並不科學，但對現代派總體上的毛病，是抓到了，有的具體提法還可以商榷。七年以後的一九七九年，在美國愛荷華大學講話時的評論就更準確些了。他說，現代派強調橫的移植，事實上就是一種主張全盤西化、排斥民族精神與民族風格而盲目反傳統的心態；現代派對主知的強調，事實上就是排斥詩的抒情的本質，排斥健康的積極浪漫主義的精神，造成一種頹廢的專做字句花樣變化的文字遊戲的狀況；現代派強調詩的純粹性，事實上就是要使詩人摒棄對社會的關懷、排斥現實主義的精神而進入一種所謂超現實的晦澀虛無狀態。這就著力於批判現代派的詩學主張，而不再計較於其作品的具體得失了。

高準的著重點在於提出正面的主張，即新八不主義。即是：⑴詞義清新，不作漢語之罪人；⑵情意眞摯，不作浮濫之吶喊；⑶結構精粹，不以散漫爲自由；⑷韻律諧調，不失聽覺之優美；⑸境界高遠，不作頹廢之虛無；⑹加强地吸收傳統精華，繼承光大民族的歷史命脈；⑺深切地關注社會現，堅決在中國的土地上扎根；⑻熱烈地發揮抒情精神；徹底清除「超現實」之迷妄。在這裡，前五項可以看做作詩的五項準則，後三項是鑒別詩之高下的方針。這當然是與批判現代派的毛病聯系在一起的，是正面的建設性意見。這些卓見，反映了一個富有民族情感的愛國詩人的現實主義態度，以及系統的詩歌美學思想。它和紀弦的六大信條，覃子豪的六項主張一樣，都具有不可低估的參考與研究價值。

㈡《詩潮》的六大方向：

在高準全面系統地批判現代派後五年的一九七七年，他更明確感覺到更進一步起而行的必要，而親自創辦《詩潮》詩刊。他首先爲其規劃了六大方向，即：⑴要發揚民族精神，創造爲廣大同胞所喜聞樂見的民族風格和民族形式；⑵要把握抒情本質，以求眞求善求美的決心，燃燒起眞誠熱烈的新生命。⑶要建立民主心態，在以普及爲原則的基礎上去提高，以提高爲目標的方向上去普及。⑷要關心社會民生，以積極的浪漫主義和批判的現實主義，意氣風發地寫出民衆的呼聲。⑸要注重表達技巧，須知一件沒有藝術性的作品，思想性再高也是沒有用的。⑹要重視形象思維，形象思維的實踐與否，是檢驗詩之藝術性的主要標準。在這裡，高準推出的民族的、抒情的、民主的、社會的、藝術的五項並重的詩學方針，是他以前所有詩觀的一個結合、昇華。從中我們可以看出他吸收了不少進步的文藝觀的養料，又根據台灣社會的特殊狀態作了調適的再思，充滿一種辨證的科學精神。這作爲《詩潮》的辦刊指針，在當時的台灣詩壇具有很大的震撼力。《詩潮》一出，引起一場規模不少的風波，正直者讚佩高準的眼力和勇氣，個別現代派理論家或政客則即刻組織圍攻與批判。但經過深思熟慮，以膽魄支撐的旗幟，是很難推倒的。高準這個《詩潮》及其詩學旗幟，對台灣鄉土詩的建設和民族詩風的回歸起了重要作用。一九七九年九月，高準應邀出席美國愛荷華大學「中國文學創作前途」座談會，提出了對大陸詩壇和台灣詩壇的忠告各三項。在現在來看，這些告誡並不具有太深的理論性，但和當的詩壇形勢相聯系，高準的忠告是具有現實針對性和歷史預見性的。他對大陸詩歌前途的展望是：⑴要堅決破除教條主義，解放思想；⑵要從形象思維出發，確認形象思維的實踐與否，是檢驗詩之藝術性的主要標準；⑶要發揚不滿精神，促進民主，反映人民眞正的心聲。當時正值中共十一屆三中全會以後的第二年，破除迷信，解放思想，正是當時全國掀起的思想解放運動的主要內容；形象思維則是毛澤東致陳毅談詩的形象思維規律發表後，文藝界引起廣泛爭論的問題；所謂不滿精神，是由一九七九年五月號《詩刊》發表駱耕野的抒情長詩《不滿》而提出的，是當時人民的普遍心態。表面看來，高準這些主張似乎都有所本，但局外人的見解，似乎更值得我們重視。

高準對台灣詩壇的三點展望是：⑴要發揚民族精神，創造民族風格，不能再走全盤西化的死路；⑵要掌握抒情的本質，要追求崇高的境界，不能以「主智」為理由排斥抒情，使詩成為空洞的文字遊戲，以至於「無感不覺」，根本不成為詩；⑶要建立民主心態，關心社會民生，要從生活出發，不能自命孤高，自絕於廣大的人民，否則，廣大的讀者就必然要拋棄你的作品。高準的這些忠告自然是針對現代派的，但由於現代主義在台灣的長期局面，實則也是針對當時整個台灣詩壇以至文壇的。

高準作為當代台灣詩壇上新詩論戰的主要旗手，作為少有的傑出抒情詩人，作為第一個訪大陸的台灣詩人，他的這些詩歌美學思想是極為獨特的，值得廣泛借鑒和深入研討。可以說，高準的詩歌美學思想是以社會民生、抒情本質和民族傳統為基本而創建的，是在深入批判台灣現代派思潮的基礎上提出來的，是在把台灣詩歌放在整個中國乃至世界文化的歷史背景上來考察並逐漸豐富完善起來的。他的每項主張都有其歷史文化背景和理論淵源關係，以及現實的針對性，所以他的詩歌思想才那麼富有光澤。我們總結與研究它，是很必要的。

（一九九一年七月撰於武昌讀書院）

附註

①②③④⑤⑥⑧⑨⑩⑪⑬⑭⑮⑯⑱⑲⑳㉒㉓高準《文學與社會》，第二六，第一〇—一一，第二四，第二一，第三八七，第三，第一一，第三九，第三八二—三八三，第五—六，第二六三，第二八八，第二九〇，第二九二，第九〇，第一〇七，第二一七，第二，第三七一頁，台北文史哲出版社一九八六年十月版。

⑦⑫高準《中國大陸新詩評析（一九一六—一九七九）》，第六九〇，第九頁，台北文史哲出版社一九八八年九月版。

㉑胡秋原《〈中國大陸新詩評析〉序》，高準前引書，第十頁。

⑰高準《高準詩集》，第一二頁，台北文史哲出版社一九八六年版。

中國美術史之重建

——推介高水準的《中國繪畫史導論》

楚　戈

中國古畫討論會（五十九年七月）在故宮博物院舉行以後，藝壇人士私底下表示不滿者大有人在，這些「閒話」歸納起來不外兩點：

㈠認爲邀請出席參加開會人員有欠週到。

㈡國內無論文提出使藝壇大失面子。

關於第一點多少涉及個人得失，這是任何類似的會議難以避免的事情，可以不必深論。關於第二點個人認爲倒是一件好事：一方面我們可以借此機會瞭解一下世界性的中國古畫問題專家們大致上在搞些什麼？另一方面也可以給國內的美術界帶來一點刺激，學問如逆水行舟，不進則退，光說閒話是沒有用的，看看二十年來的寶貴光陰在閒話中過去是什麼滋味。

檢討一下，二十年來的生聚教訓，我們的美術界到底作了一些什麼呢？當然把畫家單純結合的「群會」晉級爲各種「學會」也算是一種成就，但連帶的在學會的名義下，是否名實相符應建立起學術的地位呢？而美術研究上的學術地位不是一塊招牌就可建立得起來的。我們有一本完整的中國美術史嗎？或者有一本像樣的中國繪畫史嗎？三十年前鄭昶編的一本錯誤百出的《中國畫學全史》，恐怕一直是教中國繪畫史的教授最主要的參考資料。這本書毫無考古學常識的抄錄了許多古代傳說上不可靠的資料，我們可以不必去管它，但談到中古的唐代也只是不加審定瞎抄舊籍就不可原諒了，比如說唐玄宗「在天寶年間忽思嘉陵江水，命吳道子、李思訓在長安大同殿壁上作嘉陸江三百餘里風光之勝，「李思訓數月之功，吳道子一日之迹，皆極其妙。」事實上李思訓卒於開元四年丙辰（西元七一六）離天寶元年（七四二）也有二十七年之久，請問一個死了二十多年的人怎可以和吳道子（？—一七九二）一起圖畫比賽呢？諸如此類的錯誤不勝枚舉，中國的「畫家」史不應該重建了嗎？尤其是受到古董討論會的刺激，教藝術史繪畫史的教授，一本雜湊的講義覆述了一二十年，不應該更換一下嗎？

事實怎樣呢？說閒話的依然在那裏說閒話，腳踏實地默默耕耘的恐怕仍然是那些原本具有熱忱的人。古畫討論以後，畏友葉泥索了一些討論會的資料時說了幾句話重心長的話：「現在我們不能再浪費時間和分散精力了，我們要分頭並進的老老實實的作點事情，凡我這些年來收集的資料而自己又暫時沒有時間搞的，我願無條件的貢獻給需要它的人，知道有人在作而作出了一點成績的事情x畯抗怞n就暫時別作，儘量選別人不願或不能作的工作來研究，幾年以後我們總會弄出一點成績出來的」。就這樣我除了自己本份的研究工作之外，以一年的時間完成了一本中國彫刻藝術史（在六十年文化復興月刊連載）初稿。今年原想用近代美學的觀點仍然在該刊把一本「中國繪畫史」繼續寫完的，但看到高準寄來的有關於中國繪畫史論文的抽印本知道有人在作這項工作，加上自己銅器的論文猶未完稿，便油然而萌了「退志」，所以今年六月便決定停筆，擬請高準接棒，有我給史物館高準收的限時信（未寄到而退回）爲證，因高準早已離職一時未能找到他，便另請了中國繪畫之研究强我甚多的同事沈以正和余城二君爲該刊「接力」下去。

終於看到高準的新著《中國繪畫史導論》了（也正想買一本寄給好友葉泥），我的喜悅之情是可以想見的。

今天作學問比起從前不知道要方便多少，前人的紀錄與討論等於舖好了一條路基，近代考古學的發達又爲我們提供了選擇材料的依據，世界交通頻繁，時空距離縮短，別的地方學術上的新發現，很快就可傳播到其他的地方，在這樣的情形下，若再整理不出一些有份量的藝術著作，實在是有點說不過去的。

高準的新著《中國繪畫史導論》一如莊尙嚴先生在手書序文中所說：皆發前人所未發之

創論。全書共分六節，第一章「中國繪畫的歷史分期與流派分劃」，援引了許多現代美術用語，把四千年以來的中國繪畫依其形式分爲圖案畫時代，人物畫時代與山水畫時代，大致上是不錯的，不過其演變的過程與客觀因素，也許受原來發表論文時刊物編幅的限制而未加討論，另一方面也許怕落入一般編美術史者分期的窠臼如什麼「禮教時期」「勃古時期」等等而故意避而不論也未可知，在此三個時期中，他也依現象作了一些扼要的簡述，如：「降至隋唐，……風氣又爲之一變。人物畫仍爲畫壇主角……而山水畫與花鳥畫也於此時先後發展成流，可謂人物畫極盛，山水畫漸興，花鳥畫發軔之時代」，繼簡單的分期之後，在第二節的「中國繪畫的流派分劃」中最見功力與才氣。

與一般的美術史家相反，高準對時代共同風格之變遷大勢雖然未加深究，只依現象作綱領式的提示，但在流派之分劃上一般人只能依師承風格的表面現象作統計學上的敍述，他卻有較深刻的觀察，對畫派的產生他認爲是這樣的：

「同一時代，固有其共同風格在，而又必由於藝術家之階級、性格、思想、感情傾向等因素而造成個別風格，尤其是當一種文化藝術已相當發達之後」，又由「上列因素相近的藝術家乃往往有相近的風格之出現」，不同的畫派於焉產生。然而，「當主觀主義的思想瀰漫之際，則不復有時代之共同風格，而僅有各家之個別風格之存在。」個別風格產生的原因，除了「階級、性格、思想、感情傾向」之外，還要加上「個人的特殊遭遇」，「每一畫派出現之後，代復一代仍有與其……等方面相近之藝術家繼續追隨，或模仿，或因襲、或增益，於是……乃有其流衍，貫穿時代而成爲流派。」藝術史家的責任，乃在將「前後相關者貫穿成流」，「風格相近者歸納成派」，這是構成「瞭解藝術史之全面」的條件。

高準把中國繪畫史自東晉顧愷之起分成十二個流派，我僅把這些派名稱列出來，也足以使人注目的了：㈠古典派（以顧愷之爲典型），㈡金碧派（以展子虔、二李爲典型），㈢神韻派（以吳道子爲典型），㈣宮廷派（以張萱爲典型），㈤唯美派（以黃荃、宋徽宗等爲代表），㈥寫實派（以韓幹、戴嵩等爲代表），㈦巨碑派（以荆、關、董、巨等爲主角），㈧抒情派（以李唐、馬、夏爲代表），㈨寫意派（以王維、米芾、梁楷等爲代表），㈩南宗派（以黃公望、董其昌等爲代表），⑾學院派（以周臣、唐寅爲代表），⑿表現派（以徐渭、八大、石濤爲代表）。

這本書較過去的中國美術史不同的是第㈠不是排列舊文獻，第㈡收集了一百廿七幀精美的圖片（彩色六幅），而圖片和文字互相配合，避免了紙上談兵之敝。第㈢用比較的觀點，把中國歷史上重要的畫家和西洋的畫家加以比擬。使中國藝術史和世界藝術史打成一片。

有了上述這些優點，故我樂於向讀者推荐這本二十年來中國繪畫史方面重要的著作。

（一九七二）

《中國繪畫史導論》評介

王哲雄

著者：高準
書名：中國繪畫史導論
版式頁數：二十四開二七七頁
出版地點：台北市
出版機構：新亞出版社
出版年代：六十一年八月

中國古來擢拔優秀人才，素以「才情並茂，品學兼優」爲最尊貴，在此文化理想中，儘管才高學博，而情不眞，品不潔，依然不能烈爲上乘之人才，爲社會各階層所珍視。觀乎歷代著名人物，不少來自農村，所以然者，實由於山明水秀的農村環境，使這輩人才早年即受田園山林的自然環境的陶冶，培育出文藝的情懷，使異日得以舒展其胸襟理趣之時，可以充滿藝術創造的想像，令才學之發揮若有取之無竭之勢。吾人徵之近代的工商社會，成功的科學家和創業者，亦泰半來自鄉閭，其創造力多由早年所受文藝薰陶之影響，足見時態可遷，而此理不易，藝術之值得重視，由是可知。今日負培育工商社會人才之重任者，未知可曾思及於此否？於是我人遂連想到最近華岡學府新開有一門「藝術欣賞」的課，供所有各系同學必須選修，此誠代表一種高瞻遠矚的創意與教育理想，欣賞於此，不禁欲問：豈其出此創意者，亦來自天然地理之環境鄉村山林耶？

於此創意中所宜切加注意者，即千萬勿將此等文藝領域中的「現量」直覺的知識，視同科學領域中的「比量」邏輯的知識，否則，將切身經驗的事混同於實證分辨的事，引致教材教法上的誤用，自然效果會有偏差無著，徒勞無功之虞。適當的教材難得，而有適切教法的導師更是難求，爲實現此創意的理想，克服此兩難當爲先急要務。

最近中國藝壇上出現一本普遍可讀的書，即本文所欲評介的《中國繪畫史導論》，本書以流暢的筆調，將學術的論理化開，並應用精選圖片，盡量將讀者導入現量直覺的藝術境界裡，作無隔的契會，可供中國繪畫藝術欣賞之部分教材。筆者捧讀之餘，樂予爲讀者進言。

一

本書作者，高準先生，江蘇金山人，國立臺灣大學法學士，中國文化學院法學碩士，十年前，即以《丁香結》和《七星山》兩詩集，爲文藝界讀者所熟悉，後赴美國堪薩斯大學及哥倫比亞大學研究藝術史，並兼修繪畫，遂使一位法學碩士又兼爲現代詩人與畫家。曾獲得中國青年寫作協會新詩獎及中國新詩學會優秀詩人獎，繪畫曾參加全國大專教授美展並舉行個展，著作甚多，現任中國文化學院副教授，並擔任中華學術院編譯藝術百科全書之工作。

本書是二十五開本，共二百七十餘頁，插圖一百二十餘幅，彩色圖片六幅，彩色封面；全書計分六章，按時代先後分配，但各章標題別出一格，似欲點出中國繪畫發展過程之主要動向。

首章「中國繪畫的歷史分期與流派分劃」，托出全盤立論根據，即「依現存畫跡爲主，文字資料爲輔，按其內容題材與風格」，將中國繪畫的發展過程分爲三大時代與八個段落。

㈠圖案畫時代：自新石器時代晁期至戰國初年（約西元前二五〇〇年——西元前四〇〇年），計約二千一百年。

㈡人物畫時代：自戰國初葉至唐朝末年（約西元前四〇〇年——西元九〇六年），計約一千三百年。此一時代又分三期：戰國秦漢爲一期，魏晉南北朝爲一期，隋唐又爲一期。

㈢山水畫時代：自唐末五代至民國初年（約西元九〇六年——一九二〇年），計約一千年。亦分三期：五代兩宋爲一期，元代至明代中葉爲一期，晚明與清代至於民國初年又爲一期。

又將中國繪畫風格相近者歸納成派，前後相關者貫穿成流，使歷史分期爲一橫的分段，而流派分劃成一縱的分支，相互交織，構成一全面的瞭解網。所設十二個主要流派即爲：

㈠古典派（或古典人物派）
㈡金碧派（或工筆山水臺閣派）
㈢神韻派（或素描人物派）
㈣宮廷派（或工筆人物派）
㈤唯美派（或工筆花鳥派）
㈥寫實派（或社會民俗派）
㈦巨碑派（或古典山水派）
㈧抒情派（或浪漫派）
㈨寫意派（或水墨派）
㈩南宗派（或文人派）
⑾學院派（或新古典派）
⑿表現派（或個性派）

如是將中國繪畫風格劃分為十二個流派，係依據作者新立之六項客觀準則，即：

(1)色彩為鮮明的或素樸的；

(2)線條為工慎的或灑脫的；

(3)題材為人事的或自然的；

(4)觀點為格物的或寫意的；

(5)意趣為裝飾性的或文學性的；

(6)情調為健朗的或秀婉的。

並列出一張「中國繪畫流派風格比較表」，極有特色。此表並譯為英文附於卷末。

第二章「中國繪畫藝術的建立與展開——戰國至南北朝的繪畫發展」，分三節：

一、中國繪畫藝術的建立——戰國時代；

二、秦漢時代的圖畫藝術；

三、魏晉南北朝的繪畫。

第三章「人物畫的黃金時代——隋唐繪畫的風格及發展」，將隋唐時代的繪畫盛況，比諸歐洲繪畫史上的文藝復興時代。結論出此一時代主要盛行的五流：

㈠古典派——以初唐閻立本為代表。

㈡金碧派——隋代展子虔爲首，唐代李思訓、李昭道屬之。影響及於敦煌。

㈢神韻派——以吳道子爲代表。

㈣宮廷派——張萱、周昉爲代表。

㈤寫實派——韓幹的畫馬與牧馬軍士，韓滉、戴嵩的畫牛與田家風俗。

論其發展，謂隋及初唐猶承六朝餘緒，盛唐則富浪漫精神，中唐興寫實風氣，晚唐發唯美傾向，與隋唐時期文學的發展線索正相一致。

第四章「從投向自然到超越自然——五代兩宋的繪畫流派與風格」，說明五代兩宋繪畫的代表性風格是內省深思、幽沉清雅，往往超塵出俗而具有哲學式的靜穆，但又有唯美傾向的出現；正與隋唐時代恰成對比，隋唐時代的繪畫代表性風格是英氣勃發、絢爛豪華、樂觀而坦率的接受可觸的現實，具有戲劇式的壯麗。將這種風格主流上的變遷歸因於國勢上的文弱，學術上的理學與禪宗思想的發達，以及整個民族之由於歷史經驗之豐富而趨於老成等。並就風格之發展，區分爲八大流派：

㈠巨碑派——起於五代之荆、關、董、巨，均以山水爲題材而畫大山水之全景。北宋李成、范寬、許道寧爲中堅，郭熙爲後勁，而以李唐的前期作品爲結束。其畫多爲水墨，具偉大雄渾的局面，又有幽沉靜穆的氣概。

㈡宮廷派——盛行於五代及南北宋之交，畫工筆的人物臺閣，實繼承唐代之遺風。以周文矩、顧閎中，趙伯駒、劉松年等人爲代表，其畫多以細緻的線條與豔麗的色彩作精描細繪，表現貴族階層的興趣。

㈢唯美派——以此名稱工筆花鳥畫家，此派興起於晚唐。到五代北宋而盛，黃荃、黃居寀、徐熙、蕭瀜、趙佶等均爲此派之名手，以精緻華麗爲其風格特徵，亦表現了富貴階級的審美觀。

㈣寫實派——畫人物、鳥獸、風俗，以對現實社會的觀察，寫民生情狀，以趙幹、張擇端爲代表大師，此種客觀描寫現實社會的眼光，後繼者不多，李嵩與李迪或可以歸入此派。

㈤抒情派——畫山水而專取其最富藝術感染力的一部分加以著力表現，以雄奇簡練的筆法，水墨蒼勁的大斧劈皴，將複雜的自然予以高度的集中與概括，以李唐、馬遠、夏珪爲代表，清雅幽遠、精粹磅礴，繼巨碑派而爲南宋繪畫之主流。

㈥神韻派——武宗元之人物畫，風格直紹吳生，生氣勃勃，畫多白描，線條如行雲流水。此派人數很少，但亦足爲唐代盛行一時的神韻派之繼續發展。

㈦古典派——六朝顧愷之的古典人物畫風至盛唐以後即消沉不彰，李公麟的大部分作品則遠追顧氏而復興之。惟公麟之風格不限於顧氏一派，亦有近似吳道子之作品，實能結合顧吳之優點而有其獨自之面目。

(八)寫意派——既揚棄巨碑派的雄渾亦不採抒情派的奇秀，而以淡泊飄逸爲高，强調個人的感興而不重客觀細節之描寫，題材以山水爲主，兼及花果、人物，而均以簡略瀟灑之筆墨表現出作者對人生物象的體認與禪機的參悟，蘇軾、文同、米芾、米友仁、梁楷、牧谿爲代表，在宋代雖未成爲主派，但對以後元明清三代均有影響。

又云：自隋唐至於南宋，前後約七百年間，始終可謂爲中國繪畫之黃金時代，惟在隋唐則爲人物畫之黃金時代，在兩宋則爲山水畫之黃金時代，而五代則爲其轉捩期。

第五章「復古主義與高蹈主義——元代至明代中葉的繪畫流派與風格」，說明本期之繪畫，以復古與高蹈爲時代精神之兩條主線。元代高蹈派與明代吳派，前後相承，實屬一派，亦即後來所謂的「南宗畫」，又稱「文人畫」。

第六章「典型主義與個性主義——晚明及清代的繪畫流派與風格」，論本時期的繪畫，要以繼承往代高蹈派與吳派源流的所謂南宗派或正統派及徐渭、石濤爲首的表現派或個性派爲交相起伏的兩條主流。南宗畫在第一期元代高蹈派時期，是新興的獨創，第二期吳派時期筆墨更爲成熟，至本時期則已僵化爲「正統」的典型；表現派則爲此時期之新興畫派，創造性很高。本時期之初，由表現派掀起了偉大的高潮，一時極盛，但未幾即日漸衰弱，到一八〇〇年之後則各種畫派莫不消歇。

又本書首頁，慕陵先生所書之序辭，爲素以瘦金書著稱的莊先生本人罕有之作，亦一珍品。

二

本書除了上述各項結論，對讀者瞭解中國繪畫之大概光景，有莫大貢獻之外，尚有多處使讀者有特殊感覺之欣悅。

本書首章所設歷史分期與流派分劃，欲以時代流派之觀點評論我國繪畫之發展過程，足使讀者構成一脈絡分明的觀察網，讓讀者易於對中國繪畫風格的發展獲得鮮明的概念，誠爲創論，即於所舉畫跡圖片之評述中，亦有此新意。

「比較藝術」的新觀念和新方法的運用，書中出現多處，如論東晉顧愷之「洛神賦圖卷」時，與十五世紀意大利畫家波提倩里（Botticelli）的傑作「維那斯誕生圖」相提並論；將歷代畫家推爲畫聖的吳道子，比擬於西洋文藝復興期的米開蘭基羅（Michelangelo），將擅於描繪貴族婦女生活的周昉，比之文藝復興時代的拉斐爾（Raphael）；以及將明季四畫僧之一的石濤，與西洋表現主義的先驅大師梵谷（Van Gogh）相比擬，等等皆可見此新觀念的應用。

「圖文相應」乃近代出版有關藝術著論必不可少之內容，本書高先生之著論所搜集之圖片，極爲豐富，如圖一戰國時代長沙楚墓帛畫、卷首折頁的金代李山「風雪杉松圖」等，可謂本書挿圖之寶貴資料。本書「依現存畫跡爲主，文字資料爲輔」，實事求是，力免空泛辭義，其間亦應用近代考古科學的實證觀念。此事看似不難，而作起來又實不易，首先是資料蒐集難，若非近代考古學家運用實證的科學方法與技術，所作一番血汗工夫，將發掘出來的豐偉成果，分享與人，否則，我人如何又能有如許多之文化「甜食」——藝術作品，可資品賞?從前若遇沒有眞實作品，我人祇好透過舊文獻或傳說，作隔岸望食，如今，大部分即使不能親睹其眞面目，亦可通過傳眞率極高的照相術，來窺其大概，但是這些發現品和其他許多「文化財」，卻由於一箇人心之動亂和一箇時代之動盪，而流散世界各處，如今或爲官方典藏或爲私人所收，單是搜羅其照相資料，便非易事，其中經濟上的化費亦不在少數，然而作者高氏以個己之力，終能克服大部困難，獲得相當的成果，足見其無比的熱誠與努力，此誠亦爲現代文化發展工作進行中，世界各國應不斷給予各種文化基金等予以鼓勵者。另外，欲使圖文能相應活躍之一困難，即爲方豪先生序文所云需要有敏銳眼力與深厚學力，無此則再好的材料，亦無以活現。

此書定名「中國繪畫史導論」，「導論」一辭頗具磁性，初見總不免會想「看看導出啥麼來」。好導論自然要有好話題，好話題，似乎要有一番好揀擇，可是，事實上，卻要在有一副如禪家所謂之「別具隻眼」，如是，一番揀擇總不若那赤子的同情。同情所接，自然是赤熱心情，同情所應，自然是在於性情。我人讀過此書，會發現有許多好話題，有許多好揀擇，也有獨到之處，遂使讀者品嘗之後，除卻能得中國繪畫之大概光景，亦可開拓讀者之文化胃口與胃納。作者能說留餘地，不致將事論「斷」，一斷百斷，不致把好話說「盡」，一盡無遺，有以讓讀者透氣的地方，可作進一步之思想與品味，爲新人新時代留有新文化的契機，這要有雅量虛懷，也要幾分通人性。吾人希望高氏能再常把好話題來貢獻讀者。

書中文筆流暢，無有純學術論理文章的枯澀，而不忽失藝術的析辨，此實得力于作者本身之詩人情懷。本書精選圖片，有助於喚起讀者的直覺想像，導入藝術精神所在的現量境，作直覺的體會，有助於讀者藝術情操的培養，誠是欣賞中國繪畫藝術的一本好書。

高氏研究繪畫藝術，初從西畫入手，而後又回頭來研究自己中國的繪畫，這一回頭，當與其接受教育的過程有莫大的關係，也足代表一種時代的覺悟，例如現代醫學和宗教文化研究之轉而注重東方之成就，此種覺悟，當要更透過一段「比較」的過渡，方能進而促成兩種不同型態文化之融合。比較愈是詳細，接觸愈多角度化，則融和愈密洽。於此，不獨爲高氏能有此正視之態度而慶幸，實乃對現代世界文化回向東方思想之可喜，筆者深願我國學人能多獻力于從東西文化之比較而更顯示深度之追求，本書對吾人從事東西文化之融合，亦有莫大啓示。因此吾人仍盼望高氏再進一步在中國畫壇上之沉寂氣份中導出一般新穎而新鮮之氣息。

西洋畫壇理論一度昇入高潮，其原因蓋亦多謝一班鑑賞家評論家之「饒舌」品長論短，中國自唐宋以後即少鑑賞家，此實影響中國畫壇不振原因之一，爲此，吾人更希望多如高氏之藝術評論家，爲中國藝壇提起一番新氣象。

（《華學月刊》第十五期，一九七三，三）

高準《中國大陸新詩評析》序

胡秋原

一

大約在我進小學一兩年之後，中國的新文學運動與新詩運動便開始了。當時小學的國文教科書還是文言，不過隨著識字日多，我看了當時民間流行的小說，如《三國演義》、《西遊記》、《水滸傳》之類。除此以外，我還看了當時中華書局出版的「小小說」大約百種之多——那是將中外小說節編的小本子。五四運動後，雖然新文學的呼聲甚爲熱鬧，我不覺得有何新奇之處，因爲白話文學原是古已有之的。

進入中學以後，我們的國文課程還是文言講義。我們的老師的教法比較特別，他由輓近逆行而上，由梁啓超的《歐戰蠡測序》起，然後薛福成，曾國藩，方苞，戴名世，顧炎武，黃宗羲，歸有光，王陽明……虞集，劉因，陸游，陳亮，朱熹，蘇軾，王安石，范仲淹，韓愈，柳宗元，李白，杜甫，顏之推，庾信，陶淵明，王羲之，陸機，李密，諸葛亮，班固，司馬遷，司馬相如，然後先秦諸子，楚辭以及詩經和書、禮選讀。於是再由古至今，由晚清接上新文學顯得非常自然而順理成章。當時除上課外，並無他事。六小時上課外，其餘時間則看課外書以及雜誌、副刊，那是新文學園地。當時新詩人以冰心徐志摩最受歡迎。我們每週有作文的作業，題目由老師出，文這白話皆可，也可寫白話詩。當時已有一種論調，如周作人說，文言文是「鬼的文學」，白話文是「人的文學」，是我認爲大不通的，因爲我們既寫文言也寫白話，那不是半人半鬼，亦人亦鬼的怪物嗎？

以後進了大學。我原是學自然科學的，到了民國十六年，國共由暗鬪而至明爭，學校也缺乏數理化教授，我轉入中國文學系。那些功課對我十分熟悉（因我中學時代國文教育基礎甚好之故），全部時間用於閱讀翻譯的外國文學——由林琴南譯的《茶花女》，到李青崖譯的「莫泊桑」，郭沫若譯的《少年維特之煩惱》，耿濟之譯的《復活》，郭沫若譯的《新時代》，韋叢蕪譯的《窮人》……。我也看了布蘭兌斯的《十九世紀文學之主潮》的節譯。我覺得將過去中國的文學與西洋的文學比較，中國還有特長。拿中國新文學與當代西方文學比較，顯然是不如人的。而甚至於，在某種意義上，許多新文學作品還不如《老殘遊記》。

而《老殘遊記》，出於一九〇三年，究竟算新文學，還是舊文學呢？他雖是白話，在新文學家眼光中，還是舊文學，因爲在新文學家看來，必須是在胡適，陳獨秀主張文學改良或革命（一九一七年）以後，不僅白話，而且要模倣西式的文學才算新文學。然而這就成爲新文學之致命傷。一切才能知識不能不由模倣開始（學習即是模倣），然不能由模倣而獨創，必不成爲文學。因爲一切文學藝術以獨創爲第一條件。

到了一九二八年初，我到了上海。這時上海文壇有兩大壁壘：一是北京來的，傳統的新文學派，此以「新月」社爲代表，即西化派，領袖是胡適；二是新起於上海的革命文學派，亦即後來普羅文學之先驅，這是俄化派；此以當時創造社與太陽社爲代表，領袖是成仿吾與蔣光赤，但眞正的領袖是在日本的郭若沫，而實際的領袖是中共宣傳部，而中共背後還有第三國際與蘇俄。

當時不僅西化、俄化兩派相爭，那革命文學派自己亦相爭。我對兩派都不滿意，不久我到日本去讀書，並研究馬克斯主義。根據我的研究我認爲，馬克斯主義可以說明社會、文化、文藝變化的原因，但文藝之所以爲文藝，在作家以其自由的才智，經由美的符號或媒介（文字、色、音、材料）之構造，表達人類喜樂悲歡之感情以及其願望思想和意志。他不能模倣，因爲感情是不能模倣的；他不能作政治之工具，因爲第一、文藝高於政治；第二、文藝當然可對某種政治現象同情，但一接受政治命令，作家即失其自由，則他的任何作品即失其眞誠性，即不成其爲藝術。政治宣傳不是藝術，猶之連環圖畫、廣告畫不是藝術一樣。

九一八的國難使我中止赴日，停在上海以筆爲生。那時普羅文學已結成左聯，奉魯迅爲領袖，成爲文壇最大的勢力，雖非唯一勢力。這理由很簡單。傳統思想早經新文化運動而沒落，而西化派的招牌是說中國百事不如人，西洋至上。到了三十年代，整個西洋陷於經濟恐慌中，希特勒勃起與日本軍閥狼狽爲奸，蘇俄宣傳資本主義命定死亡，莫斯科有五年計畫，西洋文化完了，馬列主義才是新文化。於是一般人以爲，要崇拜洋人，也不是花旗大英，而是羅宋！

我認爲西化派、俄化派都失去自己，都是隨人腳跟，而且矯揉造作。更重要的，中國往何處去，他們根本沒有能力討論。西化派只知否定中國古史，俄化派只知硬套馬克斯公式，瞎說中國是封建社會，在日本進攻中國之時，還要在中國農村以殺人爲革命。從此我與文學告別，由比較世界文化史探求中國歷史變化的原因，以及中國應有的出路。

一九三四年我漫遊歐洲，繼至蘇俄和美國。由於所學外國文字的便利，我在英國居留較久。雖然我看的書以歷史與哲學爲主，我也留心他們的藝術、文學和詩。我只說兩三點與文學和詩有關的心得。

一、文言與白話的關係不等於拉丁文與方言的關係。胡適說歐洲中古各國以拉丁文爲文言，其後但丁、鮑高嘉的文學規定了意大利的國語，嘉叟（Chaucer）、衞克烈夫（Wycliffe）的文學，規定了英吉利的國語。拉丁文是死文學，方言是活文學。他又說嘉叟、衞克烈夫用英國「中部土話」，不但成了英國的標準國語，幾乎成了全地球的世界語。這都是非常錯誤的。一、事實的錯誤。衞克烈夫的英譯聖經是十四世紀之事，因當時尚不知印刷術，只手抄了二百本，流傳有限。今日英文聖經，是十六世紀丁達爾（Tyndale）由西臘文譯出，用的是倫敦方言。這是在印刷術發明以後才普及，而這也是莎士比亞的英文。然英語之眞正確定，是約翰生《字典》（一七五五）以後的事。另一方面，在莎氏時代，莫爾的《烏托邦》，培根的《學問進步論》，哈維的《血液循環論》，皆以拉丁文寫。密爾敦作克倫威爾的秘書，以拉丁文與各國辦外交。牛頓的《自然哲學原理》用拉丁文寫，而其「光學」則是用英文寫的。二是不知中西文字不同之錯誤。他說的嘉叟或趙叟（一四〇〇年死）的英文，今日英人（除古文家外）無人能讀，而我國《詩經》，公元前六世紀到十一世紀的詩（約一一二二—五八五B.C.），是今日我們不用註譯還能理解或多少理解的。此即因中國文字用意符，西方文字用音符，意符是不因時間地點而變化的。（例如數學上的1，2，3，4……；＋，－，×，÷，各國讀法不同，意義一看即知。）所以死文學活文學，人與鬼文學之類，雖有宣傳力，畢竟是瞎說。

二、西方以國民文學團結國民，而我們新舊文學之分反使國民分裂。西方國語形成他們的國民文學，發揮了團結國民的作用。我們因文言白話之剪刀狀態，形成士大夫與平民兩個壁壘。新文學運動又造成一新壁壘，即使用白話而又模倣西方文學的作者與讀者之社會。繼而又有模倣蘇俄文學之壁壘，於是又使中國知識人分裂了。壁壘分明，互相排斥，在詩方面尤為嚴峻。在傳統派看，只有古體、律、絕才算詩；而在新詩人看，只有白話詩才算詩。雙方的隔離，只有使前者貧血，而後者孤立於自我欣賞的小圈子。而當我到英國時候，他們不僅有現代藝術運動（達達主義、表現主義、立體主義、超現實主義等），而也有現代詩運動。三十年代的英國詩壇，愛略特（T.S. Eliot）是現代詩之泰斗，繼之而起者，有奧登（Auden）、史本德（Spender）。愛略特打破傳統的格律，但不是不要格律。他說詩是同族方言之淨化，詩畢竟是優美文字，在優美的秩序與優美的節奏中開始的。而在思想上，他的現代詩恰恰是對現代文明失望，而主張回到傳統，回到宗教的。他喜歡但丁過於莎士比亞。奧氏一度傾向社會主義與馬克斯主義，後來回到基督教，史氏一度加入英共，終於回到人文主義。德國的里爾克（Rilke）、法國的梵樂希（Valery）與英國愛略特是二十世紀西方詩壇三大巨星，海德格說他的實存哲學只是里爾克之詩的說明；而梵樂希之詩之主題是人類心靈的豐富與行動的缺陷之矛盾，都是反映西方精神之危機的。如果中國的新文學傾慕西方或模倣蘇俄，西方新詩（現代詩）是痛感西方精神之荒廢，生命之貶值，而希望回到傳統的。

三、此外，我在蘇俄住了一個時期。我感到他們還是在進行帝國主義，一黨專政的社會主義決不可行於中國，他們已不談普羅文學，而以「革命的浪漫主義」、「社會主義的寫實主義」來代替了。

基於我在歐洲、蘇俄和美國的觀察，我在蘆溝橋之戰後回到中國以後，除了力主抗戰到底以外，在思想和文學上，我主張必須脫離西化主義、俄化主義走自己的道路。我不贊成新舊文學門戶之見。我說沒有純粹的白話，也沒有純粹的文學。我說舊詩有許多俊語、警句，至今傳誦，而新詩為人傳誦者太少了。這情x巻A到抗戰時期大為變更，許多抗戰歌曲是為全國人民傳誦，到處高歌的。這是好現象，還應使其發展，且不應讓西化主義、俄化主義之門戶，妨害文學之發展、國民之團結。我寫了《民族文學論》一書。這不是一九三〇年國民黨的「民族主義文學」，而是國民文學，即無新舊之分，以全中國人（至少漢人）都能了解的語言，寫出中國人的苦痛與戰鬥、希望與決心的文學與詩歌。這首先要寶愛自己的語言文字。這主要是對抗毛澤東所謂工農兵文學和他們所謂大眾語與拉丁化的。

繼而到了臺灣。那時此處很多人提倡現代詩或模倣現代詩。於是我譯了德人 Erich Heller 所作《現代詩之危境》並寫「譯者後記」說：

作者對現代詩取否定態度，但非無同情。蓋現代詩之危局乃整個西方文化所造成，並非詩人之咎。我特別加以介紹者，是希望能對中國新詩人有一種參考作用。在新文學運動中，我們的新詩無可諱這是最不成功的。白話不能寫詩嗎？能。我用不著舉古代國風，楚辭，以及白居易乃至李白等爲例，即在今日，平劇也是白話詩，依然爲許多人欣賞；而義勇軍進行曲亦曾爲千千萬萬的人所歌唱。新詩何以不大成功？我以爲一大歧路是過於模倣西洋詩。如果我們的新小說是由模倣西方寫實主義開始，而小說較容易了解和翻譯，也容易吸收他人之長，詩則是一民族最獨創的心聲，也是一民族語言之精練，在嚴格意義上，詩不可翻譯，也最忌模倣的。而更不幸的，所模倣的恰恰是西方現代詩。他根本有一種模糊。而更重要的，西洋現代詩人所遭遇的悲歡，根本與我們的不一樣。西方現代詩中表現的絕望，乃是西方社會五百年來一帆風順之榮華富貴至今痛感已入絕境而來。不明乎此，效他人之哭笑，效他人之迷糊，如何還會有詩？所以，如西方現代詩是在一種危局，我們許多專事模倣西方新詩之新詩乃是自投死路。這不是說，西方現代詩之手法不可學習。但這需要經過一個很大工程：了解他們的文化背景，他們的語言特點，詩法詩式，同時了解自己的語言特點，然後才能發生移花接木之功。這也不是說我們的新詩人中沒有詩才。但我必鄭重的說，模倣西方現代詩將使最可能的天才變爲最無能的痴人。

然則什麼是正路？首先要有詩人之心，那是深厚而廣博的對人類與同胞的信心，希望心和愛心。詩表現個人之悲歡，然此悲歡必通於萬人之悲歡才有其價值。這是任何地方詩人相同的。不過如困西方人由基督教傳統來把握此點，而中國人在精神傳統上一大特點，則是直接體認天意於民心之中，而無須「假道」宗教。一個學問家只須求眞，但一個詩人如無「天地萬物一體之仁」心，他不會作出好的詩。不過仁者之心，即詩之心，並不保證詩之花，詩之實。這便還須培養之功力。那便要在自己本國的古典中，在日常的民間歌唱中，采百花之精英。此外，必讀歷史，據我所知，很少中外古今大詩人不熟悉歷史的。於是當然可采奇花異卉於域外。但是，如果不知道西方古典詩，西方歷史與文化和故實，又如何能了解他們的現代詩？要之，老杜所說「讀書破萬卷，下筆如有神」，「轉益多師是汝師」，永遠是一切從事學術者之座右銘。最後，是詩人「苦用心」後自然而來之戛戛獨造的才能，那便是世之所謂天才，所謂千秋絕唱；於是妙筆之所至，有乘風運斤之火花，隨風咳唾之珠玉，而外物之所遇，或化爲風驚鬼泣之地獄，化爲珠輝蓮燦之天鄉；而在每一斧鑿，每一節奏之中，有他獨特的面貌，也爲人類經驗開闢一新的境界。（見拙著《文學藝術論集》）

以上所說，是我對於文學以及新詩的觀感之背景。

二

最近高準先生給我看了他最近完成的大著《中國大陸新詩評析（一九一六——一九七九）》的稿本。我費了幾天的時間看完以後，首先我很佩服他的功力。他自一九七〇年起收集資料，走了幾個國家，最後還到過大陸，也遭遇到一些麻煩。他前後過目的大陸與喜灣的新詩在三萬首左右。這一本書不包括臺灣，自胡適至舒婷，共七十一人，一百零一首。（原計劃加臺灣及一九八〇年的幾首後共一百十六家，一百五十首。）此亦可謂博覽精選了。

其次，他將新詩運動以來的過程，分爲初期及二十年代，三十年代，四十年代，五十年代，六十年代，七十年代六個時期，每期列舉其重要作家（當然有重見的），介紹他們的略傳，選其代表作，並對其作品加以評述。後面還附有選錄詩篇和六百作家年表，重要詩集的名稱和參考資料。講中國新文學歷史的書我看過五、六種，而講中國新詩歷史，並有詩選、詩評之書，至今爲止，恐怕還沒有比此書更爲詳盡的了。

第三、在三萬首中選一百零一首，用什麼標準呢？他的標準有三：一是該詩或作者的特殊代表性；二是美學標準，以謝赫所說「氣韻生動」四字爲依據；三是政治標準，即謹守人道主義、愛國主義與民主主義的方向，凡助長專制獨裁、助長個人崇拜，破壞民族和諧，無理醜詆者，皆在不合格之列。

這三個標準，是完全正確的。既講新詩歷史，自然要注重有代表性的人與作品。但既然是詩，不能不問他有無藝術性。謝赫的「氣韻生動」觀念，不僅爲西方美學家所重視；我曾在《中華雜誌》上兩次爲文，根據西方最新腦神經學上的「情緒活動化」理論來說「氣韻生動」的根據。「氣韻生動」是一切生命生長、充實、順暢、眞純、圓滿、光輝、動進之象，此所以爲美。至於他說的政治標準，人道、愛國與民主是全民族全人類的需要，也是三位一體的。這也都是適獲我心的。

我期待我國新詩的成就，因爲詩是一國文學的菁華，也是一國心情智慧的標誌。但老實說，由我過去有限的見聞，並不抱很大期望。但高先生在序文中所表現的功力以及他提出的選詩標準，鼓勵我將他的稿本一氣看完。看完以後，給我很多的知識，也給我很大的安慰。所謂很多的知識，就是高準先生此書，使我知道更多的作家和作品。初期和二十年代、三十年代的人物，是我知道或相識的。但四十年代、五十年代、六十年代，我只看過艾青、流沙河和黃翔三人的作品，我也曾經介紹；至七十年代，白樺是我知道的。似乎三十年代還有很多人未由高先生提出，七十年代還有我曾介紹，而認爲應該鼓勵的李家華，而高先生還沒有選入其詩。但高先生告訴了我過去沒有看見過的作家和作品太多了，他的書給我以中國新詩以更廣大的視野和更完整的風貌。

於是他也便使我對中國新詩產生新的印象，中國新詩有其一貫發展的線索，這一貫發展給我以大的安慰。

所謂一貫發展，就是思想上的愛國主義，人道與人權思想。這在二十年代還不顯明，經過九一八，經過抗戰，民族主義（眞正民族主義必然包括人道主義、民主主義）就成爲中國新詩的底流。即使在五十年代，六十年代，在毛澤東惡魔政治和魔道文學命令（所謂延安文藝座談講話）之下，雖然極多「歌德」和「假、大、空」的作品，許多詩人歌頌祖國偉大山河的作品確是愛國心的發洩，同時或者是迴避奉命和趨承，或者是痛感醜惡的人間是如何與偉大山河不相稱。這便是嚴辰、梁上泉等人的詩所表現的心情。然詩人必有正義感，決不容許那些虎狼蚊蠅污辱我們的大地，於是自流沙河起，到了六十年代之末，就有黃翔的《火炬之歌》和七十年代以來綠原的《重讀聖經》，黃翔的《民主牆頌》和白樺的《風》，以及駱耕野的《不滿》這些更慷慨激昂的作品了。而葉文福的《祖國啊，我要燃燒》則是表示愈愛我們偉大而不幸的祖國，就愈要抗拒那不配爲我們偉大國家的黑暗和罪惡的權勢。

新詩另一一貫的特色，是逐漸脫離對外國詩之模倣，而具有中國新詩的特色。這大體有兩條路。一是經由中國傳統詩而求新的變化。這首先表現於田漢的《七夕》，不可否認田漢的詩才。聞一多的《祈禱》亦然。以後洪洋的《揚子江》，韓北屏的《夜鼓》，綠原的《重讀聖經》，白樺的《風》，都是使用傳統式的格律。其次是民歌的體裁，高蘭、傅仇、阮章競、舒婷等人之作，都是由民歌體變化出來的。這就使新詩成爲可讀和可唱的東西了。我不是說西洋詩的技巧不可學。而是因爲詩是語言文字的藝術，必須使用中國語文特色的技巧才能成爲詩。由於新詩逐漸使用傳統詩的格律，這就縮短了新舊詩的距離，而使新詩成爲中國詩之新發展。這也是新詩之成年。

中國人的詩必須表現中國人命運、願望的特點，也必須運用中國語言文字的特點。我過去因爲新詩過於模倣外國人的情調、體裁而不滿意，現在看見發展的趨勢與我們的期望相符，所以我感覺甚大的安慰。我爲中國新詩經歷了許多歧途而終於回到正道走向成年而喜慰。

這是必然的。中國人是一個有才能的民族。「江山代有才人出」，也應該有他的新詩人創造新的文學和詩，創造新的國運。

而中國文學的歧途，也就是思想和政治的歧途。在中國人爲民族的獨立和自由與日本帝國主義者奮鬬的時候，需要中國民族的團結。

而在戰後建國的使命中，也需要中國人的團結。如托爾斯泰所說，藝術之功能就是團結人心。新舊文學與新舊詩之門戶，已經造成中國人之精神分裂。再加上西化主義、俄化主義之壁壘，就造成了中國人精神上二分三裂的狀態，於是應在戰後團結建國的中國人，反而在日本人殺戮之餘，又進行自相殘殺。在此自相殘殺之中，中國三代新詩人與作家遭遇了最殘酷的命運。例如老年的田漢瘐死獄中，中年的李廣田在侮辱中含冤而死，艾青被整到牛欄中一眼失明。而年青的綠原被拘壓勞改前後十二年有餘，流沙河被罰作苦工，時常遭受毒打。此外還有許多青年作家被迫自殺。在中國的唐朝，固然也有著名的詩人如陳子昂、王昌齡也遭受冤殺，但那由於私人恩怨，而一代文人，因思想而受迫害之廣汎慘酷，古今中外歷史上無有如五十、六十年代中國之甚者。而更可悲或更諷刺的是，那「東方紅」原是許多青年作家神往和歌德之「基督」！由此可說，中國的許多詩人又是中國的殉難者。所以，在我爲中國新詩走入正道而喜慰，同時也不能不爲這些詩人—多少有才能民族菁英—之受難而興悲。

然中國新詩之正道，同時也是中國民族政治之正道。中國人必須超越西化、俄化之外走自己的道路。西方的知識份子也曾以蘇俄共產主義爲他們心目中的上帝，不過他們很迅速的掉頭而去，而我們這個文明古國，卻受害最慘。由於許多新詩人之殉難，由於他們的悲吟，怒吼，長歌，終於唱出「北京之春」。雖然沒有使大陸局勢急轉直下，中國人不會再迷信共產主義了。因此，我以爲抗戰勝利以後，大陸文人是繼續抗戰作了一場精神之戰，這戰爭是要在民族獨立之後追求民主和統一。這戰爭尚未獲得最後勝利，但已獲得初步勝利了。這也就使我們有轉悲爲喜的安慰。今天臺灣許多人自以爲只有他們才是反共先覺，那是他們過於無知，無知到以爲大陸同胞不知死活和善惡！又無知到不知第一線的反共鬪士是大陸的文人和詩人，反而只許臺灣讀書界聽他們的讕調而不准看大陸的作品。

高準先生這本大作，不僅是一本詩史，即由詩看中國近六十年的歷史；而且也是很好的詩評。詩是迷人的語言，也是技巧的語言。因爲他本人是一詩人，所以他能了解許多詩所暗示的意義何在，而其技巧之特點何在。這不僅可以幫助讀者理解詩人之「苦用心」之處，也可幫助有意作詩者如何使用技巧，作上乘之詩而不作庸俗之詩。

高準先生的大作給我很大的啓發和安慰。所以我很高興的寫這篇序文，勸大家一讀，分享我得到的啓發和安慰。

民國七十六年八月三十日
於新店中央新村之寓居□

不廢江河萬古流

——高準《中國大陸新詩評析》讀後

曾祥鐸

高準先生的大作《中國大陸新詩評析》出版之前，我有幸得以先讀原稿，除了感到極度欣喜之外，也對高準先生在這本大著中所表現的功力與識力，深表敬佩。

高先生要我寫幾句讀後感，忝爲老友，不敢推辭。我非專攻文學，但熱愛文學；對於詩詞，尤愛不忍釋，不過偏重於舊詩而非新詩。對於新詩，也許是由於起步不久，未臻成熟，也許是濫作太多，遭人反感，所以我對新詩興趣一向不濃。多年前曾經在臺灣報刊上對那些過於西化不堪卒讀的所謂「新詩」，批評了一頓，招惹了一些是非，使我對臺灣的新詩界印象更是不佳，總覺得其中冒牌詩人太多太多，如果中國新詩就像那個樣子，恐怕前途不太樂觀。

但在讀了高準先生的《中國大陸新詩評析》之後，令我對新詩幾乎完全改觀，深深覺得新詩主流「在彼而不在此」，也令人深感興奮！由「五四」到「抗日」時代不必說了，即使在「文革」時代，在那個文化飽受摧殘的時代，那些經高先生表揚而出的新詩，依然動人地表現了我們民族的痛苦與希望，放射出强烈的生命光芒，令人深刻感動。讀完全書，我深深地覺得，那些具有代表性的詩人們，他們不是用墨汁在寫詩，而是像尼采所說的那樣，是在用鮮血寫詩！

不僅我個人有這種感覺，就連我最敬仰的胡秋原老師，也有類似感覺，這頗有點出乎我的意料之外。胡老師早在三十年代末期，就已崛起於中國文壇，此後因厭惡文壇之「嘰喳」，乃棄絕文壇，專事學術。近讀胡老師爲高準先生所寫的《中國大陸新詩評析》序，其中對高準先生評價之高，頗爲令我「震動」，我追隨胡老師二十餘年，讀老師之序多矣，歷來都惜墨如金，從未輕易推許別人，他歷來强調，對學術之事，必須嚴肅，今見胡老師對高準先生這本大作如此之推許，或可說是數十年來之第一次。

胡老師是文壇前輩，他這篇長序，不是一篇普通的序文，其中也發揮了胡先生本人對中國新文學的卓越見解，值得愛好文學的人精讀。既有胡老師的序文在前，我在這方面自應藏拙，我想改從史學方面說幾句話。

首先，高準先生置於卷首那篇「本書寫作的經過與體例」，是一篇十分動人的文章，讀者可從其中窺見高先生用力之勤與發掘之廣之深，這種勤鑽苦研的工夫，在今日臺灣文化界眞是少見了，「衣帶漸寬終不悔，爲伊消得人憔悴」，沒有這種執著的精神，大概也就沒有這本巨著問世了。

從史學的觀點看來，高先生這部大作，爲中國新文學的新詩部門，保存了十分重要的有系統的史料。這些史料不是隨便拼湊起來的，而是經過深入研究後，清理出新詩成長與發展的線索，依「歷史」的本來面貌，作系統安排的。書中提及的那些詩人，固然不少人也都有個別的詩集發行，可是，總是零星散亂，不納入一定的歷史序列，往往顯示不出它的特色與意義。而高先生在這方面的貢獻是十分巨大的，讀者讀此書，可以看到相當完整的新詩發展的歷史圖象，也可以糾正自己原先對新詩所懷的一些成見或偏見。

同樣重要的，是高先生在書中對近與當代那些重要詩人所作的評析，評析簡潔、深入、有力，合乎中國傳統的「史評」的風格，這種不同流俗的史評，展現了高先生在詩學方面的修養與才華。在這些評論中，同時也反映了高先生本人「詩人的清新形象」。

我個人認爲，由高先生來執筆寫大陸新詩評析，是相當合適的。原因在於：如果由大陸方面來寫，可能政治顧慮太多，無論是選材或評論，恐怕都難脫政治影響，這樣就會嚴重地傷害到文學本身的獨立性與純潔性。如果由臺灣的國民黨方面來寫，或恐八股太多，其弊亦同。高先生則不然，他可以完全跳出兩方的意識形態的牢籠，完全以詩人的立場來從事這種工作，所以才會有這樣傑出的成就。

本書的附錄，也是全書的一大特色。通常的「附錄」，只是供作普通參考之用，往往不受重視。可是，本書的附錄，卻是高先生的力作，從史學立場看來，其價值甚至不亞於前文。在正文中，每一作家有傳略，作品有長文評析，其中涉及大量史學範圍內的東西，作者舉重若輕，甚見功力；而附錄再加上六百位中國新詩人的生（卒）年表，又續補二百五十人，共有八百五十人，已相當完備了。隨後又列出二百六十多種相關的參考資料，眞是嘉惠於後學不淺。將這樣多的文學史料搜集編整，使本書不但具有不可磨滅的文學價值，同時也具有極高的史學價值。

杜甫論詩《六絕句》結語云：「別裁僞體親風雅，轉益多師是汝師」。高準先生此書，既從浩如煙海的無數新詩中作了精嚴的選擇與評論，而又羅列群書，多所指點。則杜甫以上兩句之所言，可說也正是本書對讀者的不凡貢獻。

（《世界論壇報》，一九八八、九、十一、台北）

《中國大陸新詩評析》讀後

邵燕祥

《中國大陸新詩評析（一九一六—一九七九）》，高準著，台北文史哲出版社一九八八年九月初版。共七百頁。有胡秋原序，曾祥鐸跋。書前有作者闡述寫作經過與體例的代自序《一段艱困的途程》；附錄有原定《中國新詩史論及作品選析》總綱目、選錄詩篇年表、中國新詩人（八五〇人）生（卒）年表、主要詩集及參考書目表，以及主要人名索引。

這本書的著者、詩人高準前後歷十餘年的搜求遴選，從所過目的大約一萬六七千首新詩（一九四九年以前的約四千多首，一九五〇年以來大陸的約一萬二千首以上），選定了自胡適至舒婷七十一位詩人的詩作共一〇一首，也眞可以說是「衣帶漸寬終不悔，爲伊消得人憔悴」了。

高準爲全書寫了引論《中國大陸新詩發展的輪廓（一九一六—一九七九）》，並爲每位作者寫了傳略，每首作品寫了簡說。據他自述，是以「氣韻生動」作爲美學標準，以人道主義、愛國主義、民主主義作爲政治標準，同時照顧多種風格流派的代表性。我以爲具體作品的去取或評價，讀者容有不同意見，但不能不承認選家貫徹了自己的原則。可能由於高準「在水一涯」，有利於超越意識形態的或其它人事關係的侷限，在選目和評析上也就更易表達和發揮獨立的見解——不管這種見解是否處處精當。如一九四九年以前詩作入選的五十一首，不但與朱自清編的《中國新文學大系·詩集》，而且與香港版的《現代中國詩選》相重的不多；一九四九年以後的部分，與大陸的一些選本相同的更少。這種選本的特色，應該說就是選本存在的價值吧。

當一九七〇年高準開始規劃這一堪稱巨大的工程時，在台灣，《中國新文學大系》還形同「絕密文件」，早年詩集單行本能找到的也不過胡適、朱自清、劉大白、徐志摩四家而已。今天，情況可能略有改觀，但像這樣認眞地力求紹介「五四」以來新詩在大陸六十年發展全貌的選本，恐怕還是第一家。由資料不足造成的缺憾，是可以通過增訂來彌補的。我想這是此書對台灣的讀者和研究者的意義。至於它對大陸的借鑒意義，可以說是多方面的：著者評論中透露的從中國傳統詩學觀點探討對中國詩傳統的繼承的意圖不必說了，即使就選詩所下的苦功夫，而不是人云亦云或任憑作者自薦，對作品和作者的評論都直抒己見，具見膽識，而不是躲躲閃閃或敷敷衍衍，都是說來容易，做起來不那麼容易的。至於不惜工本出版這樣篇幅大、裝幀精，有學術價值但未必暢銷的書，不是也很值得我們的出版家特別是思想文化工作領導部門的決策者看一看、想一想麼？

長江文藝出版社決定出版包括新詩七十年代表性詩人作品的《中國新詩庫》，在這方面表現出值得稱讚的氣魄。第一輯共分郭沫若、劉大白、馮乃超、王獨清、徐志摩、穆木天、陳夢家，聞一多、朱湘、林徽因十卷，已由周良沛編選出版。期望能順利地出下去，幾年內達到預期的百家百卷。不過據說也遇到一些麻煩，如胡適卷、周作人卷還需另打報告請准才行，讓人不免感到奇怪。高準的書裡未選週作人，那是因爲周作人的白話詩在形式上棄韻就散，在高準所謂「內容及形式上都不太講究」的白話派中也爲他所不取，故不入「評析」之列，並不是因爲這一「五四」時期的文化戰士「晚節不終」的緣故。

應當提到的是高準選了大陸上一位無名詩人、貴陽市工人黃翔的《火炬之歌》等二首，並以寫於一九六九年的《火炬之歌》列入六十年代部分，評價爲六十年代大陸新詩的壓卷之作，我以爲是極有見地的。這首詩不但置於六十年代「文革」時期是不可多得的好詩，即以今天公論的尺度來衡量，也仍然是一首閃耀著激情、理性和藝術光芒的好詩。這是艾青《火把》和他一系列歌唱太陽與光明的詩在幾十年後的回聲。關於黃翔的詩，應該由詩評家們研究，寫出專文，這裡只是聯想所及，提請讀者注意。

感謝高準做了一件有益於台灣讀者也有益於包括兩岸在內的中國新詩的發展的工作。希望早日看到高準計劃中的台灣詩人作品的評析出版。也希望大陸能有對「五四」直至當代的新詩，包括在台灣和海外寫作的中國詩人的作品更多、更好的選本評析和研究專著問世，這不是「套話」吧？

一九八九年二月十二日

（《文藝報》，一九八九、二、廿五、北京）

一段艱困的歷程

——高準《中國大陸新詩評析》讀後

龔顯宗

日前喜獲高準先生近著《中國大陸新詩評析（一九一六——一九七九）》一巨冊。高準先生是筆者大學一年級時的老師。忽已是二十四年前的事了。他當時教的雖不是文學課程，已是著名詩人。茲拜讀之餘，未敢言評。

■十年辛苦不尋常

《中國大陸新詩評析》（以下簡稱高著）一書雖僅是高準「中國新詩史論與作品選析」總計劃的一部份，但已足足花了十四年的時間，全書厚達七百頁。筆者捧讀細閱再三，深覺著者的努力功不唐捐。

高著除以「一段艱困的途程」一文敍述撰寫的經過與體例外，凡分八章。

第一章爲引論，勾勒中國大陸新詩自一九一六年至一九七九年發展的輪廓。

二章至七章將大陸新詩的歷史分爲六期：

第二章爲初期及二十年代，選十八家詩。

第三章爲三十年代，凡十家。

第四章爲四十年代，凡十二家。

第五章爲五十年代，凡十七家。

第六章爲六十年代，凡十家。

第七章爲七十年代，凡十三家。

第八章爲附錄，有「中國新詩史論及作品選析」總綱目。選錄詩篇年表和包括海峽兩岸八百五十人的詩人年表，以及主要詩集與參考書目。

高準過目的新詩凡三萬首，自其中選出一百○一首，除了作者傳略外，又加上「作品簡說」，作者雖自稱爲「簡說」，也有不少卻是相當長的評論，成爲本書最主要的部份，他的功力才識具在於是。

■撰述旨趣和選詩標準

高準的撰述旨趣是要「裁僞體」、「親風雅」，所謂「親風雅」即以興觀群怨爲指歸，也就是以中國傳統詩學與詩教的觀點審驗新詩。

高準選詩的標準有三：一、即代表性或特殊性，二、即美學觀點，三、即政治標準。所謂代表性是指足以代表作者或某種流派作品，至於特殊性則指某一首詩或該詩作者較有特別的意義而獲選的，以兼顧各種風格流派的全面性。

高準的美學標準是「氣韻生動」，也就是包括氣、韻、生、動及氣韻、生動六個概念及其引申，近於王漁洋的「神韻說」。

所謂政治標準指作品須合乎人道主義、愛國主義與民主主義的原則，故凡助長專制獨裁，個人崇拜、破壞民族和諧的，都不入選。

高準所立「三準」，可以三字概括，即特、美、仁，以此「三準」，博觀精選，而成此書。

■論特色

高準選詩的標準之一既是代表性或特殊性，故極重各家特色，在「作品簡說」中每每論及，例如論郭小川云：

「郭小川是在形式上勇於探索的詩人……也有汲取古代歌行自由奔放特點的作品，以及吸收古代散曲、小令句式的節奏明快、韻律自然的詩體。另外，他創拓了每句長達二十來字，中間要用標點隔開的『長廊體』（如《鄉村大道》），這種體裁吸收了古代辭賦中鋪陳、排比、重疊、對偶等手法，而使詩呈現出雄渾、繁富、嚴謹的特色。」

論周良沛《刑後》一詩云：

「專門描寫刑求逼供的詩，歷代都很稀有，這詩內容題材上的獨特，使它不能不成爲受到注目的作品。」

論綠原《重讀〈聖經〉——「牛棚」詩抄第n篇》云：

「這詩的另一項引人注意之處是在以往中共長期排斥宗教的情況下，首先以《聖經》爲題材而作了讚賞性的表現。這可能也是自一九五〇——八〇的三十年間第一首對宗教經典表示了讚賞之意的詩作。」

三則評論分別從形式、內涵、題材等方面去注意詩人的特色。如論李瑛《是什麼閃爍在草上》、駱耕野《不滿》、舒婷《這也是一切》也都能針對作者的特殊性立論。

■論渾若天成

高準既以「氣韻生動」爲上，當然喜歡自然之美，他在論田間詩時提出對「渾若天成」

的看法，他說：

「任何文學作品都是一項文化產品，它須要親切動人，有功力而不見斧鑿痕，所謂渾若天成，斯爲上品。但渾「若」天成是以深緻的功力與文化作內涵的，絕不是粗淺幼稚，所以任何讀者都須要一定的文化水平。如果把杜甫的詩唸給小學二年級的學生聽，把英文莎士比亞唸給只讀了二年級英文的初中生聽，然後照他們能懂的字眼來改寫，還能有什麼文學存在呢？所以「普及」的眞正意義，是在於提高無文化的人群的水平，使他們達到一定的文化程度，獲得欣賞的基本能力，而不是放棄作品必要的藝術加工，以致於同歸於盡。」

以上是他論田間後期作品之所以「一敗塗地」的原因。所謂明白易曉並不是開口見喉，了無餘蘊，也不是粗淺幼稚，放棄錘鍊琢磨的技巧。

高準注重詩中的情韻，所以最能欣賞民歌體的新詩，傅仇的《請你給我一朵花》、嚴陣的《江南曲》等，都是他所擊節讚賞的，但對李季的《掏苦菜》，則指出有套襲較多民歌原句的弱點。

生動也是美的要素之一，高準論聞一多《一個觀念》云：

「題目《一個觀念》似乎這抽象，而全詩卻完全是形象思維的表現。它以種種生動的形象與比喻，說明著一個觀念：愛國——愛中國。最後一行則更充滿了「擬人化」的生動活潑的情趣。」

不論自然、情韻或生動，都是構成佳作所不可或缺的要素。

■論人道

高準所謂的政治標準主要就是人道主義，民主則是可以含攝在其中的。他論黃翔《火炬之歌》云：

「大陸六十年代後期漆黑一片的詩壇，由於這詩的破壁而出，終於使它獲致了一炬午夜爝火般難能可貴的終曲，而恰如薪火之相傳，這詩也正遙遙領先的構成了大陸七十年代末期以來湧現的抗議詩群的前奏。」

反對偶像崇拜和個人迷信，呼籲民主爭取人權，正是知識份子的天職。

又論駱耕野《不滿》一詩云：

「我們不但看到作者爲「不滿」之應受允許作了有力的辯護，我們也看到作者很具體的羅列了其所生存的中國大陸的許許多多缺點。」

敢於批判不合理的現狀與法制，詩人確須有過人的道德勇氣。

論舒婷《這也是一切》云：

> 「在悲情中充滿著溫柔，在淚眼中寄托著敦厚，在苦難中燃點著希望的火花，而這正是博愛與人性的伸張。」

抗議、批判都應出於仁愛，才不致於以暴易暴的境地。

高準以爲內涵與形式二者不可偏廢，艾青的詩所以獲得他推重，不祇是在作品中流露著對農民和土地的悲憫及民族抗戰的熱情，更重要的是把人道主義化爲藝術作品，而擺脫了概念式的呼號。所以對艾青後來一些概念式的作品，也同樣有所批評。高準這種文學觀是把代表性、美學和政治標準雜揉在一起的。

在關於「民主」這項線索下，我們還可以看到此書先後選介了何達在四十年代後期寫的《民主火》，與黃翔在七十年代末期寫的《民主牆頌》。除讚賞其精神外，並指出其充實光輝之美。

而在「愛國主義」的線索下，則又可發現高師是把表現山河之美的作品也都包括在這一疇範之內。於是，發揚愛國精神的好詩，就絕不只是抽象的情緒，而落實到對大地與同胞的愛心之形象化的表現上。同樣體現了政治標準與美學的結合。而於是也又與仁民愛物的人道主義精神不可分。

■高著的優點

高著以「三準」編選而成，其優點有如下數項：

㈠立場客觀公允

中國文人從古以來，黨同伐異，各立壇坫，類聚群分，自成流派，尤以詩人爲最。高準去取，卻一以「三準」爲原則，立場既客觀公允，評語也多精當中肯，茲舉數例爲證：

論郭沫若云：

「他的詩，有文學價值與歷史地位的，主要也就最早的《女神》，表現了一種要求變革的奔放激情，被視爲「五四」時代精神的象徵，但其中有不少作品欲求奔放，卻往往成爲兒歌式的吶喊。……至於一九四九年以降，由於精神上的墮落——力圖諂媚以保權位，其作品遂更至於不堪入目的境地。」

這一則批評全由作品的價值與文學史的地位著眼，既非阿諛，也不流於政治上的撻伐，實爲難能可貴。

論冰心云：

「她在文學方面的主要成就，還應推其在散文方面建立的獨特的溫柔秀美的風格。至於其詩，雖然曾發生過一些影響，甚至有人認爲新詩的發展史上還有一個以冰心爲主的小詩時期，但今天看來，其成就畢竟是有限的。」

此則就詩論詩，決不涉及其他。

論嚴辰云：

「他的詩大都章法嚴整，格調樸實清新，語言流暢簡練，但由於他歷來講究嚴整平實，所以也往往不夠奔放活脫，頗多四平八穩而平淡無奇之作。其內容則多是以歌頌爲主，但在「歌德派」詩人中，他也還是寫得比較有分寸而得體的一個。」

高準雖看不起歌德派的文人，但仍能從內容、章法、格調、語言、風格立論，充分的表現了一個批評家應有的度量。

高準論詩，決非如一般不懂文學或不知源流本末著作胡言妄語，他的批評頗能注意歷史的軌跡與潮流，試看其論沙鷗《故鄉》二首云：

「這種類似「組詩」的處理方式，在大陸上自五十年代中期起就相當盛行。但這詩卻還保持著四十年代的韻味，這種帶著較濃厚的個人抒情風韻的格調，在五十年代前期的大陸已不多見，到一九五七年七月開始的反右之後，更是極難找到，直到近年（約一九七九年）以來才又漸有萌芽之勢。」

將「組詩」的盛衰流變作了簡明的介紹。

又其論艾青《礁石》一詩云：

「如這詩所顯示，可以看到艾青的詩從五十年代起，已趨向一種形式較爲整齊而且押著韻的發展，與他早期的「散文化」的風格有著不同。」

由這些評語，可看出高準對一個詩人作品的了解，不是淺嘗輒止式的欣賞和興之所至的「批評」，更非隨便選一首來充數，而是披沙揀金地過濾、篩選、精擇、細讀、熟味。

㈡發微闡幽

高準對詩人的評價，有時與眾不同，而每能持之有故，言之成理，譬如論穆木天前期的詩云：

「他的詩，在幽微玄渺的氣氛之釀造上，要比戴望舒來得成功；在形式上雖然很『新派』，但句法是很流暢的，並無生硬的翻譯腔，也比李金髮的拗澀要高明很多。所以在新詩中被稱爲『象徵派』的這三個主要詩人中，他應屬比較有成績的一個。」

放眼台灣批評家中，尚無人對穆氏的作品如此大力揄揚的。

又其論王統照詩云：

「王統照詩（《童心》以後作品）中熱烈的愛國主義與現實主義精神，對中國古典文學的溶匯，對西洋格律詩的吸收消化，以及濃重凝煉的風格，均應可與聞一多並舉，而成績或竟超而上之。他應屬三十年代最傑出的詩人之一。」

予王氏作品以高度的評價，以爲他的詩能將現實主義精神予以精心安排，可謂獨具隻眼！

㈢解釋精確

高準解詩，其求精確，試觀其對康橋的解說：

「康橋，即 Cambridge ，一般譯作劍橋，亦即英國劍橋大學所在地。原名後半字是「橋」』的意，前半字卻並無劍的意思。徐志摩譯爲康橋，是將半字按國語譯音，而舊譯「劍橋」則是將前半字按粵語譯音而來。照說應以徐譯爲較正確，但「劍橋」或「劍橋大學」的譯法沿用已久，而徐氏這首《再別康橋》及他的一篇散文《我所知道的康橋》卻又都是他最爲世所知的詩文，於是「康橋」一詞似已成爲徐志摩所專用的名詞。」

在辨正方面也極有見地，例如論諷刺云：

「王瑤《中國新文學史稿》下冊中將綠原四十年代後期兩本詩集的詩與袁水拍的《馬凡陀的山歌》並稱爲「政治諷刺詩」，殊屬未妥。前者表現的是「悲憤」，而後者則爲「冷嘲」，風格特性很不相同。「諷刺」一詞一般應專指後者一類作品。」

諷刺與控訴，在內涵和表現手法上是有所不同的。

㈣其他

除了上述四項優點外，高著頗重詩集版本，可爲讀者指南，在「作品簡說」裏也論及技巧、作法、流派，甚至對詩的批評者提出再批評。態度嚴肅誠懇、抱負雄偉，令人敬佩。

高著可作詩史和詩論看，視爲作品欣賞亦無不可，要勝任這些艱鉅的工作，才、德、學、識、力五者缺一不可。而高準年少時即以詩名世，編選本書，突破禁忌，既不黨同伐異，也不阿諛取容，而其所學，政治、文學、藝術皆專而精，通曉世界文學趨勢，對中國文化有深入了解，決非食古不化、昧於本源或浮光掠影者所可比擬，用力又如此之勤，可謂堅苦卓絕，傲視儕輩了。

如上所言，高著確是體大思精，但也略見瑕疵，本書既名曰評析，在作品後面卻叫做「簡說」，觀其所言，多是精當之語，若能以更多的筆墨，更大的篇幅，作更深入解析，引領讀者進入詩的殿堂，當是功德無量。

高準以「三準」選詩，但入選詩人亦有可議者，例如汪靜之既無特色，亦乏氣韻；而頗爲優秀的徐玉諾卻未選入，可謂滄海遺珠。又如田漢的詩雖不差，但不足以成家，若說其《七夕》是初期佳作，因而入選，那魯迅、沈玄廬、俞平伯都更有資格了。

高準評詩，多是細品熟翫，深造有得之語，但亦偶有不盡允當者，例如論朱湘云：

「他的詩往往使人讀起來感到相當的呆板，很多作品除了形式整齊好看外，內容上沒有什麼特別的意味，詞句的鍛鍊也往往並不精采。」

其實朱氏的作品，詞采精麗，聲韻諧調，風格恬靜，在格律派中是相當傑出的。

高準為詩人作傳，大抵明白可信，唯亦略有語焉不詳者，例如郭小川傳略云：

「一九七六年十月十八日，「四人幫」已被捕數日，他在睡眠中慘遭焚死。」

所謂「慘遭焚死」，究是失火意外傷亡，或是遭人縱火焚死，啓人疑竇。＊

又其論臧克家云：

「初期作品樸素眞實而含蓄精鍊，其寫農民形象與鄉村景色的作品，也都甚有特色，是傑出的「鄉土」詩。台灣近年寫鄉土詩的幾個詩人，和他這些作品還不能比。」

既謂其鄉土詩有特色，便應選一首作代表，最起碼也該舉其篇目。

大致言之，高著有如鍾嶸《詩品》之善於溯源流、精品評，而其體系博大則又過之。在此馨香禱祝他的總計劃，包括一九四九年以後台灣新詩的評析能在不久的將來面世，發揚現代詩學並光大之。

（一九八九）

＊：高準補按：郭小川之死確有原因不明之處，有可能是遭人縱火，但無從究詰，所以只能這樣說。

中國新詩欣賞的新視野

趙天儀

高準先生是台灣現代詩壇的獨行俠，自己成立一個詩潮社，獨自主編《詩潮》，已陸續出刊至第五集。他原在大學裏教中國通史、但他寫詩、寫散文、寫政治思想的論文、寫繪畫史並開過畫展，也曾跨越海峽，獨來獨往。他編著此書歷時十多年，值得我們注意。

回顧起來，早在一九七二年，高準發願編寫這本書以前，他就曾在一篇《論中國現代詩的流變與前途方向》中提過他對新詩的主張，稱爲「新八不主義」。首先是「五點基準」：

一、詞義清新，不作漢語之罪人。

二、情意眞摯，不作浮濫之吶喊。

三、結構精粹，不以散漫爲自由。

四、韻律諧調，不失聽覺之優美。

五、境界高遠，不作頹廢之虛無。

以上他認爲是必要條件。提著還有「三項方針」，他認爲是充足條件。它們是：

六、加强的吸收傳統精華，繼承光大民族的歷史命脈。

七、深切的關注社會現實，堅決在中國的土地裏紮根。

八、熱烈的發揮抒情精神，徹底清除「超現實」之迷妄。

又他在「詩潮的方向」中，他再度提出對詩的主張，原來有五條，後來改爲六條，茲再錄如下：

一、要發揚民族精神，創造爲廣大同胞所喜見樂聞的民族風格與民族形式。

二、要把握抒情本質，以求眞永善求美的決心，燃燒起眞誠熱烈的新生命。

三、要建立民主心態，以普及爲原則的基礎上去提高，以提高爲目標的方向上去普及。

四、要關心社會民生，以積極的浪漫主義與批判的現實主義，意氣風發的寫出民衆的呼聲。

五、要注重表達技巧，一件沒有藝術性的作品，思想性再高也是沒有用的。

六、要重視形象思維，形象思維的實踐與否，是檢驗詩之藝術性的主要標準。

而另外，他還曾在他所編註的《中國古今名詩三百首》的序這裏對詩下過一個定義，認爲「詩」是「人類思想與感情交流昇華以導致高尚境界而透過想像與韻律精鍊而出的語言」；其中特別强調「導致高尚境界」一點，可能是最與衆不同的地方。

從他以上的主張，我們再來看他編寫的這一本《中國大陸新詩評析》；一則可以從他的詩觀來了解他的選擇取捨，二則也可以從他的觀點來理解他的批評分析。

中國新詩運動至今已將近七十年光景；包括民國初年到國民政府自大陸撤退以前，爲第一時期。然後，進入國共海峽兩岸對峙時期，台灣詩壇與大陸詩壇分道揚鑣，爲第二時期。高準目前所編的這一本《中國大陸新詩評析》所選擇評析的對象，便是包括了第一時期的作品，以及第二時期的大陸詩壇的作品。

高準依二十年代、三十年代、四十年代、五十年代、六十年代、七十年代六大階段來加以區分，每一年代又歸納出不同的派別，以釐清那一階段的特色。當然，他的區分，是依照他所蒐集的資料來界定的，依照他自己的陳述，他爲了蒐集中國新詩史料的艱辛以及所遭遇到的困境，眞是令人感慨！以我們鄰邦的日本爲例：他們編選日本近代詩、現代詩的各種選集，編寫詩史，蒐集詩史資料，都比我們幸運多了！

高準在這本書所做的，除了引論外，主要是編寫「詩人列傳與作品分析」的工作。他指出有他自己的美學標準，而且也有他的政治標準。

他的美學標準是什麼呢？他說：「至於我的美學準究竟是怎樣呢？那是我將要在計畫中的『後論』裏專寫一篇來申論的，最簡單的舉述一句，那就可以用謝赫所云的『氣韻生動』

四個字作爲依歸。」不過他並沒有把這畫論的觀點如何引申應用到新詩的觀點而詳加說明

至於他的政治標準，他就說的比較清楚了。他說：「除了美學標準，有沒有政治標準呢？若說有人可以完全撇開一切的政治標準，那是騙人的空話。我一向是主張突破一些無謂的禁忌的，但自然也有我的大原則—那就是謹守人道主義、愛國主義與民主主義的方向，那也就是本書選錄作品的政治標準。」

高準的詩觀，包括了「詩潮的方向」，以及他的美學標準與政治標準出發，我們來看他選詩的態度與評詩的方法，雖然說還不能完全掌握到他的全貌，或也已比較接近他自己的看法了。

詩有常數與變數；詩的常數，是指詩的本質，古今中外的詩，詩之所以成爲詩，都有他們共同的常數，也就合乎詩的本質的表現。而詩的變數，是因爲每一個詩人都有他們的不同的生活經驗，他們的詩也反映了這些不同的生活經驗，同時也表現了他們的不同的風貌。因此，我們說詩的常數是形式的，詩的變數是內容的，當形式與內容適當地配合，便是詩人以不同的生活經驗來表現他們不同的風貌。

中國新詩在七十多年來的發展過程中，第一時期的作品，我們比較熟悉。而在第二時期的作品，以大陸詩壇的作品來說，我們便比較陌生了。近四十年來，大陸的詩人究竟是怎樣

地在表現他們的大陸經驗呢？這是我們感到關懷的課題。高準的編選，雖然平均每一個詩人只選一首爲基準，當然也有例外，他有意來呈現大陸詩壇五十年代、六十年代以及七十年代的風貌，雖然並非全貌，倒也彌補了這個斷層的缺憾。

因此，當我略讀了這本書的校樣以後，願提出下列的意見，以作爲他日後繼續編寫的參考：

一、繼續廣泛地蒐集新詩史料：高準從台灣、澳洲、美洲、歐洲到中國大陸蒐集中國新詩史料，精神可佩，其所遭遇到的困境，值得大家來突破。不過，他所列參考論著、詩集雖已達兩百六十餘種，有些中國新詩史料以台灣新詩史料，也還有我所知而未見作者列入的，也值得去蒐集，當可更爲充實豐富。本書所寫的緣原，即因資料比較充實，可以更正台灣官方不實的報導。

二、繼續充實世界現代詩學的理論：中國新詩運動，以及台灣新詩運動，不論是主張縱的繼承，或不論是主張橫的移植，畢竟都是現代世界變動中發展的產物。因此，對世界現代詩學的理論與作品，包括西方的。東方的、以及第三世界的詩學，也都可能充實我們的詩的教養。因此，打開我們的世界的視野，再來反省中國新詩的發展，畢竟比較具有更積極性的意義。

最後，依照本書所附計劃中「中國新詩史論與作品選析（一九一六—一九八〇）總綱目」看來，作者有意進一步把大陸詩壇與台灣詩壇對照並舉，站在更廣闊的視野來看，這種處理確是一種富有意義的計劃，但根據他所選列的台灣詩人的名單來看，他對台灣詩壇自日據時期至今所擬論列的詩人及其作品，還可再補充。因此，將來要整理這一階段的時候；一則應再積極蒐集原始資料，發幽探微，二則應跟有研究的同好者多交換意見，尤其是有些詩刊詩集，具有關鍵性的新詩史料，應不要輕易放過。

簡言之，拜讀了這本書的校樣，高準先生要我坦率地寫一點批評，由於時間匆促，只匆匆過目一次，未及更深入地了解與欣賞，只能略抒己見，以就教於高準先生。他原是我們詩壇上獨來獨往的獨行俠，應允許別人提出不同的意見和觀點，使他將來再編寫的時候，能更充實，也更周延。

（一九八九）

臺灣學者研究大陸新詩的可喜收穫

——評高準《中國大陸新詩評析》

古遠清

比起大陸對台灣文學的研究來，台灣對大陸的文學研究步伐似乎要慢得多，有影響的成果也不多見。不是沒有，像《中共文藝政策研究論文集》（翟志成著）以及最新出版的《當前大陸文學》（《文訊》雜誌社編），且不說其中的嚴重政治偏見，單就學術性而言，就既不系統，其觀點也很難談得上深刻。但高準的厚達整整七百頁的《中國大陸新詩評析（一九一六——一九七九）》（台北文史哲出版社一九八八年九月初版），情況卻不同。它雖然還不是「中國大陸新詩史」，但可說是大陸新詩史的雛型；書中所顯示的系統性及由此帶來的學術性和史料性，均使人對這部長達近五十萬字的專著刮目相看。

高準是台灣著名詩人，畢業於台灣大學，現任「詩潮詩社」社長。一九七二——一九七三年，曾發表對台灣現代主義詩的長篇批判論文，其中提出新詩的「新八不主義」，在當年新詩大論戰中堪稱空谷足音。一九八一年赴美，後受中國作家協會之邀訪問大陸，返美後撰寫了長篇遊記。一九八三年春返台，爲台灣作家公開訪問大陸又能回台的第一人。他用自己的親自實踐開拓了海峽兩岸溝通的道路。一九八八、一九八九年又再次訪問大陸。所著《高準詩集》（文史哲出版社一九八五年版）爲其自行整理的歷年創作總結。評論著作除《文學與社會》、《中國繪畫史導論》、《詳註中國古今名詩三百首》外，一九八七年完稿的《中國大陸新詩評析》，是台灣有系統評介大陸新詩的第一本著作。

此書雖然不可避免地存在著政治差距，如在評述郭小川詩作時，否定過多，以至認爲大部分是「『假、大、空』作品的典型代表」（四六二頁）；對馬凡陀山歌僅承認其史料價值而否定其文學價值（三十五頁），等等。但這本書與那種純粹是從「反共復國」的政治需要出發，以政治上的無恥吹捧或肆意攻擊取代替文學述評的所謂研究著作有極大的差別。作者在書前《一段艱困的途程》中，自稱是「單純治學的學者」，曾祥鐸評論此書的讀後中，認爲評述大陸新詩，不應由「台灣的國民黨方面來寫」，即不應從政治需要出發，而應「完全以詩人的立場來從事這種工作」，才能跳出意識形態的牢籠，避免「八股太多」（六八七頁）的弊端。事實上，脫離政治的「純詩人」立場是很難做到的，著者並未完全擺脫彼岸的意識形態的束縛，不過他與以官方姿態出現的御用文人確有極大的不同。且不說他爲寫此書多次受到「一見到『太陽』兩字就怕」的當權者的追害，差點被戴上爲他人作宣傳的「紅帽子」；單就此書的論述來說，作者力圖跳出那種把大陸新詩史寫作政治鬥爭史的偏向。他比較注意從新詩史實出發，探討大陸新詩自身發展的過程和規律。謝赫論畫時說的「氣韻生動」（包括「氣」、「韻」、「生」、「動」及「氣韻」和「生動」六個概念。引者註），就是他選詩和評詩的美學標準。至於政治標準，他也旗幟鮮明地提出自己的「大原則——那就是謹守人道主義、愛國主義與民主主義的方向」（二十四頁）。故凡是「助長專制獨裁的、助長對當權人物的個人崇拜的、破壞民族和諧的、詆毀由於不可抗的因素而具有某種身份的一整批人的（如採取『血統論』或『成份論』的觀點），諸如此類就都不在合格之列」（二十五頁）。這樣的美學標準與政治標準，大體說來是正確的，且是獨樹一幟的，因而使該書具有如下引人注目的特點：

一是具體分析了每一時期詩歌流派思潮的發展線索及其各自取得的藝術成就。如對四十年代——不僅是在台灣，而且也是在大陸研究得相當薄弱的環節，具體勾劃了現實派如何發展爲新現實派、抒情詩派如何演變爲現代抒情派的軌迹。作者的論述雖嫌粗略，其分類方法與大陸學者的看法也不甚相同，但也正由於這個不同，才顯出著者的眼光獨到。「從浪漫派之發展爲抒情派又演進爲現代抒情派，從象徵派之轉化爲現代派，從現實派之發展出新現實派，這三條發展的線索，顯示了在外部的社會因素以外的藝術內部矛盾的運動過程」（三十五頁）。他這種看法也許還可以討論，但畢竟理由充分，自成一家之言。而學術研究所需要的正是這種不照抄他人結論的獨立見解。對五、六十年代的新詩，作者從藝術形式著眼，將五十年代分爲新格律體、新民歌體兩大類外加不講格律的自由體一小類，除了看輕了自由體詩在這時期的作用本人不同意外，這三大類的劃分法大體符合大陸詩的實際。將五十年代劃分爲前期（一九五〇——一九五四）和後期（一九五五——一九五九），並肯定後期「是個新人輩出，作品旺盛，不無相當佳作的年代」（三十八頁），這就不是簡單的劃分階段，而是在描繪大陸新詩發展的輪廓，給人印象較深。對七十年代大陸新詩的論述，除個別論點可以商討（如把孫紹振當作這一時期的代表性詩人之一就不很準確，孫氏主要不是以詩作而是以詩論著稱）外，作者力圖從時代和藝術規律本身去考察大陸新詩發展變化的原因，這種做法也很值得稱讚。

二是注意研究了一些爲大陸出版的當代文學史所忽視的詩人詩作。在《五十年代》部分中，作者所選取的洪洋寫長江大橋落成的《掀起你的波濤吧，揚子江》，與當時流行的某些「通體透明」的頌歌不同，「它給人一種眞切而深厚的歡欣鼓舞之情。……全詩具有辭采華贍，感情熱烈，結構新穎而完整的優點」，在五十年代描寫經濟建設的詩作方面具有相當高的代表性和典型性。過去大陸評論家寫的回顧「文革」前詩歌創作的文章，沒將其特別的提出來，是欠公平的。至於安謐描寫內蒙人民放牧生活的詩歌，在大陸更是長期寂然無聞。現在，作者特別將其提出來，這充分說明作者的「選評」是建立在大量的第一手材料的基礎上的。在《七十年代》部分選的寥寥的《我們無罪》，不僅是詩作而且作者的名字，大陸的讀者均感到十分陌生。但由於寥寥表現了紅衞兵「這一代青年」的痛悔與反思，具有與衆不同的意義和價値，所以作者本著「不拘一格降人才」的原則，將其選錄下來，這體現了作者與大陸學者不同的研究視角。據作者自己統計，該書的初期至一九四九年部分所選的五十一首詩，與香港出版的厚達一千八百頁的《現代中國詩選》，相同的只有十六首。一九四九年以後的部分，與北京《詩刊》社編的三卷本《詩選（一九四九—一九七九）》相同的也只有十首。這不是大同小異而是大異小同的狀況，使中國現代詩史呈現了更廣大的視野和更完整的風貌。

三是體例新穎。目前，大陸還沒有出版過一本完整旳中國現代詩史或當代詩史，坊間所見到多爲《作品選講》、《名篇賞析》之類，其體例差不多都是作者簡介，原詩及原作分析三大塊，而高準的《中國大陸新詩評析》，却是把新詩的歷史發展及其論評、主要詩人的列傳、詩選、評析與八五〇位中國新詩人的綜合年表外加主要詩集與參考著作匯成一書。這個體系有些類似二十五史的《正史體例》，含志、傳、紀、表和後論。此外，在分期問題上，作者不按政治階段分期，也不以新詩的內在發展規律作爲分期依據，而是把新詩的最初幾年與二十年代合成一個單元，此後均以十年作爲一單元。這種分法自然不似有些學者分誕生期、成長期、壯大期、收穫期那樣一目了然，但這種分法也有具特定的長處：「既較易顯示每一年代橫斷面的樣相，也較可凸顯出作品對時代的映照。」（二十三頁）爲了不割裂詩人的創作全貌，作者盡可能將每位詩人放在他產生主要作品及發生主要影響的年代，只有極少數人重復出現在兩個年代，這種處理方法也是值得肯定的。

四是評析部分具有中國詩學傳統的血胤。作者是高揚現實主義大旗的抒情詩人，一向激烈反對「全盤西化」的謬論。這表現在此書評析詩藝時，避免現代派理論的滲透，而力圖運用中國傳統詩學與詩教的觀點來審驗新詩。這裡講的傳統詩學，主要指的不是「溫柔敦厚」，而是指用以淨化心靈的教化作用。作者所做的工作，用其《後記》中的話來說，是一種「別裁」的工作：裁的是「僞體」，立的是「親風雅」的統緒（六九〇頁）。根據這種評論角度，作者將評析文字寫得簡明扼要，深刻有力，文字形象生動，完全合乎中國傳統的「史評」風格。有的評文，還跳出了作品的範圍，縱論詩人的創作道路（如評流沙河）；有的則借題發揮，抨擊極左思潮對大陸詩作的危害（如對郭小川《輝縣好地方》的駁難）；有的則著重評品作品豐美的畫意與清新雅潔的風格（如評沙鷗的《故鄉》）。這些不拘一格的品評，顯示了作者深厚的詩學修養，從另一側面反映了高準作爲詩人兼詩評家的清新形象。

最後要提及的是置於卷首的《本書寫作的經過與體例》。可以毫不誇張地說，這是一篇血淚凝成的文章。作者爲研究大陸新詩，克服了種種難以令人置信的困難。當時的台灣當局對大陸作品禁錮得相當厲害。不要說一九四九年後的作品不許染指，就是一九三五年出版的《中國新文學大系》，對詩歌研究工作者來說就好似「絕密文件」，即使「撞破頭也無法見到。」對北京出版的《詩刊》，高準是遠在異國的坎貝拉澳洲國立大學中文圖書館讀到全套的。通過千辛萬苦得來的資料，後來在郵寄回台灣時又被小特務人員沒收，交涉多次拒不歸還。一九八一年初，因選了郭沫若早期的《太陽禮讚》——這本來是毫不觸犯什麼忌諱的一首詩，却被莫名其妙遭抨擊，連刊登此文的刊物也遭查禁。但作者不怕刀與暗箭，在台灣「解嚴」之前的極端困難的條件下，終於完成了《中國大陸新詩評析》這一專著。這種不怕艱險，不怕政治陷害持之以恆研究中國大陸文學的精神，的確使人深受感動。也許正因爲研究條件的艱苦，所以這本書在個別史料上出現了一些失誤（如沙鷗在一九五七年未被打成「右派」），有些詩人的生平資料欠新（如洪洋、管用和等人），相信作者通過聽取各方面的意見後，一定會將此書修訂得更加完美。我們尤其希望作者他能像大陸學者古繼堂編著《台灣新詩發展史》那樣，在對岸寫出一部《大陸新詩發展史》來。

（《當代文學研究》，一九九〇、七，北京）

從涇渭分別到縫合斷層

——高準《中國大陸新詩評析》讀後

莫　渝

文學是一條長河，從綿綿細細到浩浩蕩蕩，文學工作者由此孕育，汲取營養，文學作品也在此形成傳承的因果關係。對文學作品的欣賞，我們既要有「點」的選讀，也要了解「線」或「面」的源遠流長，抽刀斷流畢竟不是妥當的態度。

很不幸的，一九四九年以後的台灣詩壇，形成奇特的現象，原本使用日文寫作的詩人們，由於語言文字表達工具的改變，他們暫時銷聲匿跡，停筆觀看。詩壇的活動人物，便由一批中國大陸抵台灣的人士扮演了，他們辛勤地耕耘一度荒蕪的詩壇，逐漸有看起來很蓬勃的樣子，但是，因政治因素，原先尙有某些因緣關係，時間一久，台灣海峽似乎形成一大鴻溝，除了文字相同外，海峽兩岸任何關係均遭隔離，包括文學訊息，詩歌活動。於是，島上的詩人們轉向英美求取資訊，覓得知音，終於演變成六十年代台灣詩壇兩種怪異現象。其一，對外依附歐美現代主義的潮流，引進各種出現過的文學思潮，追求新奇表現技法，逐漸走進詩的迷宮，詩不是生活中的產品，是貴族化的裝飾品；其二，對內大言不慚地自誇中國文學的主流在台灣，現代文學的命脈繫在某些選集內。

這樣政治上的敵我對立，文學上的涇渭分明，持續一段時間後，台灣本土詩人們開始覺醒，他們從舊的文獻找得血緣，原來在日據時代，透過日文，不僅了解世界詩壇動態，也留下不少文學遺產；另方面，大陸籍的詩人們也在三、四十年代斷層中攀親。一時之間，台灣詩壇的成長有兩個球根的說法應運而生。

然而，困難仍存在著，日據時代的許多詩人應用日文寫作，必須透過翻譯，才能被接受；斷層中的大陸詩人作品，仍擺脫不了政治因素，無法全面公開。

在這時候，詩人瘂弦著手介紹「新詩史料」，範圍較狹隘，侷限某幾位詩人。遠在美國的詩人詩評家陳芳明（陳嘉農，又用筆名宋冬陽），選介了幾位四十年代被遺忘的詩人。高準，也開始他「一段艱困的途程」，他在一九七一年，利用「努力搜求的有限資訊」，初步完成《論中國新詩的風格發展與前途方向》長文，並附參考例樣十餘篇詩作。一九七三年起他先後到澳洲雪梨大學、英國劍橋大學、美國愛荷華大學、柏克萊加州大學等研究、收集資料。終於，擬定以「中國新詩代表作選析」的撰述目標，第一篇介紹六位早期詩人：胡適、劉復、劉大白、郭沫若（郭開貞）、冰心、汪靜之，每人一詩，附作表傳略與題解，刊登於當時的黨外雜誌《縱橫月刊》創刊號（一九八一年二月二十五日）。這份雜誌也因這篇高準的文章被禁。隨後，高準仍本著要完成「一本全面包含六十餘年間中國各地詩人作品，選擇精當而且有各作者傳略及必要的註解的選本」，鍥而不捨，分別在《掌握》詩刊、《東亞季刊》、《詩潮》等刊物，登載這個宏願的研究成果。

這部鉅著，終於以《中國大陸新詩評析（一九一六——一九七九）》的初貌，出版上市。

在此之前，高準以身兼詩人、評論家與學者三種角色，編著過《中國古今名詩三百首》（一九七三年初版、一九八一年修訂新版，修訂三版待出版），這本書的編選原則是，以啓發性靈、純美欣賞、鼓舞民族精神、表達民生疾苦爲四項標準。對新詩部份求其可以銜接中國傳統詩藝。這四個標準所形成的中國詩的偉大傳統，也適用於他新編的這部大陸新詩評析論著。雖然中國新詩的發展受外國影響頗大，但影響之後，仍需納入本國的文學長河內，因此，高準「希望避免現代西洋理論的滲透，而試圖純就中國傳統詩學與詩教的觀點來審驗新詩，以檢視有哪些是可以繼承中國詩的偉大傳統的」（本書六九〇頁）。這樣的立論，使得本書有濃厚民族文學的根基，加上論者自己的美學標準——氣韻生動，及政治標準——謹守人道主義、愛國主義與民主主義的方向，如此，形成本書與其他選集有所不同的最大特點。

其次，高準不是編一部詩選，也不是站在個人立場，憑一己之好惡，他是站在文學史家的角度，透視新詩源流與發展演進過程，循序篩選評析，兼顧各種風格流派的全面性，因此本書的編列，在「引論」長文，介紹中國大陸新詩發展的輪廓，各詩家傳略與作品及賞析，均按年代劃分，即初期及二十年代一單元，依序以十年代爲一單元，介紹至七十年代，共有七十一位詩人，近百首作品。初期的新詩至三十年代，台灣的讀者大體上還比較認識些，四十年代以後，可以說是斷層時期，藉著高準先生的引介，揭露面紗，讓我們知曉這些時期，並非文學史（或新詩史）的空白。大陸上的文藝工作者儘管受到政治迫害，仍有新人輩出的空間。此外，値得敍及的是一九五八年的新民歌運動，這項民歌運動接續四十年代中共統治區冀魯豫的民歌派，此時配合「大躍進」，如火如荼在全國推展，要求人人寫詩，自然出現不少粗糙作品，却也受到法國研究中國新詩史女學者 Michelle Loi 的重視，譯成一冊選集，同時，比台灣在七十年代初的提倡民歌，要早十餘年。兩岸間的文藝思潮，雖然涇渭分明，但也有先後出現的類同。從詩史演進的眼光評析詩人代表作，或重要詩人不同時期風格的代表作，是本書的第二特點。

欣賞與學習，應是一部詩選或詩評析的存在意義，在台灣文壇，先後出現過《新詩評析一百首》（文曉村）、《中學白話詩選》（蕭蕭、楊子潤）、《現代詩導讀》（蕭蕭、張漢良）、《現代名詩賞析》（游喚）、《從徐志摩到余光中》（羅青）、《中國新詩賞析》三冊等，這類書刊，同大陸近年推出的各種有關新詩欣賞、鑑賞的辭書，都可以做爲詩的教科書，有益詩教推廣，唯上述各書均有所侷限，或地域限制，或政治顧忌，或無法流通（譬如大陸出版品不易在台灣市面流傳），因而，高準的這部評析論著，就得天獨厚，兼具大陸詩選的認識與了解。中肯平實的大陸新詩教科書，稱得上是本書的另一特點。

從新詩運動的啓蒙開始，至七十年代，長達一甲子，六十年間的新詩作品，當以數萬篇計，經過歲月的篩選，留下的「名作」，也當有數百首。以大陸近年同樣以年代編選的《中國新詩萃》二冊（謝冕、楊匡漢主編，僅選詩），自二十世紀初至七十年代，亦選錄三百餘篇，自然，由於各編選家的立場和詩觀不同，會有差別，因此我聯想到，高準在這部鉅著，所挑選的一百首「名作」，分攤在六十年間，平均一年，大約有一、兩首的好詩留傳後世，似乎太少了些吧！這樣的疑問，並非苛責，作者在「本書寫作的經過」提到爲選錄而前後過目的新詩，合計約在三萬首左右，希望被忽略的作品，仍有再受到注目的時機。

這部四十餘萬字的大著，提供新詩史較完整的面貌，也彌補斷層時期的缺憾，是高準計劃中的「中國新詩史論與作品選析」的一部分，約佔計劃中全書三分之二，剩下三分之一是台灣部分，從日據時代到八十年代。完成「大陸部分」之後，身具詩創作、評論與學者三角色的高準先生，若繼續以史筆完成剩下的台灣部分，自是詩史的一大功勞，也是我們另一期盼。

（《新地文學》第八期，一九九一、六，台北）

函札：

讀《詳註中國古今名詩三百首》 陳立夫

高準兄

惠贈大作《詳註中國古今名詩三百首》一冊已拜閱，甚佩用力之勤、編選之精，對于傳統詩教貢獻匪淺。尊作《中國萬歲交響曲》發揚民族精神，當可傳世也。專復申謝。即頌

吟祺

陳立夫　七十一、七、一

＊高準補按：當時我因訪大陸而還被阻國外不得返台，我那首詩也還在被有意陷害之徒所詆譭，某詩刊編詩選時還特別拿掉我的詩。立夫先生的惠函，充分顯示了他不同流俗的眼界與風範。此外，曉峯先生與胡秋原先生當時也特在他們的刊物上刊載我的作品或言論。謹特附誌如上。

高準兄

惠贈大作「詳論中國古今名詩三百首」已拜閱甚佩用力之勤論述之精對于傳統詩教貢獻匪淺尊作「中國萬歲交響曲」能揚民族精神當可傳世也特此復申謝即頌

吟祺

陳立夫

七二、七、二

函札：

讀《丁香結》

瘂弦

準兄：

謝謝您六月廿七日的來信，而又蒙您以新作見贈，衷心至感欣榮。大著《丁香結》携回北投後已讀了三遍。對您清冽的詩風，優美的詩情以及輕俏自然的表現手法深爲心折。在詩壇烏烟瘴氣一團混亂極不誠實的今天。讀您的詩才是一種眞正的享受，一種心靈的安適的小憩。

我特別喜歡《盼》，尤其那詩的第一節，我簡直覺得就憑那四句就可以使本集「傳世」了。《醉》中的「燈下，眸光如酒，／噯，從此我成了酒徒」也美得有趣。他如《早春》、《一瞥》、《丁香結》、《燃》等，亦都玲瓏透剔，晶瑩可喜。

無疑地您的詩是令人——特別是年青人——「著迷」的那種詩。當然，您的詩風似乎仍在發展中，將來說不定還會產生激變。這是不可避免的，我們總要蛻變，永遠蛻變，生命的過程就是蛻變的過程。您說是嗎？

《一九八〇年》我極喜愛，但不知此詩可願刊佈，或純係贈我一個人的？

說了一大堆，請恕我放肆。

讓我再次說我對您的感激和敬愛。

祝福！

弟瘂弦上　一九六一、七、一

函札：

讀《高準詩集》

王熙元

高準吾兄：

近取 尊著《高準詩集》拜讀，深佩吾 兄才華之橫溢，氣魄之雄放，而有時亦細膩委婉。平淡精美，兼而有之。有淵明、義山、太白、少陵諸家之風。《詩魂》、《中國萬歲交響曲》諸作，深沉高古，筆下極有令人振撼之力量。眞若天風海雨之勢，讀之感人至深！「古意」中數首舊詩，亦意氣風發，《登玉山吟》、《登泰山吟》、《登長城吟》諸古近體，均詩句凝鍊，而氣象豪宕；所作小序，尤清麗可誦，敍事歷歷，情景宛然。誠「高手」也！惟《登長城吟》、《謁中山陵》、《重到西湖》之第一首三詩混用眞韻、庚韻及侵韻字，不知吾 兄係有意抑或無意？多年前數位作舊詩並在大學任古典詩教學之朋友，曾主張以現代國語發音改編一現代韻書，爲新舊詩及歌詞所通用，不知吾 兄意下如何？

尊編《詳註中國古今名詩三百首》，以吾 兄之識力與功力，自必精審可觀。謹拭目以

待。耑此奉覆，並頌

文祺

弟 王熙元拜覆 七十五、五、二九

（原刊《詩潮》第五集）

＊高準補按：拙作古近體詩均依「中華新韻」爲韻。「中華新韻」係於民國三十年由國民政府教育部公佈頒行。舊韻之「眞」、「侵」兩韻在「中華新韻」已合爲一韻，爲「十五痕」。又按其《例説》指出：「庚」韻（十七庚）之甲類（齊齒音）與「十五痕」亦可酌通，並說明：「『ㄣ』韻與『一ㄥ』韻可通，與『ㄥ』韻間或可通。」

又，《中華新韻·例説》中並指出：「本書未定之前，社會沿用清代佩文詩韻，原本勦襲宋時北人妄併禮部韻略之系統（即所謂「平水詩韻」），既非實錄，尤乖學理，亟應棄廢。」此論甚是。古近體詩今人仍可作，但其韻字，原是爲發揚詩的音韻感而設的，所以如果仍用已與現代標準讀音不合的舊韻來套，就成了僵化，而反失其用韻的原意了。所以我無論寫新舊體詩，對韻的依據，都以「中華新韻」爲準。覆讀王熙元兄大函，特補誌如上。

函札：

從《文學與社會》說起

吳明興

高準教授道鑒

三月廿八日的來信及大作《文學與社會（一九七二—一九八一）》，俱已拜讀，謹在此向您致最高的謝忱，謝謝您殷切的關懷，和再度贈我以十年心血凝聚而成的著作，至於《山河紀行》亦當訪求。

展讀您的來信，每有悚然欲驚的悸動，以至手心額角熱汗微微，這種感受在早先讀您的某些詩文時，亦曾有之，只是年來，現實世界的一切情緒性衝突，每每僅止於情緒之發散，而缺乏理性訴求的緣故，爲免於自己日夕倉皇，行臥坐立不安，因此也就在自覺的強抑壓下，逐漸變得麻木不仁了。

我想您應能當下理會，一個年輕人的成長，之所以會如此扭曲的原因。因爲假如不這樣的話，身爲現代中國人且清醒活著的我，極有可能隨時走上自我毀滅的絕地，當我還是個十

七、八歲的孩子時，便已憂悒的以早熟的耳目和略嫌青澀的心靈，去注視、聆聽、領受這個充滿盲動之悲劇性的現代中國，而這個中國，正是您眼睜睜的從海內海外，從地北天南所親自目睹其變衍的這半個世紀。

因此您的「困惑」，其根本關鍵，幷不在於對個人形象的認知，是否爲正確或錯誤所能概括的，而是在於什麼時代的什麼體制下所必然產生的什麼現象的不合理的被辯證爲合理的謬誤，而我們這種人，不論程度的大小、或地位的高下，都是被這種謬誤的辯證所欲揚棄，却又不能公然揚棄的反證的存在者，也就是您所說的「偏不信邪」，走筆至此，我忽然想起昨夜在〔日記〕裡寫的一段話：

事物莫不有情，萬事莫不有理，然而能參悟透徹的人，又能有幾？因爲有情，所以不勝牽掛，因爲有理，所以不勝研幾，然而我有情之於使我有理者，是眞性情嗎？我有理之於使我有理者，是眞眞理嗎？我如是自問於天地間。

是以問題便不在於「邪」之可信或不可信，而是在於我們這個世界，有許多以「邪」爲「正」的「邪」，如果不看出這個冠冕堂皇的「邪」的本質實爲「邪」的內涵所塡充的話，那麼我們之所爲，也就沒有什麼必然要如此而不如彼的判準了。這也就是我何以要自問天地，眞理如何，眞眞理如何，而與眞眞理相應的困惑，便是假眞理的態勢，頑强的橫在我們的耳目與心靈之間。

　　這個詩壇的確令人厭倦，而我所厭所倦，甚至所恨者，幷非彼等之藝術創作（？）觀與我有什麼不同而產生的對立排斥，向來我都認爲藝術之所以能煥發智慧的光芒，（我認爲詩是由語言藝術的實際操作到藝術語言的作品完成，且其與各種藝術品之誕生的制作過程，多所互爲疊現，故每以藝術一詞總括之）絕非玻璃般的單面受光和反鑒，而是琢磨完成的鑽石般，多面向多角度的立體，以其堅實眾合的本質，復開政的容受來自四面八方的光源所複現的清輝，一段的話，在相同的創作範疇的不同個體的整合上，就是百花齊放，千家爭鳴，然而究竟是那裡出了問題呢？據我這些年來的考察，認爲現代詩在現代社會環境的制約下，必然會產生一九四九以迄於今的發展進程，而這個進程的運作並沒有什麼大可不必如此而應該如彼的不妥，您在《論中國現代詩的流變與前途方向》（一九七二），《〈七十年代詩選〉批判》（一九七三），《〈八十年代詩選〉的「奧秘」》（一九七七）等文中，曾經明確的標誌出自己的觀點，幷立於詩史遞壇的中途點，做鑒往知來的向未來預爲規劃，這使我有充分的另一種理由相信（就像其他無數的理由），不應如此而應如彼的矛盾所在究竟是什麼？雖然我的厭倦，不無主觀和可能的錯誤，但我要說，這不是基於已經成爲無可挽回的時間事實而有的。而是基於已經成爲流毒的心態而有的，這亦即是我經常同詩友們談及的事實，我總告訴他們，某某人或某某詩社（台灣的現代詩壇只有「社」而沒有足以稱學的「派」之出現）如果有什麼值得吾等動手術的地方，不在於彼此藝術主觀觀點的不同之臨界面上，而是在因無知所派生的誤解及由其所併發的誤導，和由此而造成對向前拓展的新可能所做的扼殺的小器心態。

這種誤解乃源於三向的不學無術和一廂情願所致，一方面不自覺的，雖然看起來的那個樣子總像是自覺的與傳統對立，且看看那些所謂的前輩（？）吧，十之七、八不懂什麼是中國傳統詩學，亦即不知他們所企欲摒棄的對象究竟是什麼樣的一個東西，便把那個東西樹立起來做爲敵人。一方面不懂日據時期的新文學（詩）在台灣發展的實況，只一味的忽略，漠視，甚至本能的排斥。一方面對於西洋的各種藝術流派的盲目崇拜，動輒 T.S.艾略特如何，波特萊爾如何，或超現實主義等，等等又如之何？如此對立、忽視焉能不盲目，既已盲目又焉能不誤導，而誤導又已成騎虎難下的窘境，又怎能不扼殺見出這等現象的人以鞏固自己在詩壇之不容置疑的地位呢？

事實上這些令我厭倦，不！厭惡的事實心態，除了前舉之兩項外，他們更有一重大的困難，那就是對於中國的新文學運動的引發運動的本質，大抵不甚了然，這也就是從白話詩到新詩到現代詩之所以百病叢生的原因，當然，這之中的互動是極其複雜的，比如自日據時期發展起來的詩人，和崛起於七十年代，乃至於八十年代的詩人，又如何？如果想突破片面的失誤，便有必要加以全面的再探了。雖然我已經變得很痲木不仁，却還沒有修到當睜眼瞎子的境界，所以總是憂心忡忡的繼續上下求索。

在現代詩壇中，能如您這樣，簡要明確的把中國文化的精華列舉出來，幷從「志在濟蒼生」到「損有餘而補不足」，以爲社會科學、政治思想和藝術實踐的懷抱的人，還能有幾呢？這樣的胸襟和操持，老實講，在年輕人中，幾已泯滅殆盡。倒是用來與中國相對的台灣，正被强而有力的强調著，是歷史情緒迷思呢？抑或政治利益的衝突？陷身這樣的紛亂中，是很難把主、客觀幷置起來評識的，然而凡事莫不有理，莫不有眞眞理，一思及此，我也聊可稍安勿躁了。

自上個月底，病發旬日以還，總覺身心兩乏，是以信筆寫來，多所含糊，望能諒察，幷祈賜教。敬頌

撰安

末學

吳　明　興謹上

一九八七年四月九日

（原刊《詩潮》第六集）

附：《述志簡書》

——高準致吳明興函

明興兄：

信和詩稿都拜讀了，你這兩首我都很喜歡，待下期可以出版時自當排入，請勿念。

來信讀了三遍，但有些地方仍有點不瞭解。究何以「困惑」？深盼能再作指點，不知是否有哪些地方導致錯誤的「形象」？我也未敢以「燃火」者自居，只是有點「偏不信邪」的性格而已吧？

老實說，我對這詩壇也實在覺得令人厭倦，我本來是研究社會科學、政治思想史的，却已擱下了太多年，所以《詩潮》我想最多再編一集就不再編了，我覺得我爲新詩已花了太多的時間。

另封奉上增訂重編新版《文學與社會一九七二——一九八一》，內有些觀點也許可供作較進一步的瞭解，並盼惠予評論。我另一本《山河紀行》，也是「文史哲」出的，其中也包括我另一些觀點的表達，我手頭已無存書，甚盼兄亦能找來惠予一閱，並指教。我那三本書（包括《高準詩集》）合而觀之，也許可提供一個對於我的較完整的「形象」，當然，這也還不是我的觀點的全部。我對新詩最關心的毋寧是如何使新詩與傳統的精神相溝通與承續，這其實是我在一九七三年爲拙編《中國古今名詩三百首》所寫緒言中就已說了的。因爲中國文化的精華，在我看，最重要的就是它歷代傑出的詩篇與傑出的山水畫，此外，就是儒道互補的人生觀與價值觀，從「志在濟蒼生」到「復得返自然」，從「窮理格物致知」到「損有餘而補不足」。以往鑒於若干現代主義詩之魯莽滅裂，故每不能已於言。但若一輩子爲現代詩所糾纏，則實非所願。詩或現代詩，絕非我關懷的全部，這也許就是我與台灣其他一些所謂詩人不同的地方。信筆雜寫，尚祈諒之，即頌

吟安，並候教言。

高準敬上

一九八七、三、廿八

（原刊《詩潮》第六集）

*編按：前列吳明興函爲讀此函後而撰。

氣貫長虹萬古奔流

——致高準函

黃翔

讀了你的《中國大陸新詩評析》和《高準詩集》，我深有感觸。

這兩部書的封面就很能體現你的性格、氣質和精神面貌。你與其它一些詩人不同的也許正是突出于此。我感覺你身上有萬古不廢的江河和蒼茫獨立的長城的投影。這正是中國正直知識份子的傳統精神形象，也是我們大中華民族的象徵。就純粹文化的意義上來講，這也應該是横貫我們民族文化的千古不滅的主流或潛流。無論我們民族的文化，包括詩文化，怎樣流變，它總是具有一個民族相異于其它民族的心理素質和基本特徵。儘管各民族的文化交流、滲透，總在改變着一民族的文化並促使這一民族的文化朝前發展，與世界同步，但中華民族的文化總是黃皮膚、黑眼睛的文化，並非碧眼金髮的文化。我們不拒絕在文化交融中吸取異國的東西，但我們總是保持自己的特色。學習並非模仿，交流並非隨人身後拾人殘食。如果非對人頂禮膜拜不足以寫詩，不足以成爲詩人，那我們永遠只能具有一種受征服于强文化的弱文化，永遠不可能與其它文化並駕齊驅並共同組成世界文化，永遠只能扮演一個文化上的被征服者，被佔領者的角色，我們民族的文化將蕩然無存。

在這個意義上，我很蔑視那些膚淺的「時髦癖」和「新潮癖」。他們以爲不摹仿別人稱個什麼「主義」，打個什麼「派別」就不足以「現代」、不足以入流，不是以成爲世界性的「大詩人」！我以爲眞正的大詩人並不是步人後塵者，我們很難以任何一種派別的尺度去衡量一種偉大的精神創造。偉大的詩篇什麼派也不是，而各派卻融匯于其中！我們要建立自己民族的文化，不僅要蕩滌民族傳統文化中潰爛和腐朽的成份，也應把批判的鋒芒直指那種毫無精神價值和創造特色的現代僞文化，它們在大陸已泛濫成一場精神蝗災—我這樣說，並不否定那些眞正能起動精神新潮的詩人，而是否定那些命定只能隨波逐流的摹仿者。一個獨具創造能力的詩人，不管他的創作經歷了什麼樣的階段或過程，他最終總是要復歸于自己民族的文化中，豐富和發展這一文化。沒有一個世界性大詩人是外在于自己民族的。

在現代中國詩壇上，大陸老詩人艾青先生等在詩學上有很高的成就。而在我讀過的台灣詩歌中，你巍然獨立之處，似乎精神上顯著滲透著民族憂患。你的詩表現出一個詩人的心靈深處對民族命運的焦灼與關注，而在抒情上又極其純眞，不假修飾，你的情感是本眞的，令人珍視的。當我讀了你的《出塞吟》，自然勾起我在少年時代夢幻與嚮往的回憶。我也曾像你一樣，做過「天蒼蒼，野茫茫，風吹草低見牛羊」的大草原之夢，並且身體力行奔向大草原的懷抱，爲此竟被人將我連同我的少年夢幻一起投入監獄。你的《念故鄉》、《中國萬歲交響曲》表現了你對自己祖國的一片赤子之情，這正是某些人在詩的題材上所漠視和遺忘了的。你的血管裡流著中國的詩血，你的詩顯示出你是一個民族情感很純粹的詩人！中華民族是你心中萬古奔流的不廢江河，莽莽獨立的偉大長城；是伸展雷電而不爲雷電劈毀的「神木」，洶湧汪洋而不爲汪洋吞噬的巨鯨！我從你的詩中見出一燭自焚的血肉，讀你的詩不是單純從形式角度讀技巧、讀手法、讀時髦的語言，讀文字游戲；而是讀精神、讀氣質、讀碧血、讀夢魂、讀時尙和塵囂之外的寂寞和氣貫長虹的愛國詩人的摯著、癡心與孤獨！

一個詩人首先只有是民族的，才能是世界的。

世界文化是由各族優秀文化組成；沒有一種高出于各民族文化之上的抽象的世界文化。

我們容納各民族優秀的東西，但不是複制；精神創造厭惡贋品。

我們珍視自己民族的精神和智慧，但不是重複，不是簡單再現已經屬于歷史的思維、形式和語言。

每一種創造物都深藏超越表象的精神隱涵。

你除詩歌，還有詩論、文論、繪畫史論。

你的《中國大陸新詩評析》顯示了你在詩歌之外的學術成就，它是我所見到的第一部忠實于時代和歷史的詩史。系統、詳盡、眞實而完整。它區別于那些對歷史的宰割、人爲湮滅和欺騙。立論直率、公正而無私。這是一般趨炎附勢者難以具備的誠實和膽識。你的行文樸實、中肯和不乏幽默。對入選的詩和詩人都勇于直言，不吞吞吐吐，轉彎抹角。即使對郭沫若，艾青、臧克家等早已定評的著名詩人的評價也與人決不雷同。如你對郭沫若《女神》的評價，既認爲「表現了一種需求變革的奔放激情」，又指出他的不少作品欲求奔放而流于「兒歌式的吶喊」。臧克家的成績主要表現在「初期和抗戰時期」，一九四九年以後的作品又當別論。也不隱瞞他「反右」時批判艾青，「文革」時善于適應。艾青最重要的作品完成於他寫作的「第一個十年」，以後作品質和量明顯衰退，但他復出后又寫出新的力作。你在對不同詩人的詩品和人品如實評價的時候，也正反映出作爲評論者的你的人格和文風。

我是在獄中讀到邵燕祥發先表在《文藝報》（一九八九、二、二十五）上的《讀〈中國大陸新詩評析〉》才知道此書的。這是我愛人秋蕭雨蘭送來獄中的。當時我深深受到一種道義力量的雷擊般的震撼，熱淚盈眶！時間和歷史總是公正的。但當我們這樣說的候，卻往往忽略了時間和歷史是否公正首先取決于人的公正！而公正的人是越來越少了，道義正在世界上消失！

你是一個對世界充滿愛心的人，你的詩如你的愛一樣純眞。

詩的創造在于運動和交流。生命不止、創造不息。

如果我活一百歲，我就要寫一百年的詩—當然決非僅僅是某種文字分類意義上的詩所能窮盡和包孕的「詩」。

遙遙祝福你

秋蕭雨蘭向你問候

黃　翔

一九九二年四月十七日夜匆匆于「夢巢」

（寄自貴陽）

高準其人其事

彭紹周

高準，一九三八年十二月二十三日生，江蘇金山人。出身學術家庭。祖父高平子，爲著名天文曆學家。外祖父姚光，是清末革命文學團體「南社」後期社長，以「振大漢之天聲」自許。

高中時代即致力於詩畫

高準生於上海，幼年曾居住杭州西湖之濱，十歲隨親定居臺灣。高中時即致力詩歌與繪畫，知名於儕輩。及一九五七年臺北發生「五二四」事件，感於美軍殺人享有治外法權，痛國權之失墮，遂有志研習政理，以第一名入臺大政治學系。在校成績優異，並曾主編《海洋詩刊》、《政治學季刊》等刊物。一九六一年獲「中國青年寫作協會」全國徵文詩歌獎，並出版第一本詩集。同年並撰《論孔孟荀政治思想異同》專著，次年發表於當時由前輩學人撰稿而學術水準較爲最高的《大陸雜誌》，成爲該刊最年輕的作者。畢業服兵役時，一九六二年又以第一名考入中國文化研究所政治學門。一九六四年復以第一名成績畢業，所著論文爲《反專制主義大師黃梨洲》。受聘爲中國文化學院講師。同年出版詩集《七星山》。一九六七年春，以教學認眞，成績優秀，獲教育部頒贈「中華文化復興運動青年楷模」獎。但隨即受校方人事排擠，不獲續聘。秋，赴美國研究藝術史，先後在堪薩斯大學及哥倫比亞大學進修。一九六八年底返臺後曾在國立歷史博物館任研究員。繼復至中國文化學院執教。一九七〇年出版《高準詩抄》。一九七一年春曾舉行個人畫展，並獲「中國新詩學會」詩獎。繼完成《中國繪畫史導論》，獲中山文化基金會獎助出版，升任副教授。

新詩大論戰的主要旗手

一九七一年十月，《大學雜誌》十五青年學人聯名發表《國是諍言》，高準參與寫作，其中「立法的健全」、「監察與諫察」、「學術自由之必要」、「開放對大陸研究之必要」及「門戶開放之必要」等節係由其執筆。

一九七二年春，在「大學雜誌」舉辦之「文學與社會」座上談會上發表演講，率先倡導文學家應關心社會反映現實，以求現實之改進。是年底至次年初，又發表長文，提出新詩的「新八不主義」，對「現代派」的理論提出了澈底的批評。並力矯在臺灣流行了十餘年的「

超現實主義」虛無詩風，爲當時「新詩大論戰」（陳映眞語）中最主要的文獻之一。陳映眞於後來的回顧中指出它是「爲（臺灣近年來）現實主義的、中國風格的、干涉生活的文學藝術準備好了認識的條件」。

一九七三年十一月，獲選爲在臺舉行的第二屆「世界詩人大會」評審委員。十二月，出版《中國新詩風格發展論》。隨即赴澳洲雪梨大學木方文學系研究並執教，聘爲副教授，研究中國當代海峽兩岸詩歌的發展。

創辦詩刊揭櫫民族精神

一九七五年一月，發表《論臺灣的社會矛盾及其改革之道》長文，總結性也前瞻性的指出了臺灣社會在整個七十年代中的主要問題。一九七五年十一月，自澳洲赴英國劍橋大學，獲選爲克萊亞學院副院士，並遊歷了意大利與法國。一九七六年三月返臺，無法獲得工作。

一九七七年五月，主編創辦《詩潮》詩刊第一集，揭櫫「發揚民族精神」「把握抒情本質」「建立民主心態」「關心社會民生」「注重表達技巧」等創作方向。出版之初甚受好評，獲得青年代詩人及反對全盤西化主張民族風格的學界人士的嘉讚。但旋即被曾受其批評的某頹廢派詩人等羅織扣帽，詩刊被禁。這時掀起了「鄉土文學論戰」，同遭「圍剿」。隨後各種反圍剿文字紛紛在民間刊物刊出，民間力量獲勝。高準繼續編印《詩潮》至一九八〇年，共出四集。第四集上並刊載了爲遭文字獄的李慶榮呼籲的文章。

一九七八年秋起在中國文化大學兼任教授，授「中國通史」。十一月，出版評論集《文學與社會改造》。

出席愛荷華大學座談會

一九七九年八月，出版詩集《葵心集》，爲歷年詩作之自選集。九月，受邀赴美國愛荷華大學參加「中國文學前途座談會」及「國際寫作計畫」。會中發表演講，指出中國大陸文學創作的前途在要「堅決破除教條主義，解放思想」；「從形象思維出發」；及「發揚不滿精神，促進民主，反映人民眞正心聲」。臺灣的文學前途則要「發揚民族精神，創造民族風格，不能再走全盤西化的死路」；「掌握抒情本質，追求崇高境界」；及「建立民主心態，關心社會民主，從生活出發」。由於該會同時邀有中國大陸作家兩人參加，爲海峽兩岸作家之首次聚會，引起臺灣當局之抵制。《葵心集》以用一朵向日葵作封面而指爲「封面圖片有問題」爲由被查禁＊。引起參加愛荷華「國際寫作計畫」的二十五國三十五個國際作家向臺灣當局聯名抗議。十二月，獲愛荷華大學國際榮譽作家獎。年底由於高雄事件，許信良等在美發表「臺獨」狂言，高準曾在報端發表指斥，同時則呼籲臺灣當局尊重人權。臺灣當局後來承認高準赴愛荷華參加會議並無不妥，該會後來歷年都有大陸和臺灣兩地作家參加。他率先突破了不准接觸的禁忌。

一九八〇年二月，自美返臺。七月，出版修訂版《反專制主義大師黃梨洲》。繼致力於《詳註中國古今名詩三百首》的編著，於一九八一年九月出版，厚六百餘頁，受到學界的好評。

訪問大陸奮然爲民先鋒

一九八一年六年，復赴美，受邀爲柏克萊加州大學中國研究中心研究員，以「中國詩史略及代表作品選」爲研究主題。爲蒐求研究資料，在「中國研究中心」主任 Dittmer 教授建議下，一九八一年十一月自美赴中國大陸訪問一個月。行前發表聲明，表示他「去中國大陸並不是爲了響應北京最近的對臺建議，而是由於研究工作上的必要」，又表示「我是中國的人民，中國本來就是我的。我從不承認任何人有權阻撓我走遍中國的土地」。在大陸期間他先後遊北京，登泰山，赴西安、成都、重慶、武漢、南京、上海、杭州、紹興等地，除與若干詩人及學者會談外，並曾對「國務院」官員及各界人士提出多項意見，包括「結束無產階級專政」、「突破馬列毛教條」、「反對只由國共兩黨談判，應召開國民會議」、「建立抗俄統一戰線，使外蒙回歸中國」、「中國應成爲聯邦制」、「釋放民主運人士」，「確認黃帝堯禹湯之民族傳統」、「促進民主政黨」、「發展民間商業」及「實行耕者有其田」等主張。高準並表示其大陸之行是以效法孔孟、周遊列「國」、發揚正道爲信念。回柏克萊後，他陸續撰寫了《燕京散記》、《東嶽紀行》、《西安訪古》、《成都遊踪》、《長江行脚》等長篇遊記，對大陸情況有嚴格而中肯的批評。

拒絕政治庇護毅然回臺

一九八二年初，臺灣在舊金山的協調處要求他「暫緩返臺」，延至五月底提出返臺申請，而歷時一年餘無法獲准。律師曾建議他應向美申請政治庇護，解決居留問題，高準向友人表示他生平以做中國人爲榮，堅決拒絕申請政治庇護，撰寫了《回臺受阻之經過與質疑》一文總結了一年餘間遭遇的困擾，最後指稱：「大陸是我縈念的祖邦，臺灣是我成長的鄉土，它們都是我所熱愛的中國」，「如果我回臺後，當局將對我加以折磨，我也寧可遭受苦難，而不願我的國家背上一個拋棄人民的惡名。」一九八三年十月，終於獲得回臺的批准。由臺北國際關係研究中心聘爲研究員在美研究，同意在美繼續研究到次年四月。一九八三年內寫成了初期至一九四九年的新詩選析十餘萬言。一九八四年寫了《文革以來大陸青年代的反專制思潮》，對大陸的民主運動人士的言論有所研究。他表示他一貫主張促進超越障礙的民族情誼，反對不可通流的落伍政策，所以在回臺許可有效期內一定返臺。四月十八日，終於順利回到臺北。成爲臺灣作家公開訪問大陸又能順利回臺第一人。對海峽兩岸的溝通踏下了不尋常的一步。

生活簡樸詩情浩蕩

高準生活簡樸，在美期間，起先住在一間窗子都沒有的陋室裏，過了一年多才換到一間有窗的斗室。他的詩篇，以《在山之巔》、《異端》、《白燭詠》、《神木》、《念故鄉》與《中國萬歲交響曲》等首，先後受到較廣大的重視。《在山之巔》一詩寫只有在高山頂上才能呼吸著自由，而不受「帽子」「面具」與「外衣」的束縛，《異端》一詩強烈的抨擊個人崇拜，歌頌著伯夷、叔齊、許田、巢父的抗議精神，這兩詩都作於五十年代末期，表現了詩人孤傲不羈的性格，也反映出中國與臺灣社會在一定程度上的側影。《白燭詠》寫一種燃燒自已照亮別人的情懷，《念故鄉》寫對祖國故鄉的魂牽夢縈的思念，想像著山河之美，擔憂著極左之災，深情動人，已由旅美音樂家魏立改編爲歌曲。《神木》與《中國萬歲交響曲

》則都是歌頌中國歷史、山川、文化與前途展望的力作，浩浩蕩蕩，氣魄雄偉，其題材與博大的氣勢，均爲臺灣詩壇所少見。

（原載一九八四年九月《第三者》雜誌）

＊高準補按：台灣當時有一些非常可笑而又令人憤怒的禁忌，現代年青的讀者可能已經不知道了，需要說明一下。當時對向日葵這種花竟好像看到了就會死樣的視爲嚴重忌諱。因爲不知在誰的命令指導下，硬指向日葵是中國大陸的「國花」，而不准用。但用《向日葵》作詩集名稱的早有覃子豪的詩集，出版於一九五五年，未被禁。覃子豪那本詩集我蠻喜歡，梵谷的向日葵名畫也是我喜愛的，哪有什麼不可以用的道理呢？所以我決定「不信邪」！結果卻立刻被查禁，被指爲「匪」。後來我又知道略與此書被禁同時或稍早，白先勇主編的一套「向日葵叢刊」也被迫改名，另外還有一位女作家的一本長篇小說《向日葵》也被迫收回更改書名更換封面，還有一家冷飲店內的向日葵裝潢也被勒令拆除。當時只有我和陳映眞兄及丁潁兄堅不信邪！所以映眞兄欣然爲我到台大校園去拍了那朵向日葵，而主持出版的丁潁兄也欣然採用。結果果然立刻被蛇咬！但它的迅速被禁自然是因我赴愛荷華之故。不然「效率」也沒那麼快。後來我問大陸的人：「台灣說向日葵是大陸的國花，有這回事嗎？」卻人人瞠目引以爲奇，說根本沒這回事，根本無法理解

何以一種花也會成爲罪名。台灣當時這種「戒嚴文化」，回想起來眞是令人「啼笑皆非」「不堪回首」。好在蔣經國先生到他生命的最後兩年終於作了正確的改變，親自製定了「解嚴」、「解禁」與「開放大陸探親」的三大政策，這是應該表揚的。而時間過得很快，有些年輕人甚至覺得那也已很遙遠了。所以我在補述以上瑣事之餘，就也對此附記一筆吧。

《葵心集》及《詩潮》第一集到一九八七年解嚴後已撤銷查禁。

（一九九二）

《詩潮》詩刊的歷史意義

古繼堂

「詩潮詩社」成立於一九七七年五月一日（註一），同時創辦《詩潮》詩刊。在《詩潮》詩刊創刊號上刊登著詩社同仁的名單，他們是：丁穎、王津平、吳宏一、李利國、亞媺、高準、高上秦、郭楓（註二）。其靈魂詩人和主編是高準。該刊創刊號的第一頁上，以顯著的標題登載著《詩潮的方向》，全文共五條：「1.要發揚民族精神，創造爲廣大同胞所喜見樂聞的民族風格與民族形式；2.要把握抒情本質，以求眞求善求美的決心，燃燒起眞誠熱烈的新生命；3.要建立民主心態，在以普及爲原則的基礎上去提高，以提高爲目標的方向上去普及；4.要關心社會民生，以積極的浪漫主義與批判的現實主義，意氣風發的寫出民衆的呼聲；5.也要注重表達的技巧，須知一件沒有藝術性的作品，思想性再高也是沒有用的。」（註三）《詩潮》主編高準在該刊第二期發表了《中國現代文學的主潮》一文，聲明《詩潮》詩刊的任務就是要激揚中國現代文學的主潮。高準在文章中說：「最近創刊的《詩潮》詩刊，它是爲了實踐重振三民主義革命文學的主潮的抱負而存在的。第一集的卷首就大書特書地寫下了發揚民族精神，建立民族風格，關心社會民生，以及思想性與藝術性之並重等明確的主張，而內容上無疑也作了這樣的實踐。它要歌頌祖國，繼往開來，堅決發揚民族精神；它要把握詩的抒情本質，並鼓勵平易近人的新民歌，堅決發揚民主精神；它要刊載關於工人農人及各種現實生活的詩篇，堅決發揚民生精神；它也開闢了鼓舞戰鬭精神的專欄，堅決發揚革命豪情。這就是中國現代文學的眞正主流，這就是三民主義革命文學的正途大道。這不是任何其他帽子所戴得了的。」（註四）該刊開闢的專欄有：《詩潮論壇》，專發理論批評文章；《歌頌祖國》，專發歌頌祖國的詩篇；《新民歌》，專發創作的和民間的民歌；《工人之詩》，專發工人寫的和描寫工人的作品；《稻穗之歌》，專發農民寫的和描寫農民的詩。其他專欄還：《號角的召喚》、《燃燒的爝火》、《釋放的吶喊》、《純情的咏唱》、《鄉土的旋律》、《新詩史料》、《詩訊》等。這個詩社和詩刊雖然生命不長，《詩潮》只發行了三期就被封禁（註五），一個生機勃勃的新生命被無情地扼殺而死。但是我認爲：臺灣的新詩回歸，臺灣的青年詩人運動，以《詩潮》詩刊的出現，標示著進入了成熟期。因而這個雖然只存在了一年多的詩社和詩刊，在臺灣新詩發展中具有重要的意義。我這樣評論它是因爲：其一，它的主張明確而系統，顯示了理論上的成熟。就臺灣七十年代初期新詩進入回歸期以來，雖然出現過大量的青年詩社和詩刊，也發表了不少志在回歸的宣言和主張，但那都具有探索和試驗的明顯跡象，而到《詩潮》詩刊的出現，才第一次眞正明確地談到和論證了這一回歸潮流主潮的內容和本質。而且《詩潮》詩刊對這一運動的內容和本質的論證是比較適切的。其二，詩潮確確實實地爲實踐自己的主張進行了札實的努力，把自己的宗旨和宣言轉化成了具體行動。這一點，在他們刊物闢的各種專欄中有明確的規定，特別是他們的《歌頌祖國》、《工人之詩》、《稻穗之歌》、《鄉土旋律》諸專欄，非常突出明確，這是臺灣的其他任何詩刊所沒有的。其三，他們顯示了創作和理論的很好的統一和結合。而且有不少詩作達到了較高的藝術境界。例如：他們主張反映現實，反映民生的主張，就在吹黑明、葉香等詩人的作品得到了體現。又如他們主張要歌頌祖國，高準的《中國萬歲交響曲》則是很好的注腳。如果說我所講的前兩條還比較容易辦到，則第三條在創作上達到理論和實踐的一致，就是較難的事了。這需要長期的創作累積和準備，要有爲實踐理論而不遺餘力奮鬪的決心，且要有一定藝術和思想素質的詩人作後盾。當然詩潮只是眾多的青年詩社中的一員，《詩潮》詩刊只是眾多青年詩刊中的一家，他們的主張和成就不是孤立的，而是在吸收和溶匯了其他青年詩社、詩刊和千百個青年詩人的主張、經驗和血汗的基礎上取得的。他們的實踐和主張是七十年代臺灣新詩回歸思潮和青年詩人運動成就的具體顯示。對於「詩潮詩社」的主張我並非全部都贊成，對於他們的作品我並非全給好評，但他們在那樣的處境下，表現出那樣的理論和實踐的藝術勇氣，卻是值得贊佩的。遺憾的是，它還在自己的幼年時代就死於非命。（註六）一個藝術的靈魂，無可奈何地死于了非藝術的手段之下，但他們推動的主潮却仍在激蕩和發展。（註七）

（選自古繼堂：《台灣新詩發史》第十三章，人民文學出版社，一九八九年五月，北京；又台北版：文史哲出版社，一九八九年七月，台北。本文標題爲本書編者所加。）

註一：編按：《詩潮》於一九七六年十二月十六日在報上刊出創刊徵詩啓事，該社以此日爲成立日期，一九七七年五月一日是第一集出版之日期。

註二：編按：第一集出版後由於受到搆陷，吳宏一、李利國、高上秦三人退出。第三至四集增予參加爲社委者則有林華洲（高朋）、李慶榮、陳鼓應等。

註三：作者原註：《詩潮的方向》，《詩潮》詩刊第一集，一九七七年五月一日。

註四：作者原註：《中國現代文學的主潮》，《詩潮》詩刊第二集，一九七七年十二月。

註五：編按：《詩潮》被禁者爲第一集，後高準繼續獨力堅持續出了二、三、四集，第四集出版於一九八〇年十二月，而後停刊。

註六：編按：台北文史哲出版社註：「《詩潮》詩刊已於民國七十六年二月復刊發行第五集，現已發行至第六集」。第五集起新增社委有何捷、邱振瑞等。

註七：編按：《詩潮》第七集稿件已編整完成，準備出版中。第七集新增社委有詹澈等人，並已委由詹澈爲第七集執行主編。

魂牽夢縈著文明之邦

——訪臺灣著名詩人高準

陶維佳

企望著愛情
盼望著光明
傾望著祖國
魂牽夢縈
一朵向日葵
她的痴心

——（高準《序詩》）

臺灣著名詩人高準先生在他的詩中充滿著愛國思鄉之情地這般吟唱。近日，他來滬參加其祖父、已故著名天文學家高平子先生誕辰百年紀念活動。在他的下榻地，我們就從詩談起，開始了輕鬆愉快的訪問。

高先生現年五十歲，他青年時代從台灣大學畢業，赴美國堪薩斯大學和哥倫比亞大學進修，在澳大利亞悉尼大學東方文學系博士班結業。此後，先後在台北文化學院、美國加州大學、台灣「國立政治大學」擔任教授及研究員，研究中國現代詩的發展。他是台灣聞名刊物《詩潮》的創辦者及主編，同時還是「中國統一聯盟」的執委。他著有《高準詩集》、《葵心集》等詩集；近年編著《中國大陸新詩評析（一九一六—一九七九）》，其中搜集了中國近現代七十一位詩壇名家的作品（包括近年來崛起的舒婷、北島等人的作品），各撰了詩人傳略，並作了評論。這部綜合了中國近、現代詩人作品的評述性著作，不論在大陸還是在台灣，都是第一次問世。一九八一年十一月，高先生應中國作協之邀取道美國訪問了大陸，歷時一個月。台灣當局一度阻撓他返台，被迫在美國羈留了兩年。後來終於又回到了台灣，成為近年來台灣作家公開訪問大陸後又能返台的第一人。今年十月，高先生再度回大陸旅遊，期間應邀參加了在北京召開的第五次文代會開幕式。繼又到雲南大理參加了中國當代文學學會的年會，受到各地作家的熱烈歡烈。

高先生身穿藏青色中式薄衫，架一副近視眼鏡，文質彬彬，然思維敏捷，言詞犀利。我剛落座，他便捧出從台灣帶來的數本詩集和收有一九八一年回大陸訪問的觀感及散記文章的《山河紀行》一書給我看。訪問期間，他北出居庸，南探禹穴，東登泰岳，西涉都江，或吟詩雁塔，或聽雨巴山，或三峽放舟，或西湖泛棹，寫下了《燕京散記》、《長安訪古》、《西蜀遊踪》、《長江行脚》等篇章。字裡行間，記錄著詩人遍踏大江南北的匆匆步履，洋溢著他對祖國壯美河山及燦爛文化的敬仰愛慕之情。他說：「這次來大陸，看到了好多變化，海峽兩岸人民要求交往、要求祖國統一的願望越來越强烈，人民之間的溝通是誰也阻擋不住的必然潮流。」高先生說到此處，頗爲激動地補充道：「我認爲，繼承和發揚光大我們中華民族的優秀文化傳統是統一的基礎。幾個月前，陳立夫先生提出『以中國文化統一中國』，趙紫陽總書記也說過，中國文化是統一的基礎之一。這就有了共同點，應該向這一共同點發展下去。那種『全盤西化』的觀點，徹底拋棄文化傳統的觀點，是於發展民族文明絕無好處的！在這方面，兩岸的作家、藝術家和所有的知識分子，都責無旁貸地應當携起手來。」他說，爲了加强海峽兩岸的交流，應當多多出版對方的書籍。他這次來大陸，做了一件有意義的事，就是將與中國社會科學院文學研究所的古繼堂先生合作編纂《海峽兩岸中國當代百家詩選》，預計明年內完成。＊這一詩選將成爲海峽兩岸詩壇的「第一次握手」，載入史冊。

「啊，魂牽夢縈的文明之邦呀，

風起兮雲飛，舉目呀是碧海青天，

……

你終必要掃除一切陰霾，

金光燦爛，普照世界！

萬方樂奏，天上人間！」

高先生在他的《中國萬歲交響曲》中歌頌的，不正是海峽兩岸人民的心聲嗎？

（上海《解放日報》一九八八、十二、六）

＊高準補按：後來對選目初步交換了意見。但過了一年，由於非文學的原因，古君表示必須把某幾個有份量的大陸詩人刪除才行。這當然是由於大環境的關係，古君自必有其不得已之處。但編詩選是只能先看作品本身的。那樣編出來的東西，與台灣某些擅於「一手遮天」的人所編的詩選，所「遮」雖有不同，豈非同樣只能列入「非文學類」的出版品而已嗎？這種作法，我自然是無法贊成的。所以很遺憾的，這一「合作」迄今未能完成。　（一九九二）

且戰且歌的獨行者——高準印象

劉登翰

原編按：很多人知道高準——從他的詩集和著作。作者在福州偕高準一日遊後，用傳神的筆觸，描出了高準的錚錚風骨和動人情懷……

一

杭州抵榕的三七七次列車漸漸駛近，我們才省覺未曾帶一塊接客的牌子，或事先查看一下高準先生的照片。不過，憑經驗，我想即使在如潮的下車人流中，辨尋一位「海外」來客，或許不會太難。

浙江省委會來的電話說，高準先生乘坐五號車廂。列車慢慢停穩，我們等在五號軟臥車廂門口。旅客陸續下盡，沒發現一位裝束特別的客人。又沿著車窗一扇扇尋去，也沒有。疑惑間，有人輕拍我的肩頭：「你們是接一位台灣來的詩人吧？他在那個窗口等你們。」我們奔到剛才已經尋過的那扇窗口，車廂裡探出一張布滿旅途風塵的臉來，頭髮亂亂，戴眼鏡，穿一件淡黃色的針織T恤，實在比車上任何一位普通的旅客更普通。難怪剛才沒有把他認出來。

我們互道了問候之後，最先從車窗遞下來一只沉甸甸的大皮箱，接著又是一只份量不輕的旅行袋。高先生在車窗裡抱歉地說：「對不起，很沉，都是書……」。

十幾年來高先生爲了研究中國大陸新詩，曾經走遍半個世界，從亞洲、澳洲到歐洲和美洲。改革開放後他是第一個持台灣護照訪問大陸的台灣詩人、學者。所到之處他都盡心竭力搜集新詩資料。陪伴他行踪的就是這樣一只只沉甸甸的裝滿了書籍的箱子。然而這十多年，他却一再爲這些資料，爲自己這份眞誠努力受累。第一次是一九七六年，當他費時三年從香港、澳洲到英國，把好不容易才搜集起來的從五四時期到六十年代的大陸詩人作品、傳記和歷史背景材料，托運回臺灣，準備完成他計劃已久的《中國新詩史論及作品選析》的研究時，却悉數被台灣當局沒收（連他的筆記和複印資料），甚至弄得飯碗也丟了。第二次是在一九八一年，他作爲柏克萊加州大學中國研究中心的研究員，應中國作協之邀回國訪問、搜集資料之後，又無端被台灣當局「禁止入境」。不得不在異城他鄉度過兩年漂泊生涯。資料是研究者的第二生命。尤其對爲資料而遭難的高準先生，想必會有更深感受。因此，當他拎著這一箱沉沉的書籍，柱一根從青城山攜來的竹杖，行走在祖國大陸上，並且將攜它飛越海峽回到同是祖國土地的台灣，我想他一定會感到生命的充實和份量。

「我是中國人，中國本來就是我的。任何人都沒有權利阻止我走遍自己的國土。」這是高準先生初訪大陸時向台灣宣告的一段話。一個把自己和祖國凝爲一體的詩人，誰也不能把他同他的人民以及人民所創造的文化分開。

暮色從四周垂落下來。我們驅車前往高準先生下榻的台灣飯店。榕城初夜的華燈掠過他歷盡風霜的臉龐。這位剛過知命之年的詩人，臉上有一種動人的童稚與眞誠，這是他執著人生最誠摯的一面。然而，他漸顯浮腫的淚囊，已不似年輕時那樣清朗俊秀。坎坷與寂寞，還有他不甘坎坷與寂寞的抗爭和追求，都在他臉上烙下印痕，使之顯出別一樣的複雜與豐富，我想正是這兩面，才構成高準先生平常又不平常的人生。

二

高準在台灣被視作一個「獨行俠」。

我想這指的不是高準的孤傲與不群。著名作家陳映眞在爲高準的評論集《文學與社會》作序時說：「二十年來，高準一直是個寂寞的人。他在文學上、政治上的看法，和目前支配性的觀點有很大的不同，因此，對他猜忌、排斥、誣陷、扣帽的人是成群的。」

有兩件事我以爲最能體現他這種「獨行俠」的品格與風骨。

七十年代初「釣運」之後，台灣知識界進入對整個政治、經濟、文化的批判與省思。高準是最先發起對「西化」思潮批判的先鋒人物之一。一九七二年他相繼發表的《文學與社會》和《論中國現代詩的流變與前途方向》，早於關傑明的文章提出現代主義的弊端，是後來被稱爲「鄉土文學論爭」序幕的「唐文標事件」中另一顆最有份量的炸彈。一九七六年他遊學澳洲和英國歸來，因研究大陸新詩獲罪而失去大學的教職，便轉而創辦《詩潮》，揭櫫民族詩風。此時「鄉土文學論爭」進入白熱化階段。《詩潮》第一集有「工人之詩」、「稻穗之歌」、「號角的召喚」幾輯詩，便被作爲提倡工農兵文藝而羅織罪名的口實，而使《詩潮》遭禁。按說在這場論爭中他是「鄉土派」堅定而勇猛的一員。然而也是他最早對「鄉土文學」發出諍言。一九七八年九月他在《「鄉土文學」的前途》中就指出：

「現在，當『鄉土』一詞高唱入雲之際，就不能不注意有時也可能會流入另一種歧途，那就是過份發展了地域性，而助長了一種具有排斥心態的地域主義心態，甚至於被一些政客野心家所利用而成爲激化台獨思想的工具。現在，似乎就已有一種暗流，隱隱中想要在讀者間造成一種錯覺：那就是以爲非鄉土的即非文學的，其至把凡是廣泛涵蓋整個中國風土歷史爲題材的作品，都蓄意加上『流亡文學』的帽子，要不然就說什麼『身在台灣，心在大陸』

而扣上個『不忠於此土此民』的『罪名』。」十多年後重覆這段話，仍然感到他秉直諍言的警醒和深刻。

另一件事是一九八一年他初訪大陸而被台灣當局禁止入境，不得不羈留美國過漂泊生活。他的律師曾一再建議他向美國申請政治庇護，以解決居留問題。他卻一再表示：平生以做中國人爲榮，決不冊入異籍。他在一份聲明中寫道：「大陸是我縈念的祖邦，台灣是我成長的鄉土，它們都是我所熱愛的中國。」「如果我回台之後，當局將對我加以折磨，我也寧可遭受磨難，而不願我的國家背上一個拋棄人民的惡名。」

此次會面，高準先生曾向我談起當年滯留美國困居在一間連窗戶都沒有的斗室裡的境況，一個詩人，最可貴的是他的愛國之心和民族之情，是他對所認定的眞理，敢於登高一呼爲天下先，不趨時慕勢、結群護短的獨立品格。在複雜的人際關係中，他可能是寂寞的。著名散文家郭楓在爲新版的《高準詩集》作序時，不無悲涼地稱他是「獨立蒼茫且放歌」。但這正是一個寂寞獨行者使我敬佩的學術品格和骨氣。

三

我最初接觸高準的詩歌，是那部使他因之獲罪也因之獲譽的《葵心集》。一九七九年十月，高準接受聶華苓的電邀，不顧一切利用出國觀光之機由香港直飛美國，出席愛荷華國際寫作計劃主持的「中國周末」。他是兩岸作家共同出席一個會議的第一人。台灣當局對不聽話的高準的懲罰是以「封面圖片不妥」（那是陳映眞拍攝的一幀向日葵照片）爲由，將他剛出版的《葵心集》查禁。此舉引來出席荷華會議的三十五位國際作家的聯名抗議。後來高準獲得愛荷華大學「國際榮譽作家」獎。

《葵心集》是高準歷年詩作的删訂匯編。他前此出版的《高準詩抄》（一九七〇）和稍後的《高準詩集》（一九八五）均屬此種性質。高準的詩齡不短，但作品數量不算很多。此次見面，他送我一份歷年自存詩作的篇目，從一九五五年的《出塞吟》到一九八九年五月寫的《謁孔子墓》。歷三十五年凡八十九首。他曾把自己的創作以一九六五年爲界劃爲前後兩個時期。前期是他就讀台大和文化研究所的青春時代。詩人痴心於純情的追求，而愛情的失意和最初感受到的社會黑暗，又使他充滿「在暗夜摸索光明」的苦悶呼喚。那時他寫了許多至今讀來仍十分動人的愛情詩。那個在他寂寞人生中陪伴過他的聖靈般的「咪咪」，成了他詩中愛和美的永恆象徵。這時期的作品大都收在《丁香結》（一九六一）和《七星山》（一九六四）兩個詩集裡。後期是他較多轉向理論之後的偶然之作。他的關注點也由個人純情的至愛移向對祖國的尋求與期盼。視野的擴展和關切的深入，使他這階段的作品，如《神木》

、《念故鄉》、《詩魂》等，獲得兩岸讀者更多的激賞。

比起創作，高準作爲一個評論家的影響，在台灣也許不亞於他詩人的聲譽。他本人讀的是政治，並以《反專制主義大師黃梨洲》一書獲得碩士學位。他是一九七一年《大學雜誌》著名的《國是諍言》的三個主要執筆者之一（另兩人是張俊宏和陳鼓應），發表過《論台灣社會矛盾及其解決之道》等影響一時的長文。他是在對台灣進行政治批評和社會批評的同時進入文學批評的。他的文學批評在很大程度上也是一種政治批評和社會批評。這使他在台灣文學論爭中，常有許多發人警醒的見解。高準的理論文字，洋溢著詩人的激情，包括詩人的敏銳和詩人某些情緒化的東西；而他的詩歌創作，則受清醒的理性導引，具有與他的理論批評一樣深厚的社會內涵。它構成了高準詩歌與評論鮮明的文體風格。

四

福州是高準先生此次大陸旅行的最後一站，也是他初次拜謁的閩中古都。由於返台機票已在香港訂好，我們只能用一天時間匆匆陪他遊了于山、鼓山和林則徐祠堂。

在于山闢作博物館的太君殿，他在工作人員案頭發現一本《福建》畫冊，愛不釋手地翻了又翻，不無遺憾地說：「來閩之前不知道福建這麼美，海外也極少介紹。下回來一定多安排幾天，從武夷山到廈門走個遍。」

傍晚我們趕去林則徐祠堂。管理人員破例從會客室中把林則徐塑像搬到庭前天井的石桌上，讓高準先生依著這「中國近代史第一人」拍照。他照例在入口處買了一大疊資料，並親筆抄錄下林則徐那兩副最能體現他愛國胸襟和道德品格的對聯：「苟利國家生死以，豈因禍福避趨之」；「海納百川有容乃大，壁立千仞無欲則剛」。從雲層中探出的夕陽，照在林則徐塑像上，漾出一抹金光。正凝對塑像的高準先生，眼裡也閃著一種淚光，我不知道此刻，是不是有一首詩正在他的胸中翻騰……

（《海峽兩岸》，一九九〇第一期，福建）

▲高準與林則徐像合影

魂繫神州

——記臺灣著名詩人高準

賈丹華

一

你是一片孤旅的雲彩，從海峽那邊天空飄來？你是一頁空靈的詩帆，從東海彼岸破浪而來？載著滿腔多愁，滿腔苦戀，滿腔詩情——不，你正是一尾流淚的鯨，從澎湃的碧濤裡游過來，噴濺著晶瑩的水花，洶湧的靈感，愛國的情愫，思鄉的熱淚……

「流淚的鯨」，這不是我的發明，專利權屬於流沙河，著名詩人給你取的比喻，你總不會有異議吧？他在《台灣詩人十二家》中以這樣的題目介紹了你。未見你面，却聞你聲。拜讀過你的詩，覺得你的詩與我風格有某些相近之處，因而令我心馳神往，相見恨晚。我們的初次相見是一九八八年十月二日，時值金秋，地點是風景優美的雁蕩山。

那天清早，我受文聯委託，遵囑代表樂清縣文藝界到雁蕩山接待你，作你的導遊。傍晚時候，才見到你們乘坐的車，《西湖詩報》副主編詩人高鈁兄介紹了你，雖然初次見面，但我們一見如故，因爲我們都是繆斯女神的忠實信徒，詩心發生了共鳴。這是海峽兩岸詩人四十年來，在雁蕩山的首次歡聚。當我們的手緊緊握在一起的時候，我的心情十分激動，甚至有點侷促不安，不知道說什麼話才好。只是呆拙地說：歡迎你，高先生！其實，你從杭州來，臨近雁蕩山時你一定見到山腰那位拱手相迎的「接客僧」了，他代表樂清同胞，早已在那裡歡迎你了。

二

從有關報刊文章介紹中，我知道你不僅是一位著名詩人，而且是一位造詣頗深的教授、學者、畫家，兼頎文藝創作和學術研究，碩果累累。《丁香結》、《高準詩集》、《葵心集》、《文學與社會》等十餘部詩文集傾注了你的心血和熱情，確立了你在詩壇、學術界的地位。

你祖籍上海金山。你的根繫在大陸，枝蔓在台灣。你曾浪迹天涯、泛舟學海。在台灣完成學業後，又先後在美國堪薩斯大學及哥倫比亞大學研究，澳洲雪梨大學東方學系博士班結業。並當選英國劍橋大學副院士，獲得美國愛荷華大學榮譽作家稱號。你既曾歷任大學副教授、教授及研究員等學術工作，又創辦了高揚民族精神的《詩潮》詩刊。你率先倡導文學家應該關心社會，反映現實，反對全盤西化，主張民族詩風，受到文藝界有識之士的嘉贊。你還研討政治，關注著祖國統一大業，你讀萬卷書，行萬里路，除了美國、英國、澳大利亞以外，還遊歷了法國、意大利、日本、泰國……你眞是一尾不知疲倦、劈波斬浪的巨鯨！

著名作家、評論家陳映眞稱你是一位「不怕寂寞的獨行者」，「是台灣少數優秀地秉承並且發揚了中國抒情新詩傳統的詩人之一。他的漢語準確、豐美，並且表現出中國新詩在韻律和音樂上遼闊的可能性……而在與他同輩的文學家中，高準幾乎是沒有匹類的，唯一的存在。」一位名人說過，凡是眞正有成就的人都是孤寂的。要不，你怎麼有這麼多的著作？「自古聖賢皆寂寞，唯有飲者留其名。」你不是聖賢，也不是飲者。你對生活，衣食住行是不大計較的。你專心致志，研究、體驗、創作，實踐。至今你尙孑然獨身，你自嘲地說：「這樣，飄然來去無牽掛。」

三

其實，你是有牽有掛的，你情戀著繆斯，魂牽著祖國。不僅有你的《念故鄉》、《神木》、《中國萬歲交響曲》等詩篇爲證，也有你的行踪爲證。爲了祖國之戀，作爲台灣詩人，你毫無顧忌，敢於第一個訪問大陸。一九八一年十月，你應中國作家大陸協會之邀訪問了大陸，比台灣新聞記者徐璐夫婦闖大陸採訪還早好幾年。當時引起學術界和新聞界的震撼。並因此一度被台灣當局阻撓不得返台。爲了可愛的祖國，爲了你美麗的憧憬，你捧出了火熱的赤子丹心！

在《念故鄉》裡，你莊嚴宣布：「我的故鄉是中國！」你陳述了思念之苦，想像著祖國山川之美，擔憂著極左路線帶來的災難。詩中你眷眷於「江南草長」、「清明時節的汴梁」、「長安的月亮」、「素手採桑於綠水之陽」，纏綿於「金劍」、「青鳥」、「梧桐」、「鳳凰」……這首詩，你是這樣結尾的：「故鄉啊／我喊你的名字／寫你的名字／而你是聽不到的／你也看不到我的詩／但終究我只有愛你呀愛你／因爲我血管裡呀也只有你的血液」。這首詩是你二十年前的一九六九年十二月寫的，現在，海峽兩岸的情勢不斷發展，民間交往日益增多，統一祖國是大勢所趨，是海峽兩岸中國人民的共同願望。不是嗎？我們不僅聽到了你呼喊的聲音，看到了你的詩，還見到了你的人，握到了你的手，聽到了你的講座哩！我們不會忘記，你和高鈁兄也不會忘記，在樂清縣城的樂申賓館會議室裡，你爲我縣文藝作者講述了海峽兩岸詩歌創作情況，還與我們進行了文藝對話、交流。我縣詩歌女作者小陳還在座談會上朗誦了你的詩歌《念故鄉》。

現在，我的耳際，還繚繞著你那發自肺腑的詩句：

自從我有了知覺　故鄉呀
我讀你的名字　聽你的名字
我寫你的名字　喊你的名字
一萬　兩萬　三萬　多少萬遍呀！

據說，這首詩由於强調了「我的故鄉在中國」，也曾「被無事生非之徒所杯葛」，被人曲解、誤會，一度受阻不得離台。在這個世界上，被誤解的事眞是太多了。例如我邀請你到樂清縣講座，也曾引起一位戴有色眼鏡的先生非議甚至懷疑哩！你的遭遇，使我想起魯迅先生的詩句：「寄意寒星荃不察，我以我血荐軒轅」。

你於一九六六年寫的《詩魂》是祭屈原的，你衷心讚美熱愛祖國的屈原，虔誠讚美屈原所熱愛的祖國，而用「祖國，請讓我獻身！」作爲結尾。可見你是古爲今用，祭屈原，抒衷情，歌頌「詩魂的民族和民族的詩魂」，你寫於一九六五年改於一九七一年的《神木》，禮讚了「飽看千古興廢」「不向死亡低頭」的「神木」，說它是「亞洲之巨人」。我知道，你的「神木」象徵著神州，象徵中華民族，你寫得氣魄雄偉，浩浩蕩蕩，撼人心坎，是因爲你醮著熱血和淚水寫的，因爲你魂繫神州，夢縈祖國！

四

你一腔詩情，一路風塵，來也匆匆，去也匆匆。你來雁蕩山時值金秋，桂花飄香，楓葉如丹。在靈峰，你被這裡天下獨一無二的魔幻般的夜景陶醉了。洞藏九層樓的合掌峰，夜幕中，移步換形：一會兒是「雄鷹欲飛」，一會兒是「夫妻相戀」，一會兒「雙乳峰」，一會兒是「相思女」……第二天，在如畫的隻筍峰下，在似詩的凝碧潭畔，我們在筍潭亭前合影留念。當你發現這裡有一匹供攝影用的馬，興致勃發，躍馬勒繮，要再留個影，要將雁蕩山奇景帶回去，讓同胞親友分享樂趣。見到你騎馬照相時那副快樂的模樣，我心裡說：詩人的童心不泯呀！你後來轉送給我的這張照片，我將久久地珍藏著。

離開樂清時，你曾帶走本縣幾位民間剪紙家的美術作品。據悉你已將其中幾幅取材於雁蕩的剪紙作品，發表在《詩潮》詩刊上了。這是我縣文藝工作者四十年來第一次在台灣發表美術作品，一時傳爲佳話。

記得你曾說：「有情總是此湖山。祖國的山川太美了，朋友也都那麼熱情。今後要爭取每年來一次，來探訪祖國大陸的土地和人民；創作，學習……」

我們盼望著，不久的將來會再度相見。

（《溫州日報》一九八九、十一、八）

劍氣簫心故土情

——訪高準教授

陳嘉瑜

「撫劍長號歸去也，千山風雨嘯青鋒！」康有爲力枉腐清頹勢的壯志，付諸一句撫劍長嘯於峻嵎，是多麼地豪氣呀！台灣當代詩作之中，光怪陸離，脫離現實的虛妄之語若過江之鯽，比比皆是，特別是在現代主義肆虐下的台灣詩壇，所謂「横的移殖」，即試圖斬斷與傳統血脈相繫的臍帶，造就了一些無病呻吟、詰屈晦澀的「怪東西」，其所云詩，僅限於鎖在自己象牙塔裡的思維動作，欠缺的是對社會一份關懷，予讀者心靈淨化的一個空間；在此般劣風席捲下，仍不乏踽踽獨行、堅守自己原則，不爲「現代」風所臣服的人物，高老師即是如此。

·詩人的國度

餘暉殘照的暖冬，我們來到了詩人的國度，瞧見熱盼多時的高老師。頗有幽緻的居室，傢俱之陳設恰似特立獨行的他，相接的木櫃，各式各樣的書籍若繁星點點，兩岸文學、少數民族的作品、詩篇史哲、十三經、文獻通考無不包容，面臨此景況，如初生犢的我們，卑微無知一下子涼上心頭，好一個浩瀚的古國！

早年畢業於台大政治系的他，從高中就開始寫詩了；『在高中畢業，中文系的課程就自己讀了一大半了，所以入大學時想進而研究一下政理』，但文學始終是他的熱愛。他的詩自最早的一九五五年的《出塞吟》，到新作《翠亭村瞻禮》，每一首皆以明朗的聲音，譜出他心靈的感動，正如他在其詩集序文所說「對美的嚮往，對愛的憧憬，對祖國山河的瞻望」，欲藉屈子呼號行吟喚起民族詩魂的振奮，毅然的投身於漫長的詩界改造任務中；縱然如此，對歷史薪傳、政治革新與國家統一仍不放棄關懷。

『我早年在中國文化研究所的論文《反專制主義大師黃梨洲》說來應該是屬於中國文化史的一部份，早年還寫過論孔孟荀思想的論文，後來又寫過一本中國繪畫史。最近正在做的是修訂過去編註的《詳註中國古今名詩三百首》，這本書是以前本校創辦人曉峰先生要我編的，這些都是中國文化史的範圍。將來我希望把對中國文化不同部門的體會心得綜合起來，寫一部中國文化史，就稱做「中國之歷史與文明」吧！當然是要以「論」為主，因為以「述」為主的這類的書已經很多了，這是個龐大的計畫，還得慢慢來做。』

研究所第一屆校友的高老師講起創辦人曉峰先生，仍有不盡的懷念。他說他之所以在早有興趣的詩歌之外，有志於中國文化史的廣博研究，也受到創辦人相當的啓發；而對於古人他特別欽仰的是孟子、陶淵明、李白、黃梨洲和康有爲，這就無怪乎他與其他的現代詩人不大一樣了。

不斷地整理舊稿，時添些新的資料，是高老師近來的主要工作，『我的書總是不斷修訂，每次再版都要修訂。一本書出版了就要對讀者負責到底，也就是說，出版一本書就要假定它是可以流傳的。』

講到創作的苦樂，高老師說：『當你尙未寫成的時條，怎樣把它完成得更好，固然要苦心思索，這是艱苦的一面；但是剛寫成的時候，也是最開心的時候……。然而過一段時間往往又會不滿意，於是要再修改。』對著作的不修改這一點，『讀台大時薩孟武老師對自己著作的嚴謹態度，給我很深的印象』；『當然』，他接著又說：『至於詩的修改，歐陽修與王安石在修辭上講究的先例，是我謹記不忘的。』對於隔岸的東西，老師無論是藏書、評論，數量之豐可說是我們所未見的。至於兩邊人民經歷四十年分裂，文學的差異必然很大，他說：『文化的交流也就是文化的吸收問題，首先是要「瞭解」，就是先要取得較完整的資料，知其全貌；然後，第二是要「知所選擇」，意即瞭解之後，要選擇的吸收介紹，因爲所謂交流，就是一個吸收的問題，要曉得什麼是好的，什麼是有用的。大致講來，一九七九年以前兩岸文學風貌差異較大，就大陸當時較好的詩篇來講，一種陽剛之氣與對音韻的重視，是它的優點。生活環境的不同，並不構成阻礙，否則，對古代的作品怎麼能了解呢？總之要取其菁華，捨其糟粕，如何做到就要多作研究。』

・好文學是刻在人民的心版上

『有人說在台灣個人蒐藏的當代大陸出版的書籍，我可能算是比較多的，以前沒有開放時，資料取得極爲艱難，我到澳洲、美國都爲了尋求了解中國大陸文學發展的資料，帶回來還常會被沒收，折騰得非常累。後來經幾度重新收集，歷時十餘年，才完成《中國大陸新詩評析》這部書。』高老師這本鉅著，達四十八萬言的篇幅，在兩岸尚未溝通之時，歷赴美、英、澳各著名大學，最後還特到大陸一行，爲此自國外返台一度受阻。前後過目的兩岸新詩有三萬首之多。博覽精選之下，論述自胡適至舒婷，凡七十一家主要詩人作品，加以一篇重要的總論。這書正如一則對它的評論所指出，它是迄今爲止「中國新詩史中最具權威性的一部。」

詩在音律上比一般文章來得美，所以在詩的寫作上，『最重要是在有節奏感，有韻味。

你看，「韻」和「味」是連在一起的，沒有韻往往也就沒有味。現在很多現代詩就故意要拋棄這個，結果吃虧的是他自己，雖然報紙一時刊出，將來恐怕就沒有了！只有節奏感很好、內容也很美的詩，大家才會記在心裡；有一句話說：「眞正的法律不是刻在銅版上而是要刻在人民的心版上」，眞正好的文學作品，也必須是能讓人記在心裡的。』缺乏音韻美將徒增它的缺點，『徐志摩的詩爲什麼大家喜歡？他的詩音韻很優美，可說是一個重要因素；固然散文體的詩也有好的，像艾青的詩，大多就是散文體的，它不押韻，可是整個節奏感還是很好的。不過他後期也寫有韻新詩。』

・四大天王巨星

在中國人裡，老師最推崇屈原、陶淵明、李白、杜甫，說他們是「四大天王巨星」，成就最高。『西洋文學中，我對二十世紀的作品不大看，一九一五年以後的很少去讀它。因爲我覺得整個西方文化，從第一次世界大戰開始，一直都在走下坡，値得學習之處不多。很多發明，其實也都是多餘的。相反的，近幾十年來西方一些有識之士，却在努力研究中國文化。這類書須要看，拿來與中國的典籍及自己的體會相參照，對中國文化的瞭解可以有進一步的啓發。』聽到這兒，腦袋裏突兀地閃了一個念頭：現在自號爲現代詩寫作的人，率多成爲孤絕的種族，其來有自，所學習的竟祇是別人下降階段的東西，再加上沒有自己的內涵，豈不可悲？

講到新詩在世界上的地位，高老師說：『由於這一段是西方主導的時代，對整個新詩的總評價，中國是不是眞排在後頭，還很難講；況且新詩發展不過七十五年光景，歷史很短，不能說就拿這一點點時間的作品來跟中國歷代抗衡。不過，到目前爲止，還沒有一個人能跟剛才說的四大天王巨星媲美的，或者地位稍次一點的像曹植、王維、辛棄疾，當然他們也都是大詩人（詞也包括在廣義的詩裡），新詩人恐怕也還沒能比得上的。』老師侃然的一段話，身爲後生晚輩的我們是該深思了，「速食」並不等於內涵，不作基本文學修養的培植不體驗社會與人生的眞正面貌，妄談文學終不可行。

這時，我們一位同學說：「我看了老師的不少詩篇，詩風頗似於杜甫的味道。」高老師連忙說：「不敢當！」同學們都笑了起來。談到李白與杜甫，他認爲『李白的詩由於個人風格十分強，表現出「才氣縱橫」的風貌，所以後人說李白無從學，是指這點而言，至於杜甫，以學力深厚見長，所以如果也績學而努力，加以也有悲天憫人的心，可以令人覺得接近些。但後代學杜甫的人雖多，又有誰寫出了像杜甫那麼多的傑出作品呢？而陶淵明的詩表而平淡，其實極醇厚，可說是撫慰心靈的永恆溫泉，所以作品數量雖少，地位仍極高。』從高老師詩的內容看來，值得稱道的地方，可說是題材廣大而情意深厚，既有關懷的熱忱，亦富學力的涵蘊。詩句往往表面平易而有深入的含義與耐讀的韻味。如其抒發故土憂情的《念故鄉》，描繪勞動人們的《陽光的召喚》，歌頌中國歷史、山川、文化而對未來寄予厚望的《中國萬歲交響曲》，他如《神木》、《詩魂》、《裸月》、《白燭詠》、《哀鯨魚》等，均含意深邃，令人印象深刻。而另一些愛情詩也秀美動人，顯示了壯懷之外柔情的一面。

臨去之際，忽然看見房中壁上的一副對聯，寫著「把酒時看劍，焚香夜讀書」，題書者王羲之，勁拔的筆力映入眼簾實在難以忘懷，成紛紛拿出筆來抄錄；老師環顧四周冊籍，頗有哲思的微笑著說：『我這兒如今還缺一把劍。』其實從高老師的詩文看來，不正是交織著劍氣與蕭心嗎？而在他的評論集《文學與社會》一書也正包含了很多非常銳利的評論文章，《山河紀行》則也是一本簫劍交鳴的散文集。反覆推敲——「我們自己手中不是都有支筆，筆就是劍哪！」想到這裡，不禁又爲身爲「中文人」的我們感到慶幸。

（《風簷》第二期，一九九二、四，中國文化大學，台北）

短評選輯

如醉仙樂，如飲醍醐

■**虞君質**（前輩美學家）

就風格的表現上說，（《丁香結》）作者的詩筆一方面表現其高度的精鍊與簡潔，一方面又能給予讀者以愉快而溫馨的感受。作者的人生觀點是單純而樂觀的，他在用他的「詩語」向你我祝福，向人類祝福，向世界祝福，乃至回頭向自己祝福。讀了他的一首首小詩，如醉仙樂，如飲醍醐，形成了精神上的朦朧而欣喜的享受。

——摘自虞君質：《〈丁香結〉》（一九六一、六、三，新生報）

風標極美的現代抒情詩

■**俞大綱**（新月社前輩詩人）

《丁香結》的格調、風標、情致，均極美，不失爲中國現代型的抒情詩。欣接青年一代的茗秀，使我生氣油然。

—選自高準存札（一九六四、三、十五）

一朵奇葩，丁香帶雨

■胡品清（台灣著名詩人、散文家、文學研究家）

在企盼中收到你惠贈的《丁香結》，我一口氣讀完了他，而且只能衷心地道出我的讚美，那是一朵奇葩！我會恆將他供養在案頭。

—選自高準存札（一九六二、十一、十）

那本集子取材統一，可說是一首長長的抒情詩，柔和清麗，詩風明朗，但帶看淡淡的哀然。我十分珍惜描寫常恆的情感的作品，何況染著淡淡的憂鬱色彩的結恆常常徘徊於哲學領域之邊緣的。

—摘自胡品清《我讀〈七星山〉》（一九六五、一、九、《中國一周》）

看得懂你的詩我很開心

■瓊瑤（台灣著名小說家）

謝謝你的丁香結。我頗被你的文字所「惑」。恭喜你有自己的境界。別學時下一般新詩，以別人看不懂爲自己的驕傲，文字是表達情感及思想的工具，不是嗎？看得懂你的詩，我覺得很開心。願你的丁香，不再飄流在水上，祝福你那些試管裡的泡沫，都能獲得昇華！可悲的是人生不是試管，倒像個大火爐，投進去之後，總有一天要被燒得粉身碎骨。

——選自高準存札（一九六五、九、十九）

多姿多彩的交響樂章

■**胡品清**（台灣著名詩人、散文家、文學研究家）

《七星山》不再是一首全然的小夜曲，而是一部多彩多姿的的交響樂章。該詩集共分三輯，在內涵和情調上迥然不同。在第二輯「玫瑰」中詩上依然以纏綿悱惻感染讀者的情思。我尤其喜愛《雨》，其中的語言樸素，意象鮮恬但帶有濃濃的愁：

望著小樓，很冷。
且沒有燈。雨
漉漉然，網住了整個大地。

鏘然你把夢在瓦上擲碎，任伊
在雨水裡飄流。

都是值得回味的句子。

第一輯「鼓聲咚咚」可以說是現代文明的產物。作者在工業社會中的感受激發了他思古之幽情。《橙黃月》一詩中，一方面有許多奇特的意象如：「電線桿開始有點嫵媚／霓紅燈下有很多廉價的春天」。另一方面，作者又揷入許多古典和傳說中的人物使傳統和現代形成一種强烈的對照：（按：《橙黃月》後改題爲《裸月》）

唉唉，偷藥的少女在啜泣，
加里略剝去了她的霓裳羽衣。

在第三輯「考驗」中，作者所表現的是在經過生活的考驗後所感到的煩倦和較深沉的悲哀。

——摘自胡品清《我讀〈七星山〉》（同前引）

每讀一次都有更深的感動

■歐陽惠民（詩人，澎湖《海韻》詩刊主編）

承蒙惠賜大作《葵心集》，到今天才全部拜讀完畢，全集三百零六頁，就像《葵心集》序中「如一朵向日葵之仰望著太陽，尋求溫暖與光明，整個的，它是一種期待、仰望與尋求的歷程。」

在寫詩的觀念上，我非常同意「必須以詠懷或抒情爲歸」的看法，簡單的說，也就是所謂的「言志」。因此在四卷詩集中，我最喜歡卷二「夜歌」中《異端》及《異端的變奏》兩首，我把這兩首詩複印數份在朋友間傳閱，朋友們共同的結論是：「這才是我們這一代的中國人所需要的詩！」三十年來的台灣詩壇，這樣的詩爲什麼這樣少？是不敢寫，不能寫，或是根本就不想寫？三十年來的詩人，總是令人搖頭的居多，多令人納悶的問題。

至於較近的作品，我喜愛《神木》和《念故鄉》甚於《中國萬歲交響曲》。尤其是《神木》，在技巧上的圓熟，可以說無懈可擊，而內涵又是如此的耐人咀嚼，每讀一次都會有更深的感動。

——選自高準存札（一九八〇、八、三）

清水出芙蓉．天然去雕飾

■陳發玉（安徽省著名詩人、文學研究家）

《蘭嶼情歌》象一塊玲瓏剔透的水晶一樣，具有李白所說的「清水出芙蓉，天然去雕飾」之美，吸收了民歌的一些可貴之處，語氣詞「喲」「呀」的運用使詩句的節奏感加强了，又把長句式劃成了短句式，使長句式有了短句式的跳躍、激蕩、明快、歡愉的特色，句中韻使詩句的音樂性加强了，句中韻和語氣詞的結合運用使這首詩產生了一種復踏式的反復回環的音韻美，好像大自然的（海洋的）韻律在起作用，現代西方主張回歸自然，返璞歸眞，我看你這首詩就是詩歌的回歸自然，返璞歸眞，似乎在詩經里能找到它的影子，它雖有詩經中愛情詩的情致，但它又有詩經中愛情詩所達不到的對愛情的昇華。這首詩由色彩、音韻、節奏、動感、比喻、情致等所組成的美，是一種神秘莫測的美。就內容來看，你說它是露而不藏，卻又正是藏而不露。你說它俗，它又非常文雅；你說它雅，它又雅俗共賞。愛情詩能達到這樣爐火純青的境界，堪稱佳作。

—來函（一九九二、五、九）

剛強有力．振衰起疲

■楊亭（詩人，《詩季》詩刊主編）

《詩潮》的誕生，爲軟弱的詩壇投下一股生生不息的力量。尤其《詩潮》之中，絕大部分剛強有力的作品，直指社會、直指民心，對目前詩壇流行的「軟詩」，實在有規正、淨化之功。我尤其讚同卷頭所言：要把握抒情本質；要關心社會民生；要注意表達技巧。誠然，這是一個方向，一個理想，有待吾人之努力。

——《詩潮，第二集》來函。（一九七七、七、二十七）

大氣噴薄．古今渾融

■陳義芝（詩人，《詩人季刊》主編）

據《寫詩的歷程》一文，知您於新舊體詩都是無師自修。而兩者俱有很深造詣，的確令人感佩！您的詩極講究音韻，自有一股噴薄的大氣象。句法、意境上古今渾融，也是您詩作傑出的特點。

——選自高準存札（一九八五、十二、十八）

開拓方向，啓迪後進

■何捷（詩人，《掌握》詩刊主編）

在一九七七年創刊的《詩潮》，不也遭遇到更大的傷害：被一小撮文人憑空揑造、羅織罪狀之事嗎？幸好《詩潮》能通過文學眞理的考驗，還給其應有的公道。使《詩潮》得以繼續推展詩運。爲一九四九年後，現代主義詩刊林立雜陳、作品晦澀棄絕於社會的年代，理出詩刊一股清流的里程碑。爲矯救現代詩錯誤發展，您早在一九七二年提出三項正確方針：『1.加强的吸收傳統精華，繼承光大民族的歷史命脈。2.深切的關懷社會現實，堅決在中國的土地紮根。3.熱烈的發揮抒情精神，澈底清除「超現實」之迷妄』。無可否定的，《詩潮》在此一階段擔負著「詩界革命」破壞階段中的重建工作，奠定了後來一些詩刊的明朗性、關懷性、社會性、生活性之變革。

——摘自《詩潮•第五集》來函。（一九八六、十二、六）

＊按：本文發表時署名何沛

畫史新論·發人未發

■莊嚴（前輩藝術史家，前台北故宮博物院副院長）

高準先生此書立論超脫，文筆流暢精簡，時人所寫畫史書中罕有其匹。而余於文中所談我國繪畫的歷史分期與流派分劃兩大綱系之提領，皆發前人所未發之創論，堪稱高先生之高見。拜讀既畢，謹書以志欽佩之至意。

——莊嚴《高準〈中國繪畫史導論〉序辭》（一九七二）

發揚詩教·碩果僅見

■李曰剛（前輩國學家，中國文學史家）

至其《中國古今名詩三百首》之編註，尤煞費苦心。審讀其自序《中國詩的偉大傳統》及《修訂新版前言》，深知其編選原則，一以孔聖所示「詩可以興，可以觀，可以羣，可以怨」之四項詩教爲主旨，亦即以啓發性靈、欣賞純美、鼓舞民族精神、與表達民生疾苦四者爲標準。質言之，乃是以藝術性與思想性並重者。白居易云：「詩者，根情，苗言，華聲，實義。」與劉勰「文心」之論點一致。《文心·附會篇》云：「學文宜正體製，必以情志爲神明，事義爲骨髓，辭采爲肌膚，宮商爲聲氣。」白氏所謂情、義，即劉氏所謂情志、事義，此二者屬於文學之思想性；白氏所謂言、聲，即劉氏所謂辭采、宮商，此二者屬於文學之藝術性。蓋意境之陶鍊，寄託之遙深，所以求其內容之實在；文詞之修飾，韻律之講求，所以務其外形之完美。詩必如此作，乃可持人性情，足志行遠；詩亦必如此選，乃得溫柔在誦，最附深衷。高先生斯編之取材，首先置重於此一偉大傳統詩教之發揚，著眼正確，立腳穩固，此乃最所値得稱道哉！又其所選首數之多寡，謂「要與詩人之偉大性及重要性成正比。」檢閱全盤之安排，亦頗費周章。……詩家名數與詩作等級之品列，仁智互見，難有定評，但求其心安理得即可。高先生於斯二者之選擇排配，既經反覆考量，費盡心神，於此亦可見其審慎之不苟矣。至於每首均詳加註釋，並附作者簡傳，儘量採用語體，並大多包括對於題旨之解析，作者簡傳中則附及對其詩風之簡評以及文學史上關鍵性的發展之指出，亦皆爲其特色之所在。求之今日坊間，能將中國古往今來恆河沙數之詩篇精選出最具代表性之三百首，彙爲一冊，便於隨時諷誦肄習者，此爲僅見之碩果，有貢獻於詩教匪淺。

——摘自李曰剛《高編〈中國古今名詩三百首〉序》（一九八一、一、八、華學月刊）

附錄

高準文藝思想摘要

■文學的性質

文學不是孤立的存在於象牙之塔裡面的東西，它是社會的產物，……文學既然是社會的產物而且必然傳達於他人，所是文學也必有其社會的功能與責任。

文學旳社會責任實際也就是文學的基本目的，它就是要發揚人性、淨化人心、從反映現實以求現實的改進、從抒寫感情以求感情的昇華、從表達人民的眞正願望以求願望的合理實現，從表現人生的眞實面目以求人生的走向光明。

——《文學與社會》，一九七二

■詩的定義

詩是人類思想與感情交溶昇華以導致高尚境界而透過想像與韻律精鍊而出的語言。

——《中國詩的偉大傳統》，一九七三

■新詩的「新八不主義」

㈠五點基準：（作詩的必要條件與基本準則）

1. 詞義清新，不作漢語之罪人。
2. 情意眞摯，不作浮濫之吶喊。
3. 結構精粹，不以散漫爲自由。
4. 韻律諧調，不失聽覺之優美。
5. 境界高遠，不作頹廢之虛無。

㈡三項方針：（今日台灣新詩所應特別强調的方向與針砭）

1. 加强的吸收傳統精華，繼承光大民的歷史命脈。
2. 深切的關注社會現實，堅決在中國的土地裡紮根。
3. 熱烈的發揮抒情精神，徹底清除「超現實」之迷妄。

——摘自《論中國現代詩的流變與前途方向》，一九七二

■《詩潮》的方向

一、要發揚民族精神，創造爲廣大同胞所喜見樂聞的民族風格與民族形式。

二、要把握抒情本質，以求眞求善求美的決心，燃燒起眞誠熱烈的新生命。

三、要建立民主心態，在以普及爲原則的基礎上去提高，以提高爲目標的方向上去普及

四、要關心社會民生，以積極的浪漫主義與批判的現實主義，意氣風發的寫出民衆的呼聲。

五、要注重表達技巧，須知一種沒有藝術性的作品，思想性再高也是沒有用的。

——《詩潮》第一集卷首，一九七七

■中國詩歌創作的前途

對大陸詩歌前途的展望：

第一，要堅決破除教條主義，解放思想。

第二，要從形象思維出發，確認形象思維的實踐與否，是檢驗詩之藝術性的主要標準。

第三，要發揚不滿精神，促進民主，反映人民眞正的心聲。

對台灣詩歌前途的展望：

第一，要發揚民族精神，創造民族風格，不能再走全盤西化的死路。

第二，要掌握抒情的本質，要追求崇高的境界，不能以「主智」爲理由而排斥抒情，使詩成爲空洞的文字遊戲，以致於「無感不覺」，根本不成其爲詩。

第三，要建立民主心態，關心社會民生，及從生活出發，不能自命孤高，自絕於廣大的人民，否則，廣大的讀者就必然也要拋棄你的作品。

——摘自《中國文學的前途》，一九七九

■美學標準與政治標準

我的美學標準究竟是怎樣呢？最簡單的舉述一句，那就可以用謝赫所云的「氣韻生動」四個字作爲依歸——包括「氣」、「韻」、「生」、「動」及「氣韻」與「生動」六個概念及其引申。

除了美學標準，有沒有政治標準呢？若說有人可以完全撇開一切的政治標準，那是騙人的空話。我一向是主張突破一些無謂的禁忌的，但自然也有我的大原則——那就是謹守人道主義、愛國主義、民主主義的方向，那也就是本書選錄作品的政治標準。

——摘自《中國大陸新詩評析》後記，一九八八

■「親風雅」的統緒

「氣韻生動」與「韻風雅」原是一脈貫通的。「親風雅」是以「興、觀、群、怨」爲指歸，而「氣、韻、生、動」是使人能「興」（感發）的要素。

——《中國大陸新詩評析》後記，一九八八

■正確的準則

針對現代主義頹風的矯救之道，並不是要回到大陸五、六十年代那種盲從的歌功頌德爲主的假現實主義，也不是三、四十年代那種强調戰鬥而往往藝術上比較粗槌的作品所能勝任的。它應該是，也只能是以具有「民胞物與」、「有教無類」的道德理想作爲其精神的。所以只有那種以仁義爲心而泱泱博大的中國傳統文化精華，才是檢驗作品的正確準則，也才是對海峽兩岸中國人的永恆號召，而也才能有利於民族的團結與眞正統一的達成。

——《關於文化交流的問題》，一九八九

高準作品評論與介紹文章篇目

1. 虞君質：《丁香結》（一九六一、六、三，新生報，台北）
2. 瘂　弦：讀《丁香結》（一九六一、七撰，高準存札）
3. 程發貴：《丁香結》中活潑的愛（一九六一、十一，學生生活報，香港）
4. 張　健：評《丁香結》（一九六一、十二?，獅子吼月刊，台北）
5. 陳一山：《丁香結》讀後（一九六二、三，文壇，香港）
6. 陳一山：《七星山》的欣賞（一九六四、十二、十四，中國一周，台北）
7. 胡品清：我讀《七星山》（一九六五、一、十四，中國一周，台北）
8. 趙光裕：記兩個成功的青年作家—司馬中原和高準（一九六五、三、二十九—三十一，自立晚報，台北）
9. 陳一山：《鼓聲咚咚》的欣賞（一九六五、五，力行月刊，台北）
10. 黎　明：結——讀高準詩集《七星山》（詩）（一九六五、七、五，中國一周，台北）
11. 編委會：高準詩選前言（《中國現代詩選》，一九六七、二，高雄）
12. 熊式一：序《高準詩抄》（一九七〇、九，文藝復興月刊，台北）
13. 中央日報：高準的油畫（一九七一、三、六，中央日報，台北）（按：為畫展專欄報導，並刊出畫一幅）

14.何懷碩：優遊的畫境—高準畫展觀感（一九七一、八，幼獅文藝，台北）（並刊出畫一幅）
15.方　豪：《中國繪畫史導論》序（一九七二、四、二十三，創新周刊，台北）
16.莊　嚴：高準《中國繪畫史導論》序辭（《中國繪畫史導論》，一九七二、八，新亞出版社，台北）
17.向　陽：《神木》的欣賞（一九七二、九，大學雜誌五十七期，台北）（按：本文作者本名毛再青，後未再用此筆名，與本表NO.30的向陽—本名林淇瀁，非同一人）
18.胡有瑞：中國畫的介紹（一九七二、十、十五，中央日報國際版，台北）
19.楚　戈：中國美術史之重建—推介高水準的《中國繪畫史導論》（一九七二、十一、十八，民族晚報，台北）
20.張　良：高準嘗試爲歷代畫家歸宗（一九七二、十二、十五，中央日報，台北）
21.王哲雄：《中國繪畫史導論》評介（一九七三、三，華學月刊，台北）
22.陳鴻森：另外的聲音（一九七三、四，大學雜誌，台北）（按：爲對高準在上年七月〈大學雜誌〉所刊「文學與社會座談會」中講詞之意見）
23.何懷碩：有其「功能」絕不次等—兼評《另外的聲音》之謬（一九七三、五，大學雜誌，台北）
24.陳一山：「新八不主義」與《高準詩抄》（一九七四、三，文藝復興月刊，台北）
25.Lee-Leng Whong: Australia is obvious place to read Chinese verse—poet (1974, 6,24, The Australian, Sydney)
26.中央日報：澳州新聞界推介我旅澳詩人高準（一九七四、七、六，中央日報海外版，台北）

27. 喬　山：從一本詩論談起（一九七四、七，抖擻，香港）

28. 楊　亭：剛强有力．振衰起疲（一九七七、十二，詩潮第二集，台北）

29. 王大中：這樣的文學批評（一九七八、三，夏潮雜誌，台北）（按：本文爲讀者反駁對於高準《中國萬歲交響曲》一詩的扣帽誣陷）

30. 向　陽：讀《詩潮》第二集致高準（一九七八、十一，詩潮第三集，台北）

31. 何南史：讀高準、曾祥鐸、林維民、李慶榮諸先生新詩論著書後（詩）（一九七九、一撰，刊一九八〇、十二，詩潮第四集，台北）

32. 杜皓暉：讀《文學與社會改造》—兼就教於作者高準先生（一九七九、五、六，自立晚報，台北）（按：高準答文《關於〈文學與社會改造〉的幾個問題——敬答杜皓暉先生》刊一九七九、五、十三，自立晚報）

33. Iver Peterson: Iowa Literati Narrow China-Taiwan Gap（1979,9,20, The New York Times, N.Y.）（按：本文專訪高準）

34. 林清玄：愛荷華中國文學討論會（一九七九、九、三十，時報周刊，台北）

35. 也　斯：愛荷華的「中國週末」（一九七九，十，明報月刊，香港）

36. 慕蓮生：與詩人高準一席談（一九七九、十一，新土，紐約）

37. 許芥昱、金恆煒：愛吾華「中國週末」的會外會（一九七九、十一，中國人月刊，香港）

38. 北美日報社：國際作家函蔣經國解禁高準《葵心集》（一九七九、十一、十七，北美日報，紐約）（按：

《葵心集》於一九八七年十一月起撤銷查禁）

39. 華僑日報社：廿五位各國作家連名致函蔣經國詢問爲何禁高準詩集（一九七九、十一、十七，美洲華僑日報，紐約）

40. 北美日報社：民主非民族分裂，台作家斥獨立說（一九七九、十二、二十二，北美日報，紐約）（按：報導高準對高雄事件及許信良主張台獨之聲明）

41. 蕭　乾：衣阿華的「中國周末」（《一九八〇中國百科年鑒》，一九八〇、八，北京）

42. 丁　零：現代詩的前途—兼談高準的《葵心集》（一九八〇、八、二十四，自立晚報，台北）

43. 李曰剛：高編《中國古今名詩三百首》序（一九八一、一，華學月刊，台北）

44. 華僑日報：台灣人赴大陸訪問・高準認爲這是他本來應有的權利（一九八一、十一、十三，美洲華僑日報，紐約）

45. 吉田實：中國と台灣の統一問題—台灣的詩人高準氏に聞（一九八一、十二、十九，朝日新聞，東京）

46. 陳中原譯：中國與台灣的統一問題—訪台灣詩人高準（一九八二、一、六，美洲華僑日報，紐約）

47. 劉嵐山：燃燒的燭—讀《白燭詠》並題贈作者台灣詩人高準先生（詩）（一九八二、五，國風詩刊，河北）

48. 流沙河：流淚的鯨（一九八二、十二，星星詩刊，成都，收入《台灣詩人十二家》，一九八三、八，重慶）

49. 編委會：新版《葵心集》編者的話（一九八三、十，友誼出版公司，北京）

50. 紀璧華：高準詩三首賞析（《台灣抒情詩賞析》，一九八三、九，南粵出版社，香港）

51. 《台灣與海外華人作家小傳》：高準（一九八三、九，福建人民出版社，福州）

52.王　中：訪高準談大陸之行（一九八四、五、十二，雷聲週刊，台北）
53.彭紹周：高準其人其事（一九八四、九，第三者月刊，台北）
54.郭　楓：獨立蒼茫且放歌—《高準詩集》序（一九八五、七、二，自立晚報，台北）
55.中原先生：我醉欲眠君且去（一九八五、七、三十一，天文台，台北及香港）
56.邱振瑞：浪漫主義的新高潮—我讀《高準詩集》（一九八五、八、三十一，自立晚報，台北）（又刊《詩潮》第五集，一九八七、二，台北）
57.趙滋蕃：《山河紀行》序（一九八五、十，《山河紀行》，文史哲出版社，台北）
58.曾祥鐸：突破波濤的脚印—評介高準《山河紀行》（一九八五、十一、二十八，自立晚報，台北）
59.北　固：唯美的憂患意識—評析《高準詩集》（一九八六、二、二十二—二十三，自立晚報，台北）
60.李　想：片帆煙際閃孤光—試介《高準詩集》（一九八六、四、二，天文台，台北及香港）（又刊《詩潮》第五集）
61.莫文征：《詩魂》賞析（《現代詩歌名篇選讀》，周紅興主編，一九八六、四，作家出版社，北京）（又收入吳奔星編《中國新詩鑑賞大辭典》，一九八八，南京）
62.旅　人：中國新詩論史第四章第二節（一九八六、六，《笠》詩刊一三三期，台北）
63.武　嶺：中國人走中國的土地—評高準《山河紀行》（一九八六、五、二十六，薪火周刊，台北）
64.行　者：「中國的土地」在外蒙、庫頁島、西伯利亞—兼駁所謂「大漢沙文主義」（一九八六、七，全民生活第二期，台中）

65. 康　橋：溝通、統一與知識份子—從高準的大陸去來及其《山河紀行》談起（一九八六、十，全民生活第五期，台中）

66. 陳映眞：不怕寂寞的獨行者高準—高準《文學與社會》中文學評論文章讀後（一九八六、八、二十，自立晚報，台北）

67. 古霞琴：東風夜放花千樹—我讀高準《山河紀行》（一九八七、二，詩潮第五集，台北）

68. 黃能珍：春潮在望—寫給高老師（詩）（一九八七、二，詩潮第五集，台北）

69. 王熙元：讀《高準詩集》（一九八七、二，詩潮第五集，台北）

70. 編輯部：台灣著名的現代詩人（《中國兒童大百科全書》，第二十八冊，一九八七、十二，明山書局，嘉義）（共介紹楊華、陳秀喜、余光中、瘂弦、鄭愁予、高準、吳晟七人，其中高準有較長介紹）

71. 胡秋原：高準《中國大陸新詩評析》序（一九八八、五，中華雜誌，台北）

72. 曾祥鐸：不廢江河萬古流—高準《中國大陸詩評析》讀後（一九八八、五、十一，世界論壇報，台北）

73. 趙天儀：中國新詩欣賞的新視野（一九八八、十、六，自立晚報，台北）

74. 陶維佳：魂牽夢縈著文明之邦—訪台灣著名詩人高準（一九八八、十二、六，解放日報，上海）

75. 高　鈁：獨行者的歸去來—台灣詩人高準在杭州（一九八九、一、十五，西湖詩報，杭州）

76. 高　鈁：台灣詩人高準小記（一九八九、一、三十一，杭州日報，杭州）

77. 邵燕祥：《中國大陸新詩評析》讀後（一九八九、二、二十五，文藝報，北京）

78. 馮英子：台灣詩人高準的《詩葉》（一九八九、二、？，團結報，上海）

79. 馮英子：漫游祖國河山•翻憶漢唐餘烈—讀高準先生的《山河紀行》所想到的（一九八九、二、二十一，團結報，上海）

80. 龔顯宗：一段艱困的歷程—高準《中國大陸新詩評析》讀後（一九八九、四、十八，二十，二十一，自立晚報，台北）

81. 吳明洋：新艦已隨詩潮航海上（詩）（一九八九、三，詩潮第六集，台北）

82. 吳明興：從《文學與社會》說起（吳明興來函之二）（一九八九、三，詩潮第六集，台北）

83. 古繼堂：高準—《台灣新詩發展史》第十四章第四節（一九八九、五，人民文學出版社，北京）

84. 古繼堂：台灣新詩回歸的第三階段—《台灣新詩發展史》第十三章第三節（一九八九、五，人民文學出版社，北京）

85. 張先瑞：台灣詩人高準印象（一九八九、十，僑聲十六、十七合期，長沙）

86. 張俊山：拜訪台灣詩人高準追記（一九八九、八、四，開封日報，開封）

87. 胡其雲：一朵向日葵，她的癡心—台灣詩人高準在成都（一九八九、十、十一，世界的根，馬尼剌）

88. 天　園：有情總是此湖山—記台灣詩人高準的浙江之旅（一九八九、十、十八，浙江日報，杭州）

89. 賈丹華：魂繫神州—記台灣著名詩人高準（一九八九、十一、八，溫州日報，溫州）

90. 蔡小樂：詩情畫意—記台灣著名詩人高準（一九八九、十一、六，書訊報，上海）

91. 《台灣新文學辭典》：高準（另著作條目及〈詩潮〉專條介紹共六條）（一九八九、十，四川人民出版社，成都）

92. 王京瓊：呼喚「眞有生命的中國文學」—台灣詩人高準對現代派詩的批判（一九九〇第一期，台灣研究，北京）

93. 劉登翰：且歌且戰的獨行者—高準印象（一九九〇第一期，海峽兩岸，福州）

94. 古遠清：一首氣勢磅礡的交響樂—讀高準的《中國萬歲交響曲》（一九九〇、六，中華雜誌，台北）（又刊《名作欣賞》一九九〇第五期，北京）

95. 古遠清：台灣學者研究大陸新詩的可喜收獲—評高準的《中國大陸新詩評析》（一九九〇、七，當代文學研究，總六十七期，北京）（又刊一九九〇、六、二十五，台灣新聞報，編者改題爲《拒絕政治的詩史—評高準的〈中國大陸新詩評析〉》）（又刊《長江文藝》一九九〇年十二月號，武漢）

96. 洪　放：遙望之樹（一九九〇、九、二十七，安徽日報，合肥）

97. 《中國現代文學辭典》：高準（一九九〇、十二，上海辭書出版社，上海）

98. 鄒建軍：具見膽識的《中國大陸新詩評析》（一九九一、一、?，遼寧日報，瀋陽）（又刊《葡萄園詩刊》一一一期，一九九一、七，台北）

99. 古遠清：高準詩三首賞析（《台灣現代詩賞析》，古遠清編著，一九九一、三，河南人民出版社）

100. 古遠清：台灣學者眼中的大陸新詩—讀高準的《中國大陸新詩評析》（一九九一、一，文學報五十二期，上海）（本文爲NO.95之摘要）

101. 丁　穎：民族文學的良心—論高準的詩及其創作道路（一九九一、四、一，台灣時報，高雄）

102. 莫　渝：從涇渭分明到縫合斷層—高準《中國大陸新詩評析》讀後（一九九一、六，新地文學第八期，台

北）

103.《台灣文學家辭典》：高準（一九九一、七，王晉民主編，廣西教育出版社，南寧）

104.鄒建軍：論台灣詩人高準的詩學觀（一九九一撰）（鎭江師專學報，一九九二第四期，排印中，江蘇）

105.趙跟喜：「獨立蒼茫且放歌」—訪台灣著名詩人高準（一九九一、十一、十三，洛陽日報，洛陽）

106.莫　渝：高準散文詩《無題》賞析（一九九二）

107.陳嘉瑜：劍氣蕭心故土情—訪高準教授（一九九二、四，風簷第二期，台北）

108.黃　翔：氣貫長虹萬古奔流—致高準函（一九九二、四撰）

109.陳發玉：《重返神州》二首讀後（一九九二、四撰）

110.黃　翔：朝向民族的獨創的詩學—高準現象透視及其它（一九九二、六撰）

高準文藝作品選入各選集及專欄選載篇目表

書名或刊名	篇名	時地
十年詩選	早春／五月（註①）	一九六〇，台北
中國現代詩選	鼓聲咚咚（註②）／哀鯨魚／	一九六七，高雄
中國新詩選	醒／雨／七星山（註③）／念故鄉	一九七〇，台北
六十年散文選	山的心影（散文）	一九七一，台北
六十年詩歌選	神木／失樂園（註④）／白燭詠／雨[2]／鼓聲咚咚[2]／念故鄉[2]	一九七三，台北
中國古今名詩三百首	神木[2]	一九七三，台北
中國現代情詩	心願／盼／鎖	一九七七，台中
新詩品賞（楊昌年編著）	神木[3]	一九七八，台北
鄉土文學討論集（尉天驄編）	中國現代文學的主潮（論說）	一九七八，台北
四季頌歌（散文選）	春的脚步（散文）	一九七九，台北
美術論集（中華學術院編）	中國繪畫的歷史分期與流派分	一九七九，台北

	劃（論說）	
華僑日報（專欄特載）	中國文學的前途（論說）	一九七九、九、廿七、廿八，紐約
南洋商報（專欄特載）	中國文學的前途（論說）	一九七九、十、五，新加坡
新土（專欄選載）	中國萬歲交響曲／永恆的向日葵（散文）	一九七九、十一，紐約
七十年代（專欄選載）	永恆的向日葵[2]（散文）	一九七九、十二，香港
台灣詩選（第一集）	白燭詠[2]	一九八〇，北京
詳註中國古今名詩三百首	中國萬歲交響曲[2]	一九八一，台北
國風詩刊（台灣詩選專欄）	在山之巔／念故鄉[3]	一九八二、五，承德
台灣詩選（第二集）	玫瑰／雨[3]	一九八二、北京
大家文學選・詩卷	陽光的召喚	一九八二，台北
台灣遊記選	霧社廬山記（散文）／史克蘭溪畔一夜（散文）	一九八三，北京
文藝復興（一四〇期）	東嶽紀行（散文）	一九八三、三，台北
台灣詩人十二家（流沙河）	靜夜[2]／玫瑰[2]／遺書／念故鄉[4]／神木[4]／在山之巔[2]	
台灣抒情詩賞析（璧華）	詩魂／神木[5]／玫瑰[3]	一九八三，香港
四季散文選	春的腳步[2]（散文）	一九八三，台北
掃蕩週刊（二一二—二一四期）	東嶽紀行[2]（散文）	一九八四、二—三，台北

雷聲週刊（第七—八期）（專欄選載）	長江行脚（散文）	一九八四、五、十二—十九，台北
雷聲週刊（第八期）（專欄選載）	古意四首（登泰山吟／登長城吟／謁中山陵／謁大禹陵）	一九八四、五、十九，台北
自立晚報副刊（頭條選載）	西蜀遊踪（散文）	一九八四、六、一—三，台北
自立晚報副刊（頭條選載）	長安訪古（散文）	一九八四、九、十三—十五，台北
中華雜誌（專欄轉載）	燕京散記（散文）	一九八四、十一—一九八五、，台北
掌握詩刊（專欄選載）	陽光的召喚[2]	一九八五、三，嘉義
祖國啊祖國（上海文藝出版社）	念故鄉[5]	一九八五，上海
現代詩歌名篇選讀	詩魂[2]	一九八六，北京
台灣愛情詩選（耘之編）	香檳季[2]／玫瑰[4]／燃	一九八七，北京
古今中外愛情詩選	玫瑰[5]	一九八七，北京
台灣現代詩選（劉登翰）	香檳季[3]／玫瑰[6]／冰岩[2]／詩魂[3]／神木[6]	一九八七，瀋陽
中國兒童大百科全書（第二十八冊）	出塞吟	一九八七，嘉義
世界日報（專版選載）	一段艱困的途程—中國大陸	一九八七、十一、四，馬尼拉

當代台灣詩萃（藍海文）	新詩評析自序／神木[7]／鼓聲咚咚[3]／雨[4]／白燭詠[3]／醒[2]／念故鄉[6]／七星山[3]／秋之夢	一九八八，長沙
台聯新聞（專版選載）	中國萬歲交響曲[3]	一九八八、四、十，台北
台灣愛情詩選（培貴編）	鎖[2]／醉／燃[2]／熄／玫瑰[7]	一九八八，武漢
蕭台文藝（高準詩選專欄）	海濱吟／秋之夢[2]／歸宿	一九八八、十二，樂清
中國新詩鑒賞大辭典	詩魂[4]	一九八八，南京
西湖詩報（專欄選載）	神木[8]	一九八九、一，杭州
詩刊（專欄選載）	中國大陸新詩發展的輪廓（論說）（摘載）	一九八九、五，北京
文匯報（專欄特載）	廬山遊／謁孔子墓	一九八九、九、十七，香港
西湖詩報（專欄選載）	廬山遊[2]／謁孔子墓[2]	一九八九、九，杭州
詩刊（專欄選載）	中國萬歲交響曲[4]	一九八九、十，北京
僑聲（第十六、十七合期）	念故鄉[7]	一九八九、十，長沙
人民文學（台灣詩選專欄）	謁孔子墓[3]	一九八九、十一，北京
世界日報（高準作品選專版）	序詩／在山之巔[3]／念故鄉[8]／詩魂[5]／神木[9]／海濱吟[2]／秋之夢[3]／蘭嶼情歌／歸宿[2]	一九九〇、二、十四，馬尼拉

文學世界（專欄選載）	盧山遊[3]／謁孔子墓[4]	一九九〇、一，香港
風雲際會（兩岸山水系列專冊）	盧山遊[4]	一九九〇、三，台北
點蒼山詩詞楹聯集（第六輯）	登長城吟[2]／謁大禹陵[2]	一九九〇、三，大理
長江文藝（選載）	謁孔子墓[5]	一九九〇、四，武漢
鄉愁—台灣抒情詩選（柳易冰）	玫瑰[8]	一九九〇、四，石家莊
中華雜誌（特載）	中國萬歲交響曲[5]	一九九〇、六，台北
台港百家詩選（葛乃福編）	春雨／夏歌／念故鄉[9]／遺書[2]／白燭詠[4]	一九九〇、六，江蘇
名作欣賞（一九九〇第五期）	中國萬歲交響曲[6]	一九九〇、九，北京
金山縣志	念故鄉[1]	一九九〇，上海
海內外新詩選萃（一九九一春之卷）	謁孔子墓[6]	一九九一、一，天津
詩刊（專欄選載）	代贈／曠野上一棵松樹／盧山遊[5]	一九九一、二，北京
台港現代詩賞析（古遠清）	念故鄉[1]／詩魂[6]／中國萬歲交響曲[7]	一九九一、三，河南
七月頌歌（詩選集）	中國萬歲交響曲[8]	一九九一、五，杭州
經緯（第二期）（專欄選載）	念故鄉[12]	一九九一、七、十六，台北
葡萄園三十週年詩選	謁孔子墓[7]	一九九二、八，台北
愛我中華詩歌鑑賞大辭典	中國萬歲交響曲[9]	一九九二，（印刷中），重慶

古今中外散文詩鑑賞辭典	無題—一九五九（散文詩）	（排印中），河南

註①：《五月》後改題《香檳季》。註②：《鼓聲咚咚》後改題《鼓聲》。註③：《七星山》後改題《冰岩》。註④：《失樂園》後改題《靜夜》。

高準詩文存目簡錄

（高準整理）

一、詩（有＊者已收入《高準詩集》

（有（刪）字的是曾收入早年詩集而應予刪汰者）

＊1.出塞吟（一九五五；一九七〇改創）
＊2.在這玫瑰色的五月（一九五六）
3.迷（一九五六）（刪）
4.惘（一九五六）（刪）
＊5.鎖（一九五六；一九五七改定）
＊6.醒（一九五六）
＊7.盼（一九五七）
8.春雨（甲稿）（一九五七）
＊9.誄歌（一九五七）
10.秋夜（一九五七）（刪）
＊11.一瞥（一九五八）

*12.在這玫瑰的五月（一九五八）
*13.繁星（一九五八）
*14.春雨（一九五八）
*15.在山之巔（一九五八）
*16.早春（一九五九）
*17.香檳季（一九五九）
*18.醉（一九五九）
*19.異端（一九五九）
20.當紅了櫻桃（一九五九）（刪）
21.無題（散文詩）（一九五九）
*22.早熟的寂寞（一九五九）
*23.青果（一九五九）
*24.熄（一九六〇）
*25.煉（一九六〇）
*26.丁香結（一九六〇）
*27.燃（一九六〇）
*28.靜夜（一九六〇）

29.雨季夜（一九六〇；一九六二修訂）（修訂稿可存，未刊）
*30.異端之變奏（一九六〇）
*31.三月奏鳴曲（一九六一）
*32.二九八〇年（一九六一）
*33.鼓聲（一九六一）
*34.期（一九六一）
*35.彼岸（一九六一）
*36.裸月（一九六二）
*37.雨（一九六二）
*38.安魂曲（譯詩，一九六二）
39.春夜獨步（一九六二）（並附記，見《詩潮》第六集，一九八九）
*40.剛果（譯詩，一九六二）
*41.荒山（譯詩，一九六二）
*42.讀陶詩漫成（一九六二）（古體）
*43.濤馥海濱（譯詩，一九六三）
*44.去春（一九六三）
*45.氷岩（一九六三）

46.杜宇（一九六三）（刪）

*47.白燭泳（一九六三）

*48.哀鯨魚（一九六三）

*49.結論（一九六三）

*50.秋之祭（一九六三）

*51.秋夜聞雨（一九六三）

*52.玫瑰（一九六三）

*53.—54.無題二首（一九六四）（律詩）

*55.遺書（一九六四）

*56.星河的流浪（一九六四）（後改題《星河行》，擬改回原題）

57.金山海濱（一九六四）（並附記，見《詩潮》第六集，一九八九）

*58.永恆（一九六五）

*59.神木（一九六五）

*60.溪頭月夜（一九六六）

*61.西風詠（譯詩，一九六六）

*62.夏歌（一九六六）

*63.櫻桃樹（譯詩，一九六七）

＊64.懸崖上的祈禱（一九六七）
＊65.長相憶（譯詩，一九六八）
＊66.心願（一九六九）
＊67.念故鄉（一九六九）
＊68.碧血（一九七一）
＊69.詩魂（一九七三）
＊70.陽光的召喚（一九七四；一九七七改寫）
＊71.中國萬歲交響曲（一九七五—七六）（一九八〇增補）（一九九〇又增一段，增訂稿收入本書）
＊72.海濱吟（一九七六）
＊73.序詩（一九七六）
＊74.登長城吟（一九七七）（律詩）
＊75.新高山（一九七八）
＊76.蘭嶼情歌（一九七八）
＊77.歸宿（一九七九）
＊78.謁中山陵（一九七九）（律詩）
＊79.爲你啊民主（譯詩，一九七九）
＊80.起來呀馬加爾人（譯詩，一九七九）

＊81.登玉山吟（一九七九）（古體）
＊82.秋之夢（一九八〇）
＊83.莎迪的玫瑰（譯詩，一九八一）
＊84.泰山吟（一九八二）（古體）
＊85.謁大禹陵（一九八二）（律詩）
＊86.—87.重到西湖二首（一九八三）（絕句）
＊88.訪伯牙台（一九八三）（古體）
89.獻詞（一九八三）
＊90.哀希臘（譯詩，一九八四）
＊91.薔薇三疊（譯詩，一九八五）（自創詞體）
92.代贈（一九八六）
93.更要向前（一九八八）（又題《哀思》）
94.廬山遊（一九八九）
95.謁孔子墓（一九八九）
96.題林則徐祠（一九八九）（古體）
97.己巳感事聯句（一九八九）（律詩）
98.曠野上一棵松樹（一九九〇）

99.翠亭村瞻禮（一九九一）

100.離騷新譯（譯詩，一九九一）

二、文（一百件選錄）（有＊者已收入所出各書）

（各類之文收集所得約共長短一八〇件左右，茲選列一百件。有些是整本以一件計。）

㈠文藝散文

1.春寒料峭憶江關（文言習作，一九五六）

2.山居初雪—改寫白居易《問劉十九》詩意（文言習作，一九五六）

＊3.春的脚步（一九五六）

＊4.幼獅的夏天—脚踏車千里長征記（一九五六）

＊5.秋在烏來（一九五六）

6.故鄉的冬（一九五七）

＊7.山的心影（一九五八）

＊8.霧社廬山記（一九六三）

＊9.史克蘭溪畔一夜（一九六四；一九六五續成）

＊10.溪頭月夜的幻想（一九六六）

＊11.美國國家美術館記（一九六八）

*12.紐約的博物館（一九六八）

*13.苦澀的鄉愁—何懷碩畫展觀感（一九六九）

*14.永恆的向日葵（一九七九）

*15.東嶽紀行（一九八二）

*16.長安訪古（一九八二）

*17.西蜀遊踪（一九八二）

*18.長江行脚（一九八三）

*19.十二月的回憶（一九八四）

20.祝福—公元二〇〇〇的夢想（一九八七）

㈡評論文、學術文及其他

21.政府之科學與藝術（譯文，一九五九）

22.俞仁寰先生紀念特刊緣起（一九六〇）

*23.略論台灣人口問題（一九六〇）

24.中西文化之比較（譯文，羅素原作，一九六一）

*25.論孔孟荀政治思想異同（一九六一）（原刊《大陸雜誌》，一九六二；曾收入《黃梨洲政治思想研究》初版本，略有修訂）

*26.黃梨洲政治思想研究（一九六四；一九六七出版；一九七八修訂改題爲《反專制主義大師黃梨洲》，共七章，一九八〇出版）

27.略論孟德斯鳩政治思想（一九六五）

28.略談譯詩的態度（一九六四）

29.序黎明詩集《金陽下》（一九六五）

30.政治學的主題與研究方法（一九六六，油印稿）

31.黃梨洲明夷待訪錄對象之探索（一九六七）（NO.26中有關部分改寫）

*32.黃梨洲思想幾個有關問題（一九六七）（收入《反專制主義大師黃梨洲》）

33.藝術與風格（一九六九）

34.劉國松畫集序（代王宇清作）（一九六九）

*35.中國繪畫藝術的建立與展開（一九六九；一九七一修訂）

*36.隋唐繪畫的風格及發展（一九六九；一九七一修訂改題《中國人物畫的黃金時代》）

*37.五代兩宋的繪畫流派與風格（一九六九；一九七一修訂改題《從投向自然到超越自然》）

*38.元代至明代中葉的繪畫流派與風格（一九六九，一九七一修訂改題《復古主義與高蹈主義》）

*39.晚明及清代的繪畫流派與風格（一九六九；一九七一修訂改題《典型主義與個性主義》）

（以上NO.35—39分別爲《中國繪畫史導論》第二至六章）

*40.中國繪畫的歷史分期與流派分劃（一九七〇）（《中國繪畫史導論》第一章）

41.二十世紀的西洋繪畫（一九七〇）（刊出時題被改爲「二十世紀的藝術發展」）
42.高平子先生行述（一九七〇）（代「高平子先生治喪委員會」作）
*43.《中國繪畫史導論》後叙（一九七一）
44.國是諍言（部分）（一九七一）（「大學雜誌」十五人聯名發表）
*45.文學與社會（一九七二）
*46.痲痹人心的「小市民思想」（一九七二）
*47.台灣對中國前途所處的角色與使命（一九七二）
*48.論中國現代詩的流變與前途方向（一九七二，初題《論中國新詩的風格發展與前途方向》，一九七八修訂改此題）
*49.《七十年代詩選》批判（一九七三）
*50.中國詩的偉大傳統（一九七三）（《中國古今名詩三百首》緒言）
51.上張曉峰先生論中國文字文學文化書（一九七四）
*52.論台灣的社會矛盾及其解決之道（一九七四；一九七七修訂）
*53.對中國歷史與前途的幾點體察（一九七五；一九八四增補發表，刊出時編者以《中國何不採行聯邦制》爲題）
54.南瀛之行—向楊逵致敬（一九七六）
*55.李白詩中的戰鬥性與入世精神（一九七六）

＊72.三十年代新詩選析（一九八三；一九八七修訂）

＊73.四十年代新詩選析（一九八三；一九八七修訂）

74.文革以來大陸青年代的反專制思潮（一九八四；一九八五修訂）

＊75.五十年代大陸新詩選析（一九八四；一九八五續完）

＊76.寫詩的歷程—《高準詩集》自序（一九八四）

＊77.《山河紀行》自序（一九八四）

＊78.羅福星百年誕辰紀念（一九八五）

79.文丑與文娼—讀文也白《論笑貧不笑娼》（一九八五）

80.略論艾青的詩（一九八五）

＊81.中國新詩人（六百人）生（卒）年表（一九八五）

＊82.我讀《生活的歌》—序黃能珍詩集（一九八六）

＊83.六十年代大陸新詩選析（一九八六）

＊84.千山風雨嘯青鋒—《文學與社會（一九七二—一九八一）》自序（一九八六）

85.民族主義的再出發（《詩潮》第五集社論，與丁穎合寫，一九八六）（一九八七出刊）

(＊)86.述志簡書—致吳明興函（一九八七）（按：刊《詩潮》第六集，收入本書）

＊87.七十年代大陸新詩選析（一九八七）

＊88.中國大陸新詩發展的輪廓一九一六—一九七九（一九八七）

＊89. 一段艱困的途程—《中國大陸新詩評析》自序（一九八七）

90. 《高平子天文曆學論著選》後敘（一九八七）

＊91. 中國新詩人生（卒）年表續補（二五〇人）（一九八八）

＊92. 《中國大陸新詩評析》後記（一九八八）

93. 中國歷代少數民族主要作家與作品表（一九八八—八九）（未刊）

94. 關於文化交流的問題（一九八九）

95. 改訂明清詩選註（修訂三版《中國古今名詩三百首》第八編）（一九九〇）（未刊）

96. 近代詩選註（修訂三版《中國古今名詩三百首》第九編）（一九九〇）（未刊）

97. 現代詩選註（修訂三版《中國古今名詩三百首》第十編）（一九九〇）（未刊）

98. 大陸出版新編《金山縣志》（一九九一）

99. 《覃子豪全集》略評（一九九二）（未刊）

100. 中國古史大事年表新編及疑年注釋（B.C.4500—B.C.211）（一九九一—九二）（未刊）

高準已出版著作及編著簡目

1.《丁香結》（詩集），一九六一，台大海洋詩社，台北。
2.《七星山》（詩集），一九六四，中國文化學院，台北。
3.《黃梨洲政治思想研究》（附有《論孔孟荀政治思想異同》一文），一九六七，中國文化學院，台北。
4.《高準詩抄》，一九七二，光啓出版社，台北。
5.《中國繪畫史導論》，一九七二，新亞出版社，台北。
6.《中國新詩風格發展論》，一九七三，華岡出版部，台北。
7.《詩潮》第一至三集（主編），一九七七—一九七八，詩潮社，台北。
8.《葵心集》（詩與散文），一九七九，藍灯文化事業公司，台中。大陸版，一九八三，友誼出版公司，北京。
9.《詩潮》第四集（主編），一九八〇，詩潮社，台北。
10.《反專制主義大師黃梨洲》（《黃梨洲政治思想研究》之修訂本），一九八〇，大漢出版社，台北。
11.《詳註中國古今名詩三百首》，一九七三初版，華岡出版部；一九八一修訂二版，林白出版社，台北。（修訂三版待出版）

12.《高準詩集》，一九八五，文史哲出版社，台北。

13.《山河紀行》（散文集），一九八五，文史哲出版社，台北。

14.《文學與社會（一九七二—一九八一）》（評論集），一九八六，文史哲出版社，台北。

15.《詩潮》第五集（主編），一九八七，詩潮社，台北。

16.《中國大陸新詩評析（一九一六—一九七九）》，一九八八，文史哲出版社，台北。

17.《高準詩葉》（抽頁裝訂本），一九八八，台北。

18.《詩潮》第六集（主編），一九八九，詩潮社，台北。

高準簡歷

□高準，字正之，祖籍江蘇金山，生於上海。

□台北師大附中實驗班文科畢業，國立台灣大學學士，中國文化研究所碩士。美國堪薩斯大學及哥倫比亞大學研究，澳洲雪梨大學東方學系博士班結業。英國劍橋大學副院士，美國愛荷華大學榮譽作家。

□曾任《思想與時代》月刊總編輯，中華學術院藝術史組主任，中國文化學院副教授，澳洲雪梨大學副教授，美國柏克萊加州大學中國研究中心研究員。中國文化大學中文系文藝系教授。

□詩潮詩社社長兼總主編。世界華文詩人協會創會理事。

□一九八一年曾率先訪問大陸，促進溝通。一九八八年共同發起「中國統一聯盟」，並任第一屆執行委員。一九九〇年任台北市江蘇金山同鄉會理事長時首創由同鄉會在大陸故鄉設立了獎學金。

□除著作外早年曾從事繪畫，作品入選全國美展，並曾舉行個人畫展。

本書各篇作者簡介（年齡序）

（＊凡現已逝世者加稱「前輩」）

陳立夫：總統府資政，孔孟學會理事長，「以中國文化統一中國」倡導人。

莊　嚴：前輩藝術史家，前台北故宮博物院副院長。

熊式一：前輩著名國際作家，前國際筆會理事。

俞大綱：新月社前輩詩人，前中國文化大學教授。

虞君質：前輩著名美學家，文藝評論家，前國立台灣大學教授。

李曰剛：前輩著名國學家，中國文學史家，前國立師範大學教授。

胡秋原：當代著名思想家、評論家，「中國統一聯盟」名譽主席。

馮英子：大陸著名評論家、散文家、新聞工作者。

劉嵐山：大陸著名詩人。

胡品清：台灣著名詩人、散文家，中國文化大學教授。

丁　穎：台灣著名詩人、散文家、評論家，本名丁載臣。
瘂　弦：台灣著名詩人，本名王慶麟。
楚　戈：台北故宮博物院研究員，著名畫家、詩人，本名袁德星。
邵燕祥：大陸著名詩人。
郭　楓：台灣著名詩人、散文家、評論家。
莫文征：大陸著名詩人。
彭紹周：台灣著名新聞工作者，《統一日報》社長。
璧　華：香港著名評論家、文學研究家，本名紀璧華。
趙天儀：台灣著名詩人，《笠》詩刊編委，前國立台灣大學教授。
古繼堂：大陸著名台灣文學研究家，社會科學院台灣研究所研究員。
王熙元：中華民國國家文學博士，國立師範大學文學院院長，中國古典文學研究會理事長。
陳一山：評論家、文學工作者。
陳映真：台灣著名評論家、小說家，美國愛荷華大學榮譽作家。
曾祥鐸：台灣著名評論家，東吳大學教授。
劉登翰：大陸著名詩人、評論家，福建社會科學院文學研究所副所長。

瓊　瑤：台灣著名小說家。
賈丹華：浙江省樂清縣文聯副主席，詩人，散文家。
何懷碩：台灣著名畫家、評論家。
陳發玉：安徽省著名詩人、文學研究家，安徽銅陵財經專校中文副教授。
黃　翔：大陸傑出詩人，貴州工人作家。
古遠清：大陸著名文學研究家，湖北當代文學學會副主席，武漢中南財經大學中文副教授。
龔顯宗：中華民國國家文學博士，台南師範學院中文系主任，國立中山大學中文系教授。
楊　亭：詩人，前《詩人》詩刊主編。
吳明洋：文學工作者，「九行連」詩體創製人。
王哲雄：中國文化學院藝術研究所碩士，國立師範大學美術系教授。
北　固：著名評論家，本名王德琦，又用筆名「隱仕」。《經緯》雜誌發行人兼總編輯。
莫　渝：台灣著名詩人、譯詩家，文學研究家，本名林良雅。
陳鴻森：詩人，《笠》詩社同仁。
陳義芝：台灣著名詩人。
鄒建軍：湖北省著名作家、文學研究家。

李　想：青年作家，文化工作者，本名李復中。

何　捷：台灣著名青年詩人，前《掌握》詩刊主編。

王京瓊：大陸台灣文學研究者，社會科學院台灣研究所研究人員。

歐陽惠民：青年詩人，前澎湖《海韻》詩刊主編。

吳明興：台灣著名青年詩人，《葡萄園詩學季刊》主編。

古霞琴：青年作家，本名胡霞琴。

陶維佳：上海《解放日報》記者。

黃能珍：青年詩人、散文家，前《掌握》詩刊主編。

邱振瑞：青年詩人，前《掌握》詩刊編委；《詩潮》詩刊編委。

陳嘉瑜：中國文化大學《風簷》期刊總編輯。

校讀後敘

高準

記得大概還是三十一年多前吧，那時我大學將要畢業，第一本詩集正待出版。當時章君穀先生主持的《作品》雜誌是一本頗受社會矚目的大型文藝刊物，承蒙他的欣賞，常登載我的一些詩，我有時就到他雜誌社去。有一次在他那裡遇到老作家姜貴先生，姜先生我並不認識，但那天我見他帶了一本薄薄的小書給章先生，書名叫《懷袖集》，內容是對於他的作品的評論輯錄。之所以叫《懷袖集》，當然是表示感謝那些作者給他的評論而要懷之於袖以示珍視的意思。這一書名使我留下了很深的印象。

現在，這本書，就我個人而言，我覺得也正是應該叫《懷袖集》才對吧，但既已有過這樣的書名，當然也不便重複。

本書現在的書名是丁穎兄起的。他並特地寫了可以視為本書引論性質的同題的評論文。我固然覺得這一書名對我個人來講是當不起的，實在令人惶恐。但丁穎兄以為即以此而自勉，並與讀者以此共勉，亦抑何不可？所以就決定採納。而本書也是在丁穎兄與另兩位詩友龔顯宗及邱振端的敦促下而編成，他們分別提供了意見。他們三位也都是《詩潮》的支持者，所以本書也就作為我們「詩潮社」編輯推出的產品。

《詩潮》詩刊前後參與的詩友雖有多人，但無可否認，一直都是由我在挑大樑，另外獻力較多的則也就是丁穎兄了。而由於客觀環境的條件所限，尤其當前商品市場的惡劣情況，使它很久也未能再出，眼看已快無以為繼了。那麼，現在本書的推出，從某一意義上說，也正是負擔着繼續發揚「詩潮精神」的使命。本書的書名《民族文學的良心》，不也正是我們「詩潮」社友的共同許期嗎？

對於本書的各位作者，無論是對我的期許表揚，對《詩潮》的愛護欣賞，或對我的作品提出不同的意見與批評，在此，我想除了表示深深的感謝之外，實在不需要再說什麼了。而真所謂「歲月不饒人」，在本書各作者中，已有五位可敬的前輩：熊式一先生、莊尚嚴先生、俞大綱先生、虞君質老師、與李曰剛先生，竟均已先後永別而去。回想他們當年的音容笑貌，歷歷猶在目前。愛護後進的風範，更令人永懷追憶。那麼，藉着本書的出版，願即此敬表深切的悼念之忱。

本書共包括了正好五十位作者，從最年長的陳立夫先生到最年輕的陳嘉瑜，年齡的差距是整整七十歲。我曾就文壇遞邅的情況，認為大約每十二生肖一輪廻就可視為一代，那麼，這就包括了老中青六代的作家了。其中大陸作者十三人，香港及海外各一人。已屆高年的尚有胡秋原先生與大陸的馮英子先生。胡先生當其七十八高齡之時，對拙著寫了萬言長論，馮先生一見拙作就連寫了兩篇，在此都要特表欽感。大陸作者中，莫文征、古繼堂、劉登翰、古遠清、鄒建軍與王京瓊等位都見研究臺灣文學的專家。對於本書各文的作者簡介，已另列為附表，茲不一一復贅。

本書的編排是以各文的內容題材而分類排列，第一輯是詩評，第二輯是贈詩，第三輯是評《山河紀行》，第四輯是評以《文學與社會》中文章為主的文學評論，第五輯是評《中國繪畫史導論》，第六輯是評《中國大陸新詩評析》，第七輯是函札，第八輯是對個人的一般評介及對《詩潮》的史評，第九輯是短評選輯，最後第十輯是附錄。附錄中的「作品評論與介紹文章篇目」，就收存所得，編列了一百十件。選在本書中的有五十件（其中三件是摘錄），本書中另有七件則選自各家來函，未在此表之中。

本書封面及封底設計中之對聯，分別為名書法家汪中老師與王中原先生及其夫人所書贈之墨寶。前者還是二十二年前我撰以自勉而請汪老師題寫的。後者是中原先生最近所製贈，嘉勉尤多，意義深遠。而封面聯在設計中是用淺色印的，所寫為行書，為助讀者閱覽之便，現再錄於下，聯曰：

讀萬卷書行萬里路心存萬世

先天下憂後天下樂志比天高

我想這仍將是對我自已永恆的鞭策吧？

重讀全書各文既畢，謹附數言如上。

一九九二（壬申）七月誌於臺北之寄蝸居